LOS FANTASMAS DE GOYA

colección andanzas

JEAN-CLAUDE CARRIÈRE
Y MILOS FORMAN
LOS FANTASMAS DE GOYA

Traducción de Juan Manuel Salmerón

Título original: *Les fantômes de Goya*

1.ª edición: noviembre de 2006

© Plon

© de la traducción: Juan Manuel Salmerón Arjona, 2006
Diseño de la colección: Guillemot-Navares
Reservados todos los derechos de esta edición para
Tusquets Editores, S.A. – Cesare Cantù, 8 – 08023 Barcelona
www.tusquetseditores.com
ISBN: 84-8310-355-9
Depósito legal: B. 44.914-2006
Fotocomposición: Pacmer, S.A. – Alcolea, 106-108, baixos – 08014 Barcelona
Impreso sobre papel Goxua de Papelera del Leizarán, S.A. – Guipúzcoa
Liberdúplex, S.L.
Encuadernación: Reinbook
Impreso en España

Índice

Primera parte

1

Lorenzo Casamares acaba de cumplir treinta y un años. Cuarto hijo de una familia de campesinos pobres, nació en un oscuro villorrio de Murcia y se crió en el campo. Descalzo incluso en invierno, espigaba los campos, recolectaba frutos silvestres, recogía bosta de caballo con una pequeña pala de madera, pescaba a mano en los arroyos y cazaba pájaros con guijarros planos que apuntalaba con ramitas. Y en temporada robaba higos y uva; dos o tres veces lo pillaron y lo azotaron con ortigas. Desde que nació sabe lo dura que puede ser la vida. Sabe también que hay otra vida, la única que importa. A los siete años empezó a llamar la atención del cura de su parroquia, con quien a veces se mostraba reacio en la confesión obligatoria de los viernes. Impresionado por su precoz inteligencia, su vivacidad de espíritu, su gran curiosidad por los misterios de la fe y su fervor instintivo y profundo, el párroco halló el medio de enviarlo con nueve años a un colegio donde, sin pagar, pudiera recibir una educación. La familia aceptó con regocijo el privilegio, entonces muy raro. Era, además, una boca menos que alimentar.

Muy listo y trabajador, hondamente preocupado por la religión, piadoso en extremo pero también juguetón y batallador, el joven Lorenzo pronto aprendió a leer y a escribir, y en dos años recuperó su retraso. Estudiaba por las noches, escondidamente, a la luz de una vela, rogando a Dios que le diera fuerzas para resistir el sueño.

A los trece años, además del castellano, conocía sobradamente el latín y algo de griego. Estudiar era su pasión, lo que le abría día a día la puerta al mundo insospechado del conocimiento, tanto de lo humano como de lo divino; estudiar le permitía también sentirse igual que otros muchachos de distinta condición, hijos de mercaderes y aun de hidalgos arrogantes que en su mayoría, sin embargo, tenían pocas luces y eran incapaces de aprender. Esta igualdad ante la puerta del saber le parecía obra y gracia de Dios.

A los dieciséis años componía versos en latín y se sabía los Salmos de memoria. Era muy popular entre sus compañeros, que lo tenían por líder pero también lo envidiaban. Por brutalidad, por orgullo, no pocas veces lo denunciaron. Pero él siempre salía ganando. Era el mejor en casi todo.

A su debido tiempo se ordenó. La teología lo fascinaba. En ella se recreaba su espíritu como en un juego sin límites en el que, en compañía de santos, ángeles y arcángeles, descubría todo un mundo de lucubraciones inesperadas, de jerarquías celestes, de universos infinitos, tanto más emocionantes porque le resultaban invisibles e impenetrables.

Como la pureza de la fe parecía ser su principal cuidado, lo destinaron a la orden de los dominicos, cuya vocación primera era luchar contra toda forma de desviación y herejía. Tal era la ferocidad legendaria de los frailes de esta orden que, haciendo un juego de palabras, se los denominaba *domini canes*, los «perros del Señor».

En esa orden hizo su noviciado, seguido, en 1779, de un viaje colectivo a Roma. El grupo de frailes españoles al que él pertenecía fue recibido por el Santo Padre en una audiencia privada que duró dos horas. Les habló el Papa del verdadero reino, que a ellos cumplía predicar mas también defender, y les dijo que España era el más firme bastión de la verdad eterna. En dos ocasiones los llamó «soldados de Cristo». Estas palabras causaron una viva impresión en Lorenzo, que al verse en presencia del primer cristiano, vicario de Dios en la Tierra, pensaba en su niñez descalza.

Ya a los veinticuatro años requirió sus servicios una institución a la que llamaban el Santo Oficio o, en otras palabras, la Inquisición.

El primer Papa que utilizó métodos inquisitoriales fue el implacable Inocencio III, a principios del siglo xiii, en su lucha contra los albigenses. La Inquisición propiamente dicha fue creada en 1231 por Gregorio IX, que la confió a los dominicos para que velasen, gracias a una instrucción secreta, por la observancia estricta del dogma católico y romano.

En España, hacia finales del siglo xviii, cuando Lorenzo trabaja para la Inquisición, ésta se halla en decadencia. La imagen dura, sombría y aun temible que ofrecía dos siglos antes ha ido enturbiándose poco a poco y debilitándose. En principio, España sigue siendo una monarquía católica tradicional, a salvo de la Reforma protestante. La confesión y la comunión son obligatorias al menos una vez al año, y todos los súbditos han de poseer un certificado de cumplimiento pascual, lo cual da pie a veces para que en las ciudades florezca el mercado negro.

Como antaño, los comisarios y los agentes de la Inquisición pueden presentarse en cualquier parte, incluidos los aposentos de los forasteros, sin necesidad de avisar previamente. Buscan folletos, imágenes, libros prohibidos impresos en el extranjero. Lorenzo fue instruido desde muy joven en esta técnica y sabe dar con los escondrijos más inusuales.

España, al menos oficialmente, se esfuerza por resistir a la penetración de ideas nuevas procedentes del norte de Europa, de Francia sobre todo. Las obras consideradas perniciosas son oficialmente prohibidas bajo pena de multa y aun de prisión. Voltaire, Hume, Rousseau y hasta Montesquieu están proscritos.

Pese a tales prevenciones, algo en la mentalidad y en las costumbres ha cambiado. La palabra clara e insólita de los filósofos, que se presenta como una lógica nueva del espíritu, un llamamiento al progreso y a la razón frente a toda autoridad arbitraria, traspasa la barrera de los Pirineos dentro de los costales de contrabandistas y matuteros. Ocultos en el forro de sombreros vendidos en Cádiz han sido hallados papeles sediciosos que cuentan la toma de la Bastilla. Frente a las costas españolas, los marineros arrojan al mar cajas de hierro con proclamas revolucionarias como la Declaración de los Derechos del Hombre. Atadas a pedazos de corcho, esas cajas se mantienen a flote y sólo hay que localizarlas y sacarlas, lo cual se hace de noche, con faroles.

Algunos de estos mensajes llegan a Barcelona y Madrid. Lorenzo, así como otros frailes pesquisidores, los han encontrado en colchones, debajo de baldosas, en las vigas. Las Luces se propagan como la peste y es muy difícil extirparlas, casi imposible.

Hay españoles que han visitado París y Londres. Han visto, escuchado, leído. En Madrid, donde se publican algunos periódicos moderadamente satíricos como *El Pensador* o *El Censor*, incluso a veces es posible comprar licencias para leer los libros incluidos en el Índice. La curiosidad tiene un precio.

Buena parte de la sociedad elegante –aristócratas, hombres de negocios, políticos, artistas, escritores– se interesa vivamente por el movimiento europeo de las Luces, que les parece imparable. Se los llama «ilustrados». También hay, aunque muy discretos, francmasones. En el peor de los casos, a estos espíritus modernos se los llama «afrancesados».

Entienden todos ellos que una monarquía, por firme que sea, debe ir con el signo de los tiempos. Pero no les resulta fácil decirlo, y menos en voz alta.

Carlos III, que reinó cerca de treinta años, muere en 1788 con fama de «déspota ilustrado». Era un Borbón y firmó con Francia lo que la historia denomina Pacto de Familia, que puso fin a siglos de guerras incesantes pero le costó la onerosa guerra de los Siete Años.

Pudibundo aunque amante del arte, dejó que el progreso de las Luces continuara. Evitó apoyarse demasiado abiertamente en el clero y en la Inquisición. Fijó su residencia en un palacio real de estilo neoclásico, armonioso, de construcción reciente, que nada tenía que ver ya con las siniestras fortalezas de antaño. Urbanista, ensanchó y embelleció Madrid, que hasta entonces era una capital angosta, provinciana, casi pueblerina, sin proporción con la grandeza del Imperio español.

A finales del siglo XVIII, este imperio es aún inmenso. Una frase célebre corre de generación en generación: «Nunca se pone el sol en los dominios del rey de España». Y aunque Flandes, Portugal, Austria y la Italia española se han separado del imperio, la frase sigue siendo cierta. En el Siglo de Oro, doscientos años antes, una cuarta parte de la población mundial dependía más o menos directamente del poder español, es decir, del rey de España. Esta proporción no es ya tan grande. Además, en el plano social y económico, y pese a los esfuerzos de Carlos III, España se ha quedado atrás. Los ojos están puestos más bien en Inglaterra, Berlín, Francia. Los más audaces miran incluso a los jóvenes Estados Unidos de América, cuya reciente independencia y Constitución republicana amenazan con soliviantar al resto de los pueblos del Nuevo Mundo. Las viejas monarquías empiezan a inquietarse: ¿y si la república cruzase el océano?

En Europa se habla de la «decadencia de España», que comenzó ciento cincuenta años antes. Incluso en Madrid hay quien considera que el país va a la zaga, ha quedado al margen.

Aun así, en los mapas del orbe sigue siendo ubicuo.

Antes de que el Santo Oficio utilizara sus servicios, Lorenzo Casamares, al igual que otros espíritus aventureros de su tiempo, soñó con irse lejos, a uno de esos territorios donde la fe cristiana parecía aún nueva.

De mozo se figuraba ser un misionero que, a caballo o en piragua, enarbolaba la cruz de Jesús ante gentes asombradas, como antes que él hizo en América otro domínico al que admiraba, Bartolomé de Las Casas. A veces aspiraba incluso a ser un mártir, morir en olor de santidad, ser recibido por Dios en la gloria eterna, entre coros seráficos. Leía y releía las obras ya antiguas de san Juan de la Cruz y de santa Teresa de Ávila, algunas de cuyas páginas se sabía de memoria. Conocía al dedillo la vida y milagros de san Francisco Javier, que fue a predicar en Japón y murió a las puertas de China, así como del gran san Ignacio de Loyola, el insigne fundador de la ahora disuelta Compañía de Jesús.

Pero esos tiempos pasaron. En España, como en el resto de la cristiandad, ya no hay santos, ni por tanto milagros. La fe ha perdido su ardor y su ímpetu, se ha vuelto administrativa. Es algo que Lorenzo constata y asume cada día. Y se pregunta cuál es su puesto, cuál su misión en el gran designio de Dios. Aún no lo sabe.

Cerca de un año tardan en llegar las noticias y órdenes de España a los más remotos dominios de la corona, a las islas Filipinas, por ejemplo, que descubrió Magallanes en 1521 (el mismo año en que Hernán Cortés conquistó Tenochtitlán, futura Ciudad de México). Los frailes se ocupan allí no sólo de la vida religiosa sino también de la educación infantil y del gobierno de la comunidad. Agentes de la colonización española, a menudo eficacísimos, supieron infundir en el ánimo de los indígenas un temor sagrado a la lejana madre patria, a la cual casi deificaron; creyérase que Dios eligió, no Roma ni Palestina, sino España para evangelizar la Tierra.

Esos religiosos –y esto fascinaba a Lorenzo– se presentaban también como libertadores de aquellos pueblos. Al igual que habían hecho otros misioneros en México o

17

Perú, decían ser portadores de la única palabra verdadera y, merced al milagro inaudito de la «redención» (concepto a menudo difícil de explicar), también de la promesa de salvación eterna. Enseñaban a los indígenas –quienes hasta entonces lo ignoraban– que habían nacido pecadores pero que Cristo los había redimido. Además, los libraban de unos reyezuelos que a menudo los sacrificaban a dioses de piedra, así como de sus creencias supersticiosas.

Hubo pues que establecerse y organizarse pensando en que aquello llevaría su tiempo. Hubo incluso que oponerse a otros credos invasores.

Hoy, obligados en ocasiones a defenderse, afirman ser la única protección posible frente a la «abominable y fanática secta de los adeptos de Mahoma», que empieza a extenderse por Asia (donde ya existía antes de la llegada de portugueses y españoles) y que no puede sino conducir a los tormentos infinitos del infierno.

Una correspondencia secreta, que escapa incluso a la vigilancia real, mantiene en estrecho contacto las misiones de los lejanos territorios y los conventos españoles; a los dominicos de una y otra parte, por ejemplo. Cuando algo se estremece en Colombia, en Venezuela, en México, las autoridades de la Inquisición son informadas en el acto. La obligación de los religiosos, como salvaguarda que son de la auténtica fe, es dar parte al rey, que tiene también sus propios informantes, y aconsejarle qué medidas conviene tomar, qué reformas sería o no deseable emprender.

Pero en eso queda todo. La llama ardiente de las primeras conquistas se ha extinguido. La Iglesia se ha apoltronado en los despachos y más parece a veces una policía de provincias.

Por eso Lorenzo, al que en algún momento le tentó la

18

idea de marchar a Filipinas, ha desistido. La verdadera batalla, dice, no ha de librarse en las extremidades del cuerpo, sino aquí, en nuestro mismo corazón.

En las sesiones del Tribunal de Corte del Santo Oficio, Lorenzo Casamares es una de las voces más escuchadas, si no la más seguida. De su origen campesino conserva unos modales toscos, a veces incluso brutales, pero sabe disimularlos con una apariencia de humildad. Habla en voz queda y es algo cargado de espaldas. Aunque se declara sin reservas afecto a los «ilustrados» y se interesa apasionadamente por su época –es incluso amigo del famoso Francisco de Goya, pintor oficial de la corte, el más caro de España, al que hace poco encargó su retrato–, se expresa sin rebuscamiento ni pompas retóricas. Va directamente al grano y carece de ese gracejo insinuante que solía atribuirse a los jesuitas, maestros de la «voluntad indirecta», o sea, del disimulo. Cuando le contradicen, pierde la paciencia, alza la voz y, si se tercia, da un puñetazo en la mesa. Pero eso ocurre muy raras veces. Por lo general se muestra sumamente afable y atento.

Es hombre duro de rostro, de rasgos marcados, barbilla maciza, mirada intensa y penetrante. Con las manos puede cascar nueces sin esfuerzo. Solamente se afeita dos veces por semana; camina y come rápido. A veces, cuando lleva prisa, se emboza en su hábito blanco y su capa negra y, recogiéndoselo, aprieta el paso. Dicen los que lo conocen que con él se puede hablar de todo, incluso de temas escabrosos. Con frecuencia ríe a mandíbula batiente y da palmadas en la espalda.

«Siempre seré un campesino», dice a menudo.

Tras su aspecto más bien rudo, que sin duda le sirve de máscara, esconde una mente aguda y perspicaz con la que parece adivinar por anticipado los argumentos del otro; sin embargo, tabaleando con los dedos sobre la mesa, espera el momento de replicar. Dicen que su inteligencia va más rápido que él y a veces habla como olvidado de quién es. También dicen que está muy «convencido», que es mordaz y que se aferra cual ave de presa a sus ideas, con total entrega.

Se ha formado pacientemente en las bibliotecas de los distintos monasterios donde ha vivido, aunque también en las librerías públicas, a las que no duda en acudir, así como en los puestos de los libreros callejeros. Nada se le escapa. Se guarda bajo el hábito libros o panfletos prohibidos y va a sentarse a la sombra en las riberas del Manzanares, donde los lee detenidamente, lejos de todos.

Los tiempos que corren lo preocupan. Observa las convulsiones que agitan a Francia y, en consecuencia, sacuden a Europa de su inveterado sopor, y no sabe qué pensar. A diario ve la miseria y la suciedad de Madrid, que persisten pese a los afanes del anterior rey. En la capital del imperio más grande del mundo, una quinta parte de los súbditos se ve obligada a mendigar. La Iglesia española posee inmensas riquezas, sólo comparables a las de ciertos aristócratas: la familia de Alba, por ejemplo, la más rancia y rica de España, la cual –aseguran–, así como el rey no veía ponerse el sol en sus tierras, puede recorrer la península entera sin salir de sus posesiones.

¿Ha querido Dios tamaños contrastes? ¿No dijo Jesús que es más fácil que un camello pase por el ojo de una aguja, que un rico entre en el reino de los cielos?

Las catedrales rebosan de obras maestras de orfebrería que parecen succionadas, como por vampiros, de la tierra reseca que las rodea. ¿Cómo se puede tolerar que, a las puertas de tales tesoros, hayan de pedir limosna catervas de ancianos y tullidos?

¿Es que gusta Dios del oro?

Lorenzo, como los ilustrados a los que frecuenta, acogió con simpatía y aun con júbilo los primeros movimientos de protesta contra el rey de Francia, Luis XVI, y su esposa austriaca, María Antonieta. No lo asustó como a otros el oír hablar del «pueblo soberano», y se congratuló de que se convocaran los Estados Generales, donde se reunieron representantes de todas las clases sociales y de todas las provincias de Francia. Por fin se oía allí la voz del pueblo, ese pueblo olvidado y por tanto tiempo silencioso del que él mismo provenía.

Pero cuando ese mismo pueblo tomó la fortaleza de la Bastilla, en París, el 14 de julio de 1789, y se vieron, ensartadas en picas sanguinolentas, las primeras cabezas cortadas –noticias que recibió con bastante rapidez por conducto de los dominicos franceses–, su entusiasmo se apagó.

En el transcurso de 1790 y 1791, viendo que aquella revolución tan próxima no ejercía influencia alguna en España, como había esperado al principio; viendo que en París la tensión entre los representantes electos, hombres de bien que trabajaban sin descanso en una Constitución, aumentaba de semana en semana, y que el poder real titubeaba, retrocedía, pedía secretamente ayuda a otros países europeos y era incapaz de salvar las finanzas públicas, empezaron a asaltarle las dudas.

Veía también que, en Francia, esos hombres nuevos se oponían, a veces por la fuerza, al clero tradicional y a golpe de decreto se apropiaban de los inmensos bienes de la Iglesia para, en nombre de esa entidad soberana llamada nación, vendérselos luego a compradores privados; y que saqueaban y hasta destruían iglesias. A distancia adivinaba Lorenzo el progreso de la impiedad y las amenazas que se cernían sobre el clero francés, con gran turbación de su ánimo.

A finales de 1791 pidió licencia a su superior, el padre Gregorio Altatorre, para retirarse quince días al monasterio del Paular, situado en las nevadas soledades de la sierra de Guadarrama, al norte de Madrid. Necesitaba meditar, dijo, a solas con Dios, en una celda fría y silenciosa.

La licencia le fue concedida.

Lorenzo partió en el mes de febrero de 1792, a lomos de una mula y envuelto en una manta de lana.

La joven está sentada en un taburete bastante alto y de tal modo que la luz que entra por una ancha ventana le da de lleno en la cara.

Tiene diecisiete años, tal vez dieciocho. Su expresión es clara y alegre.

Una voz de hombre harto severa le pide que no se mueva, que se esté quietecita. Eso se esfuerza por hacer ella, pero distrae su atención algo que la intriga y divierte.

Se halla en un taller de pintura y grabado y varios hombres trabajan a su alrededor: unos preparan los colores, moliéndolos y mezclándolos; otros manejan un pesado tórculo del que van sacando estampas aún frescas que tienden a secar en una cuerda. Cubren las paredes rugosos grabados, copias al carboncillo de mármoles antiguos, bocetos, modelos de letras, cuadros sin terminar, y por doquier se ven buriles, cuencos de tinta, frascos de ácido, tampones, pinceles, papel secante, rasquetas, punzones, el utillaje, en fin, de un pintor-grabador.

Lo que atrae la mirada de la joven es el retrato inacabado de un hombre, o, mejor dicho, el esbozo de un hábito frailuno, blanco con la capa negra, como el de los dominicos. Las prendas están huecas: no se ven ni manos ni rostro.

–¿Puedo decir algo? –pregunta la muchacha.

–Sí –contesta el hombre, con voz sorda y algo desabrida.

–¿Por qué no tiene cara ese retrato?

–Porque es un fantasma –responde el hombre.

–No –dice la moza riendo, después de mirar un momento el retrato–. No es un fantasma.

El hombre guarda silencio; está pintando. Se llama Francisco de Goya y Lucientes y tiene cuarenta y seis años. Aragonés, más bien recio, de ojos negros y pelo revuelto, tiene rostro redondo y expresión ceñuda. En la mano sujeta una paleta y varios pinceles y se protege el pecho con un delantal manchado de pintura.

Lo único que la joven sabe de él es que es famoso. En efecto, es pintor de cámara desde hace unos diez años. Empezó trabajando en la Real Fábrica de Tapices, que abastecía las residencias y los palacios reales, como El Escorial y El Pardo; dibujaba y pintaba escenas de la vida popular, almuerzos campestres, bodas, juegos: imágenes jocundas y tranquilizadoras de una España irreal, la España que el rey quería ver.

Pintó luego el retrato del secretario de Estado, conde de Floridablanca, hombre de corta estatura y un tanto acomplejado por eso. Goya se representó a sí mismo en el cuadro mostrando la obra al modelo –la joven lo sabe por su padre–, pero tuvo la astucia de pintarse con diez centímetros menos de altura para parecer más bajo que el entonces todopoderoso ministro; adulación pictórica que le valió elogios y nuevos encargos.

El fraile del retrato sin rostro es Lorenzo Casamares, a quien la joven no conoce. Aunque se trataban desde hacía algún tiempo, sólo una vez fue el inquisidor al taller; hizo el encargo, eligió el formato, posó un momento para que el pintor se hiciera una idea general de su porte y vestimenta, y se marchó. Ya no volvió para una segunda sesión. Se dice que ha dejado Madrid, aunque se desconocen los motivos. Entretanto Goya ha pintado el hábito.

–¿Acaso has visto tú algún fantasma? –pregunta Goya a la joven.

–No –dice ella–, pero sí a una bruja.

–¿En serio?

–En serio. ¡Y menuda pinta tenía!

–¿Ah, sí? ¿Qué pinta tenía? –pregunta él sin dejar de trabajar y sin escuchar apenas.

–Era muy vieja y encorvada... Iba sucia... y olía fatal.

–Qué raro –murmura Goya.

–¿Por qué raro?

–Yo también conozco a una bruja –dice él, mirando ya al modelo, ya al lienzo.

–¿Y cómo es?

–Es joven, risueña, parlanchina, nerviosa y se perfuma con jazmín.

–¡Mentira!

–Verdad, ahora mismo estoy retratándola.

–Yo no soy ninguna bruja –dice la joven poniéndose seria.

–¿Y cómo lo sabes?

Goya deja la paleta y anuncia, limpiándose las manos en el delantal y sin quitar la vista del cuadro, que la sesión ha terminado.

–¿Ya? –pregunta ella.

–Por hoy sí.

–¿Y cuándo estará acabado el cuadro?

–Eso ya lo veré yo.

La joven se contempla en la tela. Como la mayoría de los modelos, no acaba de reconocerse y pregunta si de verdad es ése el color de su pelo, de sus ojos. ¿De veras es ella «así»? Goya le explica brevemente que, debido a que cuando uno se mira al espejo se ve al revés, acaba familiarizándose con una imagen falsa de sí mismo, y por eso se sorprende al verse de pronto retratado más o menos como realmente es.

Ella hace un mohín, no muy convencida. Luego se envuelve en la capa, se despide de todos graciosamente y se marcha. Tendrá que volver, quizá varias veces más.

Goya, inmóvil, observa unos instantes el cuadro.

Un fantasma, cierto. Un fantasma lleno de gracia y hermosura, un fantasma inocente que, como caído del cielo, se puso un día al alcance de su ojo y de su mano. Si los ángeles existen, esa joven lo es. Y de que tienen sexo no cabe duda. Muchas mujeres han posado para él, pero nunca vio un rostro semejante. ¿De dónde habrá salido? ¿Quién lo habrá creado? ¿Qué querrá decirle?

Se llama Inés Bilbatua. Un carruaje con cochero la espera para conducirla de vuelta a su casa, o, mejor dicho, a casa de su padre. Es éste un hombre de origen vasco, llamado Tomás Bilbatua, comerciante e hijo de comerciantes. Vende todo cuanto pueda venderse, en particular productos exóticos provenientes de África, América y las Indias orientales. Quince años pasó recorriendo mares y océanos, y posee factorías en medio mundo, en Veracruz, Acapulco, Orán, Senegal, Goa, Manila, Campeche. Es uno de los pocos europeos que han puesto sus miras en Asia y saben que las tres cuartas partes del comercio mexicano, por ejemplo, no se realizan con Europa sino con China, la India y Japón, vía Filipinas. Por esta ruta, que atraviesa todo México y el Atlántico, se importan géneros preciosos: seda, marfil, esmeraldas, especias, artículos todos altamente lucrativos.

En la misma España posee almacenes en Bilbao y en Cádiz. Tiene representantes en Valencia y en Barcelona para todo el comercio mediterráneo, así como acuerdos con cientos de vendedores.

Es también armador y dueño de títulos en varias compañías marítimas. Los vascos han sido siempre grandes navegantes. Se precian de haber arribado a las costas americanas mucho antes que Cristóbal Colón, si bien nunca lo pregonaron: no querían que se supiera dónde tenían sus bancos de pesca.

En los patios y corredores de su gran casa madrileña hay pieles de cocodrilo, loros vivos, sacos de jengibre, de nuez moscada, de clavo, de azafrán, de pimientos verdes, de ese chile que abrasa la garganta; veinticuatro variedades de café y té, unos cien sacos de arroz, plátanos, mangos, tomates, pirámides de cocos, curiosas patatas traídas del Perú, montones de objetos de cobre y plata, joyas, cestos trenzados en la Amazonia y otros lugares, puñales malayos, lanzas marroquíes, cofres chapados de oro fino, rollos de seda china, biombos lacados de Costa de Coromandel, algodón de la India, brocados, alfombras persas, cigarros de Cuba, azúcar de varias clases, licores raros. Y en los cofres hay piedras preciosas o semipreciosas. Pintores con suerte acuden allí, el propio Goya de vez en cuando, a comprar lapislázuli, que machacan para obtener un azul incomparable.

Se rumorea que su padre, el viejo Bilbatua, traficaba también con seres humanos y que parte de la fortuna familiar proviene de la trata de esclavos; que traficaba en ambos sentidos: embarcando para América negros comprados en las costas de África y trayendo del Nuevo Mundo indios para venderlos en Europa como curiosidades exóticas.

Tomás Bilbatua, el padre de Inés, se encoge de hombros y niega sin más esas acusaciones. Él también es un espíritu moderno e ilustrado. Tres veces ha visitado los Estados Unidos de América, que hace más de quince años conquistaron la independencia con ayuda de tropas francesas y, cosa menos sabida, españolas.

Una vez lo recibió el mismísimo Washington, en Filadelfia. Fue en una residencia de lo más modesta, sin vigilancia militar. Un simple criado le abrió la puerta y lo invitó a esperar en un saloncito. A los diez minutos se presentaba el gran hombre. Le habló éste de su pueblo, de su lucha, de sus esperanzas; dijo que España, a la que estaba muy reconocido por su apoyo militar, tendría que renunciar un día u otro –mejor antes que después– a sus posesiones coloniales, que calificó de anacrónicas. «¿De qué sirve proteger por un lado lo que por otro se destruye?», decía. Varias veces empleó la palabra «libertad» y prometió al vasco favorecer sus empresas.

Solía repetir Bilbatua lo que el presidente norteamericano le dijo ese día: «No se puede hablar de libertad sin libertad de comercio».

Tomás Bilbatua es el representante español de esa burguesía aventurera que, radicada en Europa, está conquistando el resto del mundo. Dice a veces sentirse muy solo y lamenta la inercia embrutecedora de las costumbres españolas, la pereza mental, la falta enfermiza de curiosidad por el mundo. «Yo tendría que haber nacido inglés», comenta en ocasiones.

Hombrecillo activo, enjuto de carnes, de sonrisa fácil y mirada viva, que escucha mucho antes de proponer algo que sus colegas saben que habrán de tomar o dejar, Tomás Bilbatua es rico, muy rico. Según amigos indiscretos, ha colocado dinero en un banco londinense del que es socio. Tiene dos hijos, que lo ayudan en el negocio, y, sólo en Madrid, unos cuarenta empleados.

La mansión que se ha hecho construir es casi un palacio. Las mercancías se acumulan en la planta baja y en los patios, a veces incluso ante la puerta principal. La familia vive en el primer piso.

El mobiliario es heteróclito. Distribuidos a la buena de Dios por una veintena de cuartos, hay butacas francesas, tapicerías flamencas, largas mesas de madera maciza y media docena de bargueños con numerosos cajones y patas torneadas, además de cómodas pintadas procedentes de Italia y arañas holandesas.

Los visitantes pueden también sorprender en cualquier pasillo un pequeño armario chino lacado en negro, muebles indonesios de paja trenzada, una mesita siria con taraceas, varios espejos grandes cuyos marcos de madera dorada tallaron artesanos analfabetos de Bogotá o de Recife, y hasta un par de estatuas de bronce de África que parecen atraer la mirada.

Al contrario de su mujer, que prefiere los muebles franceses de formas redondeadas y suaves, Bilbatua ama ese cajón de sastre, ese batiburrillo de objetos por los que pasea la mirada y que cifran la historia de su vida.

Dice que, aun en casa, siempre está de viaje.

Lo atrae la variedad de formas y colores. Aunque no especialmente ducho en arte, tiene buen gusto para lo que él llama «mis bellezas». Cuando se embarca lleva siempre consigo dos o tres cuadros y algunos libros. Sin las cosas que adornan y, por ende, mejoran la vida, dice, no concibe la existencia.

Eso sí, por encima de todo es un hombre de negocios, y todos esos objetos que ha ido atesorando por el mundo no duda en revenderlos cuando, claro está, ofrecen amplio margen de ganancia.

Particularmente orgulloso se siente de su colección de cuadros. De la escuela española posee un Ribera, dos obras de Zurbarán y un pequeño Velázquez. También tiene un Tiépolo, comprado directamente al pintor italiano cuando éste, a instancias de Carlos III, se vino a trabajar a España; dos o tres obras de Mengs, pintor manierista y pulido que ya empieza a pasar de moda, y sobre todo cinco lindos cuadros de Goya: dos paisajes con figuras y tres retratos, el suyo, el de su mujer y el de Ángel, el primogénito.

Para el decimoctavo cumpleaños de su hija Inés, la cual ha empezado a trabajar con él ocupándose de los artículos de seda y las esencias de Arabia y la India, le ha regalado el retrato que Goya está pintando. Quizá la joven habría preferido una joya, pero no ha rechistado. Acepta posar juiciosamente hasta que el pintor dé por acabado el cuadro.

Cuando Goya visita a Bilbatua y ve en las paredes sus viejas obras, a veces dice que le gustaría retomar ésta o aquélla, corregir un gesto, matizar un color. Asegura también que, como las personas vivas envejecen cada día y sus imágenes pintadas siguen siempre igual, éstas se convierten pronto en mentiras. Han pretendido fijar para siempre lo que no es sino un momento de vida.

«Mejor así», contesta Bilbatua. «Cuando miro mi retrato me siento más joven. Si envejeciera como yo, más me parecería un espejo.»

Otro favor, vivamente deseado por la joven, le ha concedido el padre: salir por primera vez a la ciudad con sus hermanos y algunos amigos. Irá a beber y comer a algún mesón, verá de cerca bailarinas, ladrones, borrachos, echadoras de cartas, y quizá cosas peores.

A su madre la idea no le hace mucha gracia, pero, como dice el padre, ya es hora de que la joven vea lo que es el mundo.

2

En España, en Madrid sobre todo, algunos miembros de la Inquisición son ilustrados. El poder real, tras la lenta Reconquista, culminada en 1492, y la expulsión de los judíos (quienes debían convertirse al catolicismo romano o dejar España so pena de graves sanciones), tolera ahora el culto judío en ciertas sinagogas, siempre que los adeptos lo declaren oficialmente, e incluso el culto protestante, el más reprobado en otro tiempo, por ejemplo en Madrid, en la embajada de Holanda.

La Inquisición, llamada «santa», que por mucho tiempo fue severa guardiana de la integridad del dogma, tribunal secreto cuyos informadores podían penetrar en la intimidad de cualquier familia y escrutar todas las conciencias, es a su vez, según los más conservadores y ortodoxos, sospechosa de herejía.

Herejía, palabra fatal que en otros tiempos llevaba a la hoguera.

Hereje es aquel que se aparta, aquel que, dentro de un dogma establecido y que acata, decide aportar sus propias ideas a la verdad. El hereje lo acepta todo, excepto precisamente un determinado punto, que puede ser esencial o baladí. Dice, por ejemplo, como los antiguos arrianos, que Jesús era un hombre, pero no exactamente Dios; que simplemente fue «inspirado» o «visitado» por Dios. En otro caso, ¿cómo podría la razón humana concebir que un dios nazca y muera?

Otros, por el contrario, sostienen que Jesús sí era Dios –sin lugar a dudas–, pero no un hombre como los demás; que hacía como que comía y bebía, mas no tenía que evacuar necesidad alguna ni sentía deseo sexual; que no murió realmente en la cruz, y que en su lugar fue crucificado uno de sus discípulos, adoptando su apariencia... y cosas de este estilo.

Pero en ambos casos, y durante siglos, era peligroso proclamar tales ideas. Pues el hereje convicto está siempre dispuesto a morir o a matar por defender su parcela de verdad.

Hacia 1770 o 1780, en algunos ambientes religiosos pueden apreciarse ciertos elementos jansenistas (que nada tienen que ver con el adjetivo jansenista, de orden más político que teológico, que por entonces atribuían en España a los partidarios de la reforma de la disciplina externa de la Iglesia). Esta herejía, la última hasta la fecha, se desarrolló en Francia un siglo antes. Afirman los jansenistas que el ser humano no puede negociar su salvación con Dios, como hacían los paganos, comprando la vida eterna con obras en la terrenal. La gracia de Dios, todopoderosa, decreta desde nuestro nacimiento quiénes serán o no salvados.

Esta idea de predestinación se opone diametralmente al principio cristiano del libre albedrío, según el cual el hombre puede elegir en todo momento entre obrar bien u obrar mal. Esta libertad de elección, fundamental, es la vía de nuestra salvación. El hombre no está predestinado ni al paraíso ni a lo contrario. En el día del juicio, todos los actos serán pesados en la gran balanza divina.

La vida humana determina la condición inmortal del hombre y, por lo tanto, éste es siempre responsable de sus actos.

Lorenzo está perfectamente informado de toda desviación posible. Pese a que no tiene pelos en la lengua, se atiene estrictamente al dogma. Siempre habla de la libertad del cristiano, o de la libertad a secas, que ha de ser el eje de su vida.

Un día, después de comer, se paseaba por el claustro con un dominico de su misma edad. Cuestionaba éste, discretamente, el carácter terrible y definitivo del último juicio, el que nos espera a todos, y hablaba de humildad, de que había que confiar en Dios.

«No», le replicó Lorenzo con voz suave y firme. «Dios no me ha elegido ni rechazado. Yo soy libre de salvarme, como soy libre de condenarme.»

En sus comienzos a cargo de los dominicos, la Inquisición española depende de manera directa de la corona. No se ha supeditado servilmente a los representantes oficiales de Dios en la Tierra, el Papa y los obispos. Pone la fe por encima de la misma Iglesia. No han olvidado los inquisidores que el gran Felipe II, dueño y señor de las tierras españolas en la segunda mitad del siglo XVI, el Siglo de Oro por antonomasia, monarca meticuloso e intransigente en cuestiones de fe, asistió personalmente a cinco autos de fe, alguno de ellos con castigo en la hoguera, y reconoció haber experimentado un vivo placer.

El fuego purifica la mente, pues la libera de la carne.

Dentro del Santo Oficio, hay viejos conservadores que dicen ser los vigilantes, los defensores de la «verdadera fe», pero su capacidad de acción es limitada. Varias decenas de presos permanecen encerrados en los calabozos, pero en los últimos veinte años solamente un reo, una mujer, ha sido condenado a la hoguera. Y hay quien dice que ya esa ejecución fue excesiva. Tratábase, en efecto, de una «beata», de nombre María Dolores López, que decía estar en contacto directo con la Virgen y que murió sin saber por qué.

Lamentan otros esa laxitud, que creen debida a la peligrosa relajación de los tiempos modernos, y apelan sin cesar a la severidad bíblica del Ser Supremo. El propio Jesucristo, hijo del Padre, vino a traer la espada, no la paz. No pocos religiosos comparten las ideas subversivas de los filósofos. En lugar de apegarse al pasado, como si España no tuviera otro porvenir que la perpetuación del presente, querrían sacarla del atolladero, suavizar el rigor con el que se sanciona el comportamiento humano, desligar un poco la religión de la política y de las leyes sociales.

Son más flexibles, más abiertos, más inquietos sin duda que los nostálgicos del orden antiguo. Hay francmasones que les susurran al oído que ya es hora de que el hombre se vea tal cual es y lleve las riendas de su destino. Ven que el mundo antiguo se resquebraja, se derrumba por momentos, y no quisieran que los pillara debajo.

Entre ambas tendencias, Carlos IV, el nuevo rey, vacila. Es piadoso, pero nada sabe de teología. ¿Puede la religión adaptarse a los tiempos modernos? ¿Debe hacerlo? Lo ignora. Lee poco y no conoce ni los pros ni los contras. Y para estar seguro de no equivocarse, no hace nada. Es una técnica antigua que da buenos resultados.

Por razones nunca explicadas, el hermano Lorenzo prolongó una semana más su estancia en el monasterio. Cuando regresó a Madrid, a fines del mes de febrero, una de las primeras personas a las que visitó fue Goya, el pintor al que trataba y a veces llamaba «amigo».

Verlo de nuevo tranquilizó a Goya, que había temido que el modelo renunciara al apenas esbozado retrato, el retrato sin rostro, y dejara de pagarle. Incluso propuso al dominico que aprovecharan la visita para continuarlo, a lo cual Lorenzo, que tenía una hora por delante, accedió.

Goya suspende lo que tiene entre manos, sitúa debidamente al modelo y prepara la paleta. Antes de empezar, sin embargo, observa largo rato el rostro, los ojos, todas las facciones del inquisidor, como si escudriñara las formas en busca de un sentimiento, tal vez de un alma. Bien es verdad que él no se expresa así y nunca habla de sus intenciones artísticas. A lo sumo se define como un simple artesano que quiere hacer bien su trabajo. «Me fijo», dice, «en la forma de las mejillas, de la frente, en el contorno de la nariz, en el color exacto de los ojos, en los puntos de luz que en ellos se reflejan, y luego trato de reproducirlos lo mejor posible.»

Cuando por fin pone manos a la obra, primero con el carboncillo y luego con los pinceles, lo hace en silencio. Así trabaja él. Tiene los ojos muy abiertos, fruncido el ceño, un aire casi sombrío. La fama no parece habérsele subido a la cabeza, y no se duerme en los laureles.

Trabaja. Lorenzo sigue inmóvil en la pose indicada. Sólo sus ojos, vivos y curiosos, van y vienen por la estancia.

De pronto se posan en el retrato de Inés Bilbatua. Como hizo ésta diez días antes, el dominico pregunta si puede hablar.

—Sí —dice Goya—, pero lo menos posible.

—Conozco esa cara.

—¿Cuál?

—La de esa joven... ¿Dónde la habré visto?

—No sé —dice Goya, que no tiene ganas de hablar. El retrato dista mucho de estar acabado.

Al rato, Lorenzo, que no puede apartar la mirada del retrato de Inés, comenta:

—Se parece a uno de los ángeles que pintó usted en Zaragoza, o en otra parte.

—Sí, es cierto —dice Goya con voz sorda, sin volverse—. Puede pasar por un ángel.

—¿Había posado antes para usted?

—No, no, es la primera vez que la pinto.

Goya deja que reine un largo silencio, concentrado como está en perfilar el rostro, en aplicar los primeros matices de gris y ocre claro. Quiere así, mediante el color, plasmar con exactitud la textura de la piel, una piel rugosa, mal rapada, sin afeite alguno. Aún no parece la cara de Lorenzo. La materia prepara la forma.

Al cabo de tres o cuatro minutos, durante los cuales no se oyen más que los ruidos del taller —el chirriar metálico del tórculo, el ruido que hace un ayudante rascando la paleta que el maestro acaba de dejar, los ladridos de un gran perro—, el dominico dice, sonriendo cordialmente:

—Yo soy un hombre de Iglesia, perdone que le haga una pregunta tonta, pero ¿cómo se las arreglan ustedes los pintores con los modelos, sobre todo si son mujeres?

—Como podemos —contesta Goya.

—¿Y cómo pueden?

—Eso pregúnteselo a los pintores que se confiesen con usted.

–Nunca he oído a un pintor en confesión. Además, eso se lo dejamos a los curas párrocos. A esas mujeres las ve usted de cerca, vienen aquí... ¿Les pide que enseñen las piernas, los escotes?

–Generalmente son ellas las que se ofrecen a hacerlo.

–Y para pintar una diosa, por ejemplo una Venus, o incluso una Susana en el baño, ¿cómo hacen en Italia? ¿Se desnudan las modelos delante del artista?

–Pues claro.

–Incluso en España ocurre eso. Dicen que Velázquez pintó a una mujer completamente desnuda. Parece que el cuadro está en el gabinete privado de Godoy. ¿Lo ha visto usted?

–No.

–Desnuda de espaldas, al parecer, y mirándose en un espejo. ¿Qué hacen en esos casos? ¿Se quedan a solas el pintor y la mujer?

–Muchas veces la cara es de una y el culo de otra.

–¿De veras?

–A veces sí.

–Pues eso debe de crear una intimidad muy especial...

Goya, a quien la conversación no agrada (todo el mundo le pregunta lo mismo, pero en boca de un inquisidor la menor alusión resulta amenazante), pregunta al dominico a qué se refiere, qué entiende por «intimidad».

Lorenzo titubea, parece azorado, no acierta a contestar. En momentos así su expresión deja ver como un atisbo del niño que fue. Su mente vuela hacia esos campos resecos en los que se crió, esas casas bajas y oscuras, esas mujeres que, aún jóvenes, se visten de negro ya por la mañana y no dejan al descubierto más que la cara y las manos.

¿Qué esconderán? ¿Un tesoro? ¿Una deshonra?

Con un candor tal vez fingido y deliberado, o tal vez consustancial a su persona, Lorenzo insinúa que eso de pasarse horas y horas a solas con una mujer joven que ha de estarse quieta y callada...

–No estamos solos –lo interrumpe Goya–. Mis ayudantes están siempre conmigo.

–¿Siempre?

–Siempre. Los necesito continuamente. Si tuviera que hacerlo todo solo...

–¿Incluso cuando la mujer está desnuda?

–Nunca he pintado a una mujer desnuda.

–Y si se lo pidieran, ¿lo haría?

Goya baja la paleta y mira a Lorenzo sin comprender, como si de pronto aquel hombre fuera un completo desconocido y lo viera por primera vez. ¿Acaso va un dominico a proponerle que pinte un desnudo de mujer? Impensable... Entonces, ¿a qué vienen esas preguntas? ¿Querrá sondearlo? ¿Lo habrá denunciado alguien a la Inquisición? ¿O es que el fraile viene de sus nevadas soledades poseído por las imágenes que evoca?

Para poner término a una conversación que lo azora, incluso que lo inquieta, contesta Goya que la joven se llama Inés Bilbatua y es hija de un buen amigo suyo, que le ha encargado el retrato como regalo de cumpleaños.

–Pero ¿y si no lo fuera?

–¿Cómo?

–¿Si no fuera hija de un amigo?

Al hacer esta pregunta, Lorenzo, que hasta ese momento había tenido los brazos estirados a lo largo del cuerpo, los cruza sobre el pecho. En esto ve Goya una buena ocasión para cambiar de tema y, oportunamente, pregunta al dominico si quiere que le pinte también las manos.

Lorenzo se queda un tanto desconcertado. Que decida Goya, responde. Ha cruzado los brazos maquinalmente. Si quiere pintarle las manos, allá él.

–Se lo pregunto –dice Goya– porque las manos son muy difíciles de pintar y cobro más caro.

–¿Mucho más caro?

Goya reflexiona unos instantes y al cabo anuncia el precio de un retrato sin manos, de un retrato con una mano y de un retrato con las dos manos.

Lorenzo descruza los brazos y esconde las manos entre los pliegues del hábito, optando así por el más barato. Sin decir nada, retoma la pose. Goya vuelve al trabajo. Mira al modelo con ojeadas rápidas y muy seguidas, y a veces, entre una y otra, deja la mano en suspenso, como si antes de dar la siguiente pincelada sus ojos debieran asimilar lo que acaban de ver.

El silencio impuesto por el pintor parece impacientar al fraile. Salta a la vista que no es hombre capaz de estarse quieto e inactivo, que ha de moverse y hablar sin cesar. ¿Cómo ha podido pasarse tres largas semanas meditando y orando en la montaña?

Goya ha tenido noticias del inopinado retiro de ese fraile al que se veía a menudo por Madrid conversando gustosamente con la gente. Pero se guarda bien de preguntarle nada sobre el particular. No se interroga a un inquisidor.

Es éste el que pregunta:

–¿Por qué ha aceptado hacerme el retrato?

–¿Por qué no habría de aceptar? –contesta Goya con cautela, sin quitar los ojos del lienzo.

–No crea que me resultó fácil pedírselo.

–¿Y eso?

—Ya conoce usted su buena reputación.

—No.

—Claro que sí, de sobra sabe lo que se dice de usted.

—¿Qué se dice?

—Que no tiene usted precisamente mano blanda con los hombres de Dios... Sobre todo en sus grabados. Ahí veo algunos secándose. Estoy seguro de que si me acerco veré cosas que sobrecogerían a un buen cristiano.

Goya no dice nada. ¿Conque era eso?

No dice nada porque Lorenzo lleva razón. A sus cuarenta y seis años, Goya ve cuanto un ser humano puede ver y quizá más. Entre los grabados que con su nombre se venden dentro y fuera de Madrid los hay que representan a curas y frailes de aspecto grotesco, casi monstruoso, junto a brujas escuálidas y otras criaturas infernales. Estas imágenes satíricas, caricaturescas, que no sorprenderían en países como Holanda, Francia o Inglaterra, en España, si bien los ilustrados las aprecian y hasta las compran (aunque no para colgarlas en las paredes), inspiran desconcierto, escándalo, desasosiego.

Dicen algunos espíritus eminentes que cuesta contemplar esos grabados, que son odiosos y repulsivos; que el artista, si puede seguir llamándosele así, amable y convencional, hábil y gracioso en sus comienzos, ahora se ha torcido, se ha dejado dominar por su natural vulgar, espejo de su siglo; que se ha vuelto ingrato y tortuoso, que sólo ve lo feo y su alma se ha entenebrecido.

Sus más enconados adversarios, que son también los más beatos, afirman que el pintor de cámara es un auténtico réprobo, que ha vendido su alma al diablo, que asiste a aquelarres inmundos de donde saca esas nefandas imágenes.

—Tiene usted enemigos poderosos, Francisco –le dice Lorenzo en tono casi dulce–. Más de los que cree.

—También tengo algunos amigos –contesta Goya.

—Sí, sé a quién se refiere. Pero ándese con ojo, se lo advierto. Los amigos que dice tener podrían abandonarlo de pronto, como fruta madura que cae del árbol. Sí, sobre todo en estos momentos.

—¿Por qué sobre todo en estos momentos?

—Ya ve lo que sucede en Francia. El mundo cambia, ¿verdad? Hay que pensar en todo. A los hombres que nos protegen podemos perderlos en cualquier momento. En cambio, Dios nunca nos abandona.

Goya, que visitó Italia en su juventud, ha oído hablar de los pintores de antaño. Sabe que el emperador Carlos V, cuando posaba para Tiziano, se agachaba a recogerle el pincel. Sabe que el séquito de este pintor, cuando viajaba a Roma invitado por el Papa, medía siete kilómetros de largo. Rafael se paseaba por las calles escoltado por cardenales que hablaban en voz baja. Leonardo da Vinci murió en brazos del rey de Francia, Francisco I. Miguel Ángel se mostraba caprichoso como un dios, a tal punto que alguna vez el Papa tuvo que pararle los pies de malos modos.

Incluso en España hubo un tiempo, dos siglos antes, en que alguien como Velázquez era nombrado a la edad de veinticinco años pintor de cámara y seguía siéndolo hasta su muerte. Verdad es que apenas si ganaba más que un barbero de corte, pero ¡qué prestigio, qué gloria para su nombre! Cuando Velázquez volvió de su viaje a Italia, se trajo consigo, para su propia colección, una obra importante de cada uno de los maestros italianos del momento.

En el Renacimiento, se decía Goya, los pintores eran los astros del mundo. Iluminaban tanto a los grandes como al pueblo llano, en sus obras contaban leyendas indispensables, glorificaban héroes y santos, enseñaban verdades del más allá, mostraban la Tierra, el infierno y el paraíso, eran a la vez cronistas y profetas, portadores de elevados sentimientos, de grandes ideas, de los tormentos y las esperanzas de las gentes.

Ahora es distinto. Todo se ha vuelto más pequeño, la gente es más estrecha de miras, más medrosa. Francisco de Goya está bien pagado, vive cómodamente, pero carece de fortuna y casi de gloria. En sus cartas, por ejemplo a su amigo Zapater a Zaragoza, se queja incesantemente de estar sin blanca. Es casi una muletilla. En palacio se lo considera muy bueno en su oficio, como si fuera un ebanista o un tapicero. Apenas queda nada ya del esplendor casi divino de los venerados maestros de antaño. El pintor ya no es el que osaba abrir las puertas del cielo y transfiguraba el firmamento, sino alguien que hace retratos de encargo lo más fieles posible y cobra más caro por pintar las manos.

El rey Carlos IV, el «amigo» del que Goya hablaba, es alto y fuerte, tripudo, amable, a veces jovial y a veces reservado, introvertido, esquivo, casi tímido. Cuando monta en cólera, es terrible. Dicen que no es muy inteligente y que, en el fondo, no desea ser rey. Ufano de su fuerza física, se enzarza en luchas con mozos de espuela que ciertamente le dejan vencer. Sin tener la prominente nariz de su padre, ostenta en mitad de su rojizo rostro un apéndice ganchudo y poderoso, rasgo distintivo que los Borbones, muy lealmente, se transmiten unos a otros.

Las historias de sucesión son, en Europa y a lo largo de los siglos, de una complejidad apabullante. Las alianzas entre familias reales, destinadas a unir a los pueblos, no hacen sino desmembrarlos a fuerza de guerras. Ninguna nación, de hecho, podía identificarse plenamente con su rey, reconocerse en él. Carlos IV, rey de España, nacido en Nápoles, descendía en línea directa del rey francés Luis XIV; éste era medio español por parte de madre, Ana de Austria, infanta de España pese a su nombre e hija de Felipe III, y se casó a su vez, como su padre Luis XIII, con otra princesa española, María Teresa. Por otro lado, llegaban a contraer matrimonio con parientes muy próximos, como Felipe II, casado en cuartas nupcias con su propia sobrina.

Este mismo Felipe II, el que fuera dueño de la cuarta parte del planeta, se ocupaba personalmente de todo. Ayudado de un simple secretario, despachaba cientos de asuntos cada día. Burócrata del mundo, leía y estudiaba todos los documentos hasta la una o las dos de la madrugada, y aunque la vista se le cansaba y debía usar anteojos, desde su pequeño despacho trataba al menos de desempeñar como es debido su papel de rey.

Dos siglos después, Carlos IV no dedica a los asuntos de Estado más que dos o tres horas al día. Consiste ello casi siempre en presidir algún que otro consejo, donde más bien dormita, y a firmar decretos previamente acordados por sus ministros, entre los cuales hay un tal Manuel Godoy que, probable amante de la reina, está a punto de convertirse en el verdadero amo de todas las Españas.

El rey caza por la mañana y por la tarde. Es la actividad principal de su vida en cualquier época del año. Tales cacerías diarias, con las que tantos soberanos se han recreado, están evidentemente organizadas al detalle y se desarrollan a lo largo y ancho de las vastas posesiones regias. Cuando era joven, el rey podía correr la presa a pie y con perros durante horas. Ahora se cansa pronto. Por las noches sueltan los animales que, en su totalidad o en parte, serán abatidos al día siguiente. Muchas partidas se verifican a las puertas mismas de Madrid, al oeste, pasado el Manzanares, en la Casa de Campo, y otras mucho más lejos, hacia Segovia. Solamente el rey y sus allegados, o los invitados de más categoría, tienen derecho a matar.

En las cacerías, las piezas favoritas son los ciervos y los jabalíes. Unas veces, y esto desde hace siglos, se los captura con grandes redes, de las que los animales no tienen manera de escapar; otras veces se los corre. Todo depende de la abundancia, la temporada y el humor del rey.

Se cobran también liebres, conejos, ardillas y toda clase de aves, codornices, faisanes y perdices. Estas últimas son particularmente del agrado de los españoles, los únicos en el mundo que las comen en escabeche.

Tres o cuatro hombres acompañan en todo momento al rey con escopetas cargadas. Cuando los ojeadores y los perros levantan la presa del día, los escopeteros le pasan las armas al monarca, que puede así disparar pronta y casi ininterrumpidamente, y vuelven a cargarlas una vez disparadas.

Este modo de cazar en nada se parece a las batidas con arma blanca de antaño, en las que los propios reyes debían, tras larga persecución y a espada o lanza, enfrentarse a jabalíes heridos y peligrosos. Al presente, el monarca apenas se mueve del sitio y son las presas las que acuden y mueren a sus pies. Lo cual parece sino una parodia del poder.

Cuando un caballo se quiebra una pata es muerto en el acto. Los lacayos arrojan el cadáver sobre las osamentas del resto de los animales que, previamente descarnadas, han sido abandonadas allí mismo a fin de atraer a los carroñeros. A éstos los tirotea el rey escondido entre las matas.

A veces, cuando no hay otra cosa, dispara sobre gorriones y hasta cuervos. Eso lo divierte.

La carne del cuervo es muy dura, por lo que la dan de comer a los pobres.

3

Una de las caballerizas del Escorial ha sido desalojada y fregada, y Goya ha instalado en ella un taller provisional. No es la primera vez que lo hace. Las testas coronadas no se desplazan para posar y hay que pintarlas a domicilio, cuando tienen tiempo y les viene bien; los pintores acaban luego los cuadros tranquilamente en su taller. Además, pagan tarde y mal... si pagan.

De ordinario, y al igual que el resto de los retratistas de la familia real, Goya trabaja en una habitación de las residencias reales o en un salón aparte. Pero hoy se trata de un retrato ecuestre. En la espaciosa cuadra recién limpiada hay varios palafreneros tratando de domeñar un caballo pardo para que pose sus cuartos delanteros en un escabel.

Goya, carboncillo en mano y flanqueado por sus ayudantes, que vigilan pinceles y caja de colores, trabaja. Ante él, en un caballete, hay un lienzo enorme en el que se ve abocetado un caballo.

Trabaja viendo divertido cómo se afanan los palafreneros, que de paso han de recoger con una pala la bosta que el animal acaba de evacuar en la refriega. Mira, traza unas líneas, vuelve a mirar. Quisiera incrustarse en la memoria la forma continuamente cambiante de esa pezuña, de esa pata. Jura entre dientes, maldice a algún que otro santo. A Goya le cuesta pintar caballos, nadie sabe por qué. Los ve mal, los dibuja mal. Los toros son coser y cantar, pero ante un caballo se vuelve torpe y se pone nervioso.

Éste se llama *Marcial*. Nadie ignora que es un regalo de Godoy a la reina.

A lomos del abocetado caballo se adivina la figura de una mujer: son apenas unos trazos, la espalda, el vestido, un sombrero. Semeja un fantasma. Toda forma pictórica es vaga e imprecisa al principio, y sólo poco a poco, pincelada a pincelada, trazo a trazo, va tomando cuerpo. Rebajar con acierto un color, por ejemplo, o reproducir rojeces bajo los polvos del rostro, es lento, es sumamente difícil. Goya ha oído decir que los musulmanes llaman a Dios «el pintor de la creación». Si en seis días hizo el mundo con todos y cada uno de sus matices, es lógico que el sábado por la noche se sintiera algo cansado.

Un fámulo irrumpe en la cuadra diciendo que hay que llevarse al hermoso *Marcial*. El caballo ha terminado por hoy. Llega la reina. Todo el mundo se ajetrea. Goya deja de dibujar. Tiene el semblante de los malos días: esa mañana no ha estado muy inspirado y es el primero en reconocerlo. Hay que recomenzar el animal. ¡Caramba!

Por otra puerta entran tres hombres empujando un armazón de madera con tres ruedas. Sobre él, a unos dos metros de altura, hay instalada una silla de montar, con estribos, perilla y riendas, a la que se sube por una escalera de mano.

Acto seguido entra María Luisa con dos o tres damas de compañía. Todos se inclinan. Vestida con un uniforme oscuro de coronel cuyos adornos y medallas tintinean, se va derecha a Goya y le pregunta qué tal se encuentra. Lo llama Francisco.

–Bastante bien, majestad.

En los retratos que le ha hecho a la reina, la ha representado con piernas más largas y caderas más estrechas. En realidad, es más bien bajita y de rostro poco agraciado. Tiene cuadradas las mejillas, prominente el mentón, pequeños y hundidos los ojuelos, y ha perdido casi todos los dientes. Pero se muestra amable, al menos con Goya, al que a veces invita a desayunar. Princesa italiana, se expresa con facundia y gesticulando mucho.

–Pues si tan bien estás –le dice a Goya–, no te quejes.

–Yo no me quejo –dice el pintor.

En ese momento ve la reina el armatoste y pregunta si es el bravío semental que debe montar ese día. Todos los presentes ríen o sonríen, por cortesanía. La reina, que parece de buen humor, se acerca al armazón y le da unos golpecitos cual si del mismísimo *Marcial* se tratase.

–Tranquilo... Calma... –dice.

A continuación, como si se sintiera más segura, empieza a subir con cuidado la frágil escalera, solicitando la ayuda de sus damas. Es la primera vez que la pintan a caballo. Los servidores sostienen firmemente el tinglado, obra de los carpinteros de palacio, y que tiembla un poco. Para la ocasión la reina se ha calzado unas botas a juego con el uniforme y provistas de espuelas.

Cuando finalmente toma asiento en la silla, a horcajadas como un hombre y con los pies en los estribos, Goya le alarga una fusta, que ella toma, y le compone la vestidura él mismo. Se ha ganado el privilegio de dirigirse a ella directamente, sin necesidad de terceros.

–¿Estáis cómoda, majestad?

–De ninguna manera –contesta ella.

–No temáis. Esto se estremece un poco, pero es sólido. Yo mismo lo he probado.

–¿Y qué he de hacer con la fusta?

–Sostenedla con la derecha, os lo ruego, y las riendas con la izquierda.

Obediente, la reina hace lo que Goya le dice. Le indica éste a qué altura debe tener mano y fusta, retrocede unos pasos, y pide que desplacen el armazón hacia donde hay más luz, lo cual hace balancearse a la soberana. Después arregla de nuevo los pliegues del atuendo y coloca convenientemente el pie en el estribo.

La reina refunfuña. ¿Pues no se le va a agarrotar el brazo por sujetar la fusta? Y en semejante montura, ¿cómo va una a sentirse cómoda?

–¿Qué postura quieres que adopte? –pregunta.

–¿Cuántas posturas podéis adoptar?

–Muchas.

–¿Por ejemplo?

–Cuando salgo a pasear por gusto, me pongo más o menos así, relajada y bien sentada. Si se trata de una cabalgata, ya es otra cosa, y voy más bien de este modo, sacando pecho. Si vamos de caza también cambia, porque hay que estar más tiempo en la silla y los estribos son más largos.

Y va variando de postura y aun de semblante. No parece que comprometer su dignidad delante de damas y servidores le preocupe mucho. Al contrario, da la impresión de que se divierte haciendo reír.

Goya le pregunta qué imagen le gustaría dar de sí misma.

–La imagen de lo que soy: joven y bella.

De nuevo reprimen todos una risilla de conveniencia. También Goya ríe, discretamente, mas al punto se pone serio. Espera.

—Vamos de cabalgata —dice la reina—, de cabalgata triunfal, así al menos conoceré una. Y está a tono con el traje.

Goya da unos pasos hacia atrás, fijos los ojos en la soberana. Ya nada lo distrae del trabajo. Parece fascinado por el cuerpo y la faz de la modelo, como lo estaba con Inés y con Lorenzo. No repara ni en su fealdad ni en su desgaire. No es ésa la cuestión. En momentos así, diríase que quiere penetrar un secreto, ver lo que otros no ven, no pueden ver, lo que podría sacar para un cuadro, para una pintura. Desaparece tras el gran lienzo y sólo asoma la cara para echar breves vistazos a la reina. Se oye el presuroso rasgar del carboncillo. Con los reyes, los pintores nunca saben de cuánto tiempo disponen.

La soberana se cansa pronto. Bosteza, da una cabezada, parece a punto de caerse. Goya hace señas a una de las camaristas, que sube la escalera, despierta suavemente a su ama y la endereza.

Todos aprestan sus manos en torno al armazón, por si la reina se viniera abajo.

De pronto se oyen ladridos y ruido de pasos, y todos vuelven la cara. La puerta se abre bruscamente y entran siete u ocho hombres en uniforme de caza: barro en las botas, hojas y briznas en el pelo, sudor en la piel, arañazos en las manos. Llevan escopetas y puñales. Dos servidores sujetan a los perros en la entrada.

Ahí está el rey, alto, fornido, manchado también de barro. Lo siguen dos hombres que llevan a hombros una barra de hierro de la que cuelgan los trofeos del día: faisanes, codornices, liebres, un jabalí del que gotea sangre y dos buitres.

Todos los presentes se inclinan ante el rey. Disimulando su contrariedad, Goya deja de pintar y hace una reverencia. Mira de pasada las piezas cobradas. Él es también gran aficionado a la caza, una de sus pocas distracciones. Pero hoy piensa en otra cosa: en la reina allí encaramada, en *Marcial*, que habrá que pintar de nuevo, en el tiempo que pasa, en los trabajos pendientes.

El rey presenta su botín de caza a la reina y le pregunta lo que desea para cenar.

–Un buitre –dice ella al instante.

–¿Te refieres al ave?

–¿A qué, si no?

–¿A algún ministro, quizá?

–Ah, sí, buena idea. Podríamos cenarnos a un ministro.

–A Manuel Godoy, por ejemplo, que tanto te gusta. Podríamos cenarnos a Godoy.

Todo el mundo calla y espera sobrecogido la reacción de la reina. Es bien sabido que Godoy, mujeriego donde los haya, se lleva de maravillas con ella, la cual en todo sigue sus consejos.

–Él no es ningún buitre –dice la reina en voz baja.

–Eso depende de para quién –replica el rey riendo.

Se acerca a Goya y le pregunta, no sin una amabilidad extraña, si puede quedarse un momento a verlo pintar. No lo molestará, no comentará nada, sólo quiere mirar.

Goya tarda en contestarle.

–Si me permitís, majestad –dice al fin–, prefiero que nadie vea mi trabajo hasta que esté terminado. Pueden cambiar tantas cosas...

–¿Molesto, si no entiendo mal? –pregunta el rey dirigiéndose a la reina.

–No entiendes mal –contesta la reina.

El rey no insiste. Se encoge de hombros, hace señas a sus acompañantes para que salgan, y todos, con piezas cobradas, perros sedientos y estrépito de botas y metal, se marchan.

La reina, a la que la intrusión ha despabilado por completo, vuelve a ponerse en facha, lo que hace que el tinglado se estremezca. Manos auxiliadoras se aperciben al instante.

–¿Cuánto tiempo tendré que posar así? –pregunta al pintor.

–Todo el tiempo que sea necesario, majestad.

Goya ha contestado en tono cortante. Ahora trabaja en silencio. También la reina permanece callada.

Unas gotas de sangre, que han caído de las presas muertas, brillan en el suelo.

4

Como en toda institución, los miembros del Santo Oficio se reúnen en sesión cuando deben resolver algún asunto. El Tribunal de Corte lo preside el padre Gregorio Altatorre, inquisidor temido y con gran autoridad en Madrid. Es un hombre sin edad, alto y un tanto encorvado, de paso tardo, que parece deslizarse por el suelo. Lleva siempre bajados los pesadísimos párpados, como si tuviera que ver dónde pisa, y a veces los alza para mostrar una mirada sosegada y atenta, de un azul muy intenso, insólito. Es natural de Asturias, vástago de una ilustre familia que tuvo en otros tiempos un destacado papel en la Reconquista y a la que la historia desgració luego (el padre muerto en el campo de batalla, un hermano desaparecido en las costas de Marruecos, una fortuna más y más esquilmada). Se mueve con mansedumbre y aun con compunción, y procura siempre conservar un natural frío que hay quien toma por indiferencia. De carnes fofas y superfluas, despacioso, circunspecto, reservado, huidizo. Nadie puede prever sus reacciones, sus decisiones. Escucha más que habla. Se le cree muy próximo al rey.

Ese día, bajo su presidencia, unos quince hombres, entre ellos algunos dominicos, están sentados a una gran mesa en un recinto abovedado en el que cuatro braseros combaten débilmente el crudo frío del mes de marzo.

Madrid es una ciudad fría, sobre todo cuando el viento sopla de las montañas. Como en la mayoría de los edificios antiguos, las ventanas de éste son estrechas y la luz se filtra como a disgusto. Hay encendidos unos diez cirios. Todo empieza con una larga oración en latín. Se requiere la presencia de Dios.

Después se pasan unos a otros unos grabados. Para examinarlos bien, algunos de los reunidos sostienen ante sus ojos gruesas lentes. Cuando le llegan los grabados, Lorenzo es el único que sólo les echa un vistazo, como si ya los conociera.

Esos grabados son el asunto del día. Lorenzo, inquisidor auxiliar, sabe perfectamente qué miembros del tribunal siguen ligados al pasado y cuáles, por el contrario, desearían ver penetrar en España algunos rayos de la luz de los filósofos. Conoce también a los «jansenistas», de los que sólo hay allí dos o tres, que se cuidan muy mucho de llamarse así y cuya postura él no comparte en absoluto. El ser humano, como dice y repite, es siempre libre de elegir. Aunque Dios conozca de antemano nuestras decisiones, éstas sólo dependen de nosotros. Si en el último momento, y para nuestra propia sorpresa, cambiamos de idea, también este cambio estaba previsto por Dios, dueño del tiempo y del destino de cada cual.

Si se le objeta que se vislumbra una contradicción entre ese determinismo divino (nuestros actos son conocidos desde siempre) y la libertad humana, responde que es un misterio y como tal debemos aceptarlo. A Dios le es indiferente nuestra lógica. No está sometido a nuestro tiempo.

Con su voz suave y morosa, el inquisidor del Tribunal de Corte, Gregorio Altatorre, pregunta si esas imágenes, que también él examina, se venden en la ciudad.

—No lo dudéis –le responde alguien–. En las imprentas y los grabadores han sido confiscadas. Pero se las encuentra también en la calle. Los vendedores ambulantes las ofrecen a todo el que pasa.

—¿También en Toledo? –pregunta el padre Gregorio.

También en Toledo, le contestan, y en Salamanca, y en Sevilla, y en el puerto de Cádiz, y en Barcelona.

—Luego –pregunta el inquisidor– ¿también pueden venderse en el extranjero?

—Las he visto en Roma –dice uno de los frailes.

—¡Las hay hasta en México! –asegura otro–. Y en La Habana, y por todas partes.

—¿No están prohibidas?

—Algunas sí. Depende del lugar. Pero ¿cómo dar con ellas? ¿Cómo retirarlas del mercado? ¡Habría que tener cien ojos! Los vendedores las esconden en las trastiendas y sólo las sacan a los clientes que son de fiar. ¡Conozco hasta mandos de la policía que las compran!

El inquisidor pregunta entonces el nombre del artista. Francisco de Goya, le dicen. No da muestra alguna de sorpresa. Se vuelve hacia Lorenzo y le pregunta con la misma voz, apenas audible:

—¿No es el pintor al que ha encargado usted su retrato?

—Sí, padre –contesta Lorenzo.

—¿Y por qué a él?

—Por lo mismo que el rey y la reina. Es pintor de cámara y, según dicen, el mejor de España.

—¿Mejor que Murillo?

—Quiero decir que es el mejor pintor vivo.

—¿Le gusta a usted su trabajo?

—Sí, padre.

Lorenzo se permite recordarle que Goya no es sólo pintor de cámara. Muchos grandes de España, los Altamira, incluso los Osuna, han solicitado sus servicios varias veces.

El padre Gregorio le pregunta si conoce los grabados que circulan de mano en mano entre los miembros del tribunal. Sí, Lorenzo los conoce. Ha podido admirar algunos, dice, en el propio taller de Goya.

–¿Admirado, dice?

–Admirado, padre. El dibujo es admirable.

El inquisidor Altatorre se inclina sobre los grabados y los observa con grandísima atención. Algunos muestran mozas sonrientes con las piernas desnudas, los ojos ocultos por mantillas negras; otros, toros, mendigos, lisiados, el cadáver de un agarrotado en el cadalso. En cuatro o cinco grabados, que años más tarde Goya incluirá y publicará en la serie de *Los caprichos*, se ven extrañas criaturas que se dirían de otro mundo, demonios belfos, súcubos, brujas salidas de la profundidad de la noche, figuras vagas, atormentadas, espantables u odiosas.

Largo tiempo contemplan esos grabados los ojos azules del inquisidor. Nunca había visto nada parecido. Sacude levemente la cabeza.

–Todo esto es muy enojoso –dice al cabo–, pero que muy enojoso.

–Sin duda –responde Lorenzo con voz reposada, suave–. Estas imágenes a nadie dejan indiferente. Nos producen casi asco. Pero también muestran el mundo, el mundo real, tal como es.

–¿Usted cree?

–Desde luego.

–¿Con todos estos horrores, estos monstruos?

—El mundo, padre, es lo que vemos y también lo que imaginamos. No vemos los demonios, pero no cabe duda de que bullen por ahí, a nuestro alrededor.

—Así es.

—Y Goya los ve y nos los muestra.

Uno de los frailes más ancianos, flaco y seco, de pronto se pone de pie y empieza casi a clamar contra el blasfemo. ¿Cómo puede hablar Lorenzo del «mundo real» ante esas repugnantes imágenes? ¿Es ése el mundo en que vivimos, nuestro mundo?

—Es el mundo, ni más ni menos —dice Lorenzo—. El mundo tal cual. Y ese mundo no es ni de usted ni mío. Es el que Dios creó.

—Pero ¿qué dices? —exclama el viejo fraile, perdiendo los nervios—. ¿Estás ciego?, ¿has perdido el alma? Esa sucia abominación que tienes en las manos, ¿es el mundo creado por Dios? ¡Repórtate! ¡Eso no es sino el reino de Satanás! ¡Vergüenza! ¡Es la visión de una humanidad degradada! ¡De una sociedad en la que las mujeres se venden y los sacerdotes copulan con machos cabríos! ¡Fíjate bien! Si ese pintor ve demonios, como dices, ¡es porque él mismo lo es! ¡Es un enviado, un aliado de las tinieblas, cuyo imperio ayuda a extender! ¡Prepara la venida del demonio!

Para Lorenzo, esa acusación tan grave es infundada, y así lo dice, con voz siempre reposada.

—¿Infundada? —exclama otro fraile, no menos ardoroso que el primero—. ¿Y por qué cree usted que ese Goya tiene tanto éxito, y los grandes lo reciben, y se le ofrece oro a manos llenas? ¿No será porque ha hecho un pacto secreto con el diablo?

—¿Un pacto? —pregunta entonces el inquisidor, arqueando una ceja.

–¡En otra época, ese hombre habría ido a la hoguera! ¡A patadas habría que expulsarlo de España!

–¿Usted cree? –pregunta el padre Gregorio–. Sin embargo, ha decorado capillas, pintado ángeles, representado milagros...

–¡Ajajá, capillas! ¡Ángeles! ¿Y qué ve una devota cuando entra en una de esas capillas y mira a lo alto? ¿Qué son esos ángeles? ¡Prostitutas! ¡Mujeres de vida alegre, perdularias a las que ha tomado por modelo! ¡Ahí están, tan sonrientes, en los techos de nuestras iglesias, abriéndonos las puertas del paraíso, invitándonos a entrar!

Entre los allí reunidos que, más o menos secretamente, comparten las ideas modernas, los hay que sonríen con la cabeza gacha, sin atreverse a manifestar lo que piensan de los desvaríos de aquellas rancias mentes. Porque una mujer casquivana preste sus rasgos a un ángel, pose para un pintor, ¿puede decirse que nos obliga éste a prosternarnos ante el vicio? ¿Que las puertas del paraíso son las de un prostíbulo? Y confían en que Lorenzo, que es, piensan, su portavoz, sepa poner en su lugar a los que sostienen esas necedades de otros tiempos.

Efectivamente, Lorenzo contesta al fraile que acaba de hablar:

–Hermano, se equivoca. Puedo asegurar que Goya es un fiel servidor de la Iglesia.

El padre Gregorio posa entonces sobre él sus ojos claros, los únicos ojos claros que hay en la asamblea, y le pregunta:

–¿Cómo es eso?

Todos los presentes vuelven la cara hacia Lorenzo. Lo conocen bien. Algunos lo aprecian, otros lo aborrecen, todos lo temen. Saben que ha pasado varias semanas retirado, tal vez para superar una grave crisis con la esperada ayuda de Dios. En el monasterio del Paular, en el que viven una veintena de frailes montañeses dedicados a la elaboración de queso y la crianza de truchas, ningún espíritu superior ha podido influirle. Allí no ha encontrado a nadie que esté a su altura, eso es seguro.

¿Lo habrá visitado Dios en su gélida celda? Es posible. Lorenzo es conocido por las severas mortificaciones a las que se somete, por su fe inquebrantable. Bajo el hábito lleva cilicio y se pasa noches enteras postrado de hinojos, a veces sobre vidrios. No puede descartarse que Dios lo haya visitado e inspirado. Es un hombre al que el rezo y la contemplación, aunque imprescindibles, no bastan. Le es necesario algo más, pasar a la acción, ayudar al prójimo a ser y vivir mejor.

¿Hasta dónde habrá llegado en su meditación, su pensamiento? Todos se lo preguntan, pues es persona imprevisible. Pero es él quien, con voz serena, los interroga a ellos:

–¿No hemos consagrado nuestra vida a Cristo, a realizar su obra en la Tierra?

Nadie, ni aun los más descreídos, hallan nada que objetar a esta evidencia.

–Si queremos ser de ayuda a nuestros semejantes –prosigue–, a aquellos y aquellas que conviven con nosotros en este mundo, nuestra primera obligación ¿no consiste en ver el mundo como es? ¿Por qué maldecir al mensajero que nos pone la verdad ante los ojos, que nos la muestra a las claras, con valentía, sabiendo a lo que se expone? ¿Acaso es él responsable de las miserias y la impiedad que nos circundan? ¡Él sólo ilumina el escenario, no es el autor del espectáculo! ¿Creéis que quemar los dibujos de Goya equivale a destruir los demonios que representan?

Se interrumpe, adivinando que todos conocen la respuesta a esta pregunta.

Incluso los ancianos guardan silencio.

Las miradas se posan ahora en el inquisidor, que ha escuchado con los ojos bajos.

–Creerá usted que nos trae la luz –contesta a Lorenzo, entreabriendo apenas los labios y sin mirarlo–, pero es usted joven y ésas son cuestiones que venimos planteándonos hace mucho. De momento no tenemos todas las respuestas, ni mucho menos. Por ejemplo, ¿debemos mostrar toda la magnitud del mal, permitir ver todas las imágenes, leer todas las palabras a los buenos cristianos, a los que sienten acendrado temor de Dios? ¿Entiende lo que quiero decir? Inmenso, quizás ilimitado, es el reino de Satanás, como bien sabemos por los pecadores a los que recibimos en confesión. ¿Debemos mostrar ese abominable reino a ojos de todos, hasta el menor rincón? ¿No corremos el riesgo de corromper a las almas sencillas y honradas, deseosas de hacer el bien?

Como el inquisidor, en voz baja y monocorde, acaba de recordar, el debate es en efecto antiguo. Ciertamente, a Dios nada puede ocultarse, pero ¿hay que revelarles todo a los hombres? ¿Están preparados para mirarse al espejo sin complacencia? ¿No sería mejor ahorrarles la visión de un mal que tienen al alcance de la mano? ¿No es más prudente alimentarlos de ilusiones, mantenerlos en la ignorancia de un pecado en el que pueden caer en cualquier momento?

Es lo mismo que se han preguntando siempre todas las autoridades morales: mostrar el mal, ¿no es volverlo atractivo, apetecible? El pecado es el fruto amargo del deseo: ¿cómo podría asaltar la tentación a nadie si el objeto del deseo fuera invisible?

Lorenzo conoce a fondo estas controversias, que se acumulan y complican desde los albores mismos del cristianismo. Mucho meditó sin duda sobre ello en la soledad de la montaña, donde el frío le impedía dormir y le hacía tiritar bajo una triste manta de fina lana.

–Padre –dice al inquisidor Altatorre, humillando las espaldas en actitud respetuosa–, nosotros representamos a Dios en la Tierra, de eso no cabe duda. He meditado con todas las potencias de mi ser sobre nuestro deber, nuestra misión. Y digo esto: si somos los representantes de Dios, los soldados de Cristo en la Tierra, hoy debemos alzarnos firmemente contra esa supuesta filosofía, falsa y sacrílega, que nos viene de Francia.

Todos lo miran con asombro, tanto los retrógrados ancianos que han criticado a Goya como los más jóvenes, afines a los ilustrados, que nada han dicho todavía y apostaban precisamente por Lorenzo. ¿Qué ha pasado? No están seguros de haber comprendido bien. ¿Por qué tan repentina mudanza?

–Os lo digo claramente y con el corazón en la mano –prosigue Lorenzo–, aunque mis palabras os sorprendan. Debemos salir al paso por todos los medios de las quimeras satánicas que nos envía esa Revolución feroz, obra de espíritus perversos. Ése es nuestro principal deber. Cristo nos lo manda y confía en nosotros. No podemos defraudarlo. Y la situación es aún más grave que en tiempos de los hugonotes, cuando gran parte de Europa abandonó el único y verdadero camino.

Se calla un momento, como si reviviera los conflictos de otros tiempos. El padre Gregorio permanece con la cabeza y los ojos bajos, rezando quizá. Tiene las grises cejas levemente fruncidas y apenas se lo oye respirar.

Uno de los dominicos ancianos, que parece aprobar lo que acaba de decirse, pregunta a Lorenzo cómo habría que proceder. ¿Ha pensado algo?

–¿Qué hacer? –dice éste–. ¿Me preguntáis qué hacer? ¿Qué creéis vosotros? ¿Condenar a un gran artista español? ¿Desterrarlo? ¿Destruir toda su obra? ¿Es ésa la única arma que se nos ocurre? Oídme. Os hablo con pleno convencimiento. Volvamos primero la mirada hacia nosotros mismos y hacia nuestra tarea. ¿Qué hemos hecho por Cristo en los últimos cincuenta años?

Nadie contesta, pero ahora el padre Gregorio alza la cabeza y mira al orador, que, elevando la voz, añade:

–¿A cuántos herejes, a cuántos enemigos de la fe hemos enviado ante el Supremo Juez? ¿A siete? ¿A ocho? ¿Creéis que son tan pocos? ¿Creéis que los que odian a Cristo son hoy menos que ayer? ¿Creéis que la nueva Jerusalén está a la vuelta de la esquina? Yo opino lo contrario. Nos alejamos del reino de Dios. Basta con ver lo que ocurre al otro lado de los Pirineos. Las huestes de nuestros enemigos no dejan de aumentar, de reforzarse, nuestra religión es escarnecida, ultrajada, mientras nosotros permanecemos de brazos cruzados, medio dormidos, satisfechos con nuestras humildes oraciones. Cuando camino por las calles de Madrid, ¿qué veo? Veo hombres de treinta, de cuarenta años que ni siquiera saben santiguarse correctamente. ¡Mujeres, mujeres jóvenes incapaces de rezar una sola oración sin equivocarse! –Lorenzo tabalea sobre unos grabados y agrega, sombrío, duro, persuasivo–: ¿Qué son estas mujerzuelas que vemos aquí, que se pasean por nuestras tabernas, por nuestros jardines, estas enviadas de los infiernos? ¡La encarnación del mal! No hay más que verlas... Desvergonzadas, lascivas... ¡Echémoslas, pues! ¡Quitémoslas de en medio! ¡Pero a ellas, no al artista que nos las muestra!

Entre los hombres sentados a la mesa la sorpresa sube de punto. Para algunos resulta sin duda un alivio. Las contradicciones que creían advertir en el pensamiento de Lorenzo desaparecen por momentos. Su palabra es hábil, pero sincera. Su convicción, expresada con firmeza, no admite duda. Ha salido incluso reforzada del retiro que se impuso cuando sintió flaquear su fe. Sus compañeros empiezan a comprender cómo, por qué vía del espíritu, la súbita severidad de Lorenzo puede sinceramente compadecerse con su amor por las letras y su interés por el arte.

El padre Gregorio, que desea mayor precisión y seguridad y no quiere equivocarse, pregunta entonces a Lorenzo si su discurso significa que es partidario de acentuar la severidad.

–Sí –contesta Lorenzo–, sin duda alguna. Debemos volver a los usos antiguos, a los tiempos en que la justicia de Dios era temida en la Tierra y contribuía a la grandeza esplendorosa de la Iglesia. Hoy las almas se hallan abandonadas, extraviadas. Los profetas se han vuelto locos. Cortan la cabeza a los que no los siguen. Incluso aquí, en tierras de España, ¿cuántas veces no habré oído decir, como lo habréis oído también vosotros, que la infinita misericordia de Dios por los pecadores se aplica indiscriminadamente, que el Señor es más indulgente que antes?

–Es un error, desde luego –dice el inquisidor.

–Un completo error, que lleva a negar el pecado... ¡Pero si perdemos el pecado, padre, perdemos nuestra más valiosa guía en el camino de la salvación! ¡Todos lo sabemos! ¡Necesitamos el pecado! ¡Es nuestro más útil enemigo! ¡No nos dejemos encandilar por las melifluas palabras de los filósofos! ¿Sabéis qué es lo que amenaza a nuestra santa institución? ¡Que deje de tener sentido, ni más ni menos! Si no hacemos nada, si persistimos en nuestra pereza, muy pronto, sí, dejaremos de existir.

Algunas cabezas asienten.

—Es una ardua batalla —dice el padre Gregorio.

—Lo sé, padre.

—¿Está usted dispuesto a librarla?

—Con toda el alma. Y si Dios me da la fuerza y la sabiduría necesarias, sería para mí un honor encabezarla.

Al día siguiente, tras diversas consultas (despachó sin duda con el rey), el inquisidor del Tribunal de Corte encomendó a Lorenzo una singular misión: traer a la institución a buen camino, aunque no debía hacerlo de manera súbita, sino gradualmente.

Lorenzo, en su calidad de inquisidor auxiliar, puso al punto manos a la obra. Consultó archivos, hizo averiguaciones, oró, realizó incluso un corto viaje a Zaragoza para recogerse dos horas ante la Virgen del Pilar, una de las Vírgenes milagrosas más famosas de la cristiandad y a la que él ponía por encima del resto.

A su vuelta convocó discretamente a una treintena de los llamados familiares del Santo Oficio, funcionarios no remunerados que, superados requisitos tales como la limpieza de sangre y llevar una vida ejemplar, componían, junto con los comisarios y otros agentes, la red de vigilancia de la Inquisición.

Les explicó lo que quería: para empezar, había que devolver la fe católica a su antiguo vigor y pureza. Sabía que esa aspiración era excelsa, pero no inalcanzable. Creía en la voluntad de los hombres, y en la suya la primera. Con el declarado fin de reafirmar la fe, cualquier cuestión de fidelidad al dogma, y por tanto de rigor moral, debía someterse a su criterio y a la disciplina del combate que empeñaba.

Para salvar la fe, para purificarla y enaltecerla, primero había que detectar cuanto de ella se desviara. Durante más de dos siglos, las autoridades religiosas persiguieron con éxito, en toda la extensión de los territorios hispánicos, cualquier forma de heterodoxia o herejía, sobre todo judaica y musulmana. No pocas veces, en el pasado, la Inquisición descubrió y castigó a pequeños grupos de supuestos conversos que se empeñaban en practicar clandestinamente los cultos prohibidos.

Luego, a partir de 1720, esta vigilancia se relajó. Pero los cultos secretos pervivían. Lorenzo estaba convencido. Y la lucha debía empezar por ellos. Había que buscar minuciosamente todos los indicios que pudieran servir a los agentes de la fe, dentro de España, para descubrir a los enemigos de Dios.

–Estad siempre ojo avizor –instó Lorenzo a sus comisarios, masa de hombres anónimos, modestamente vestidos de gris, corvos, silenciosos–. A menudo será un detalle el que os abra los ojos. Os daré unos ejemplos.

Hizo la señal de la cruz con tres dedos y explicó luego en qué consistía la maligna falacia de ese gesto, irrisoria invocación de la Santa Trinidad, la cual no puede ser contada con los dedos. La señal de la cruz, como Dios quiso, debe hacerse con toda la mano.

–Ojo también –añadió– con los que firman de derecha a izquierda. Este error es señal fehaciente de herejía. Ojo con los que, en una conversación, sostengan que la materia está compuesta de menudos elementos llamados átomos, pues tal superchería es incompatible con el dogma de la eucaristía. El cuerpo de Cristo está presente en cada hostia, pero no es material. Luego tampoco está compuesto de átomos, como no lo está la hostia. Y ojo, en fin, con los que conjeturen que en otros planetas podrían existir formas de vida parecidas a la nuestra. No, la Tierra es el centro de la creación, en la Tierra puso Dios al hombre, hecho a su imagen y semejanza. La Tierra es, pues, el centro del universo y el único lugar donde existe conciencia, pecado y redención.

Los hombres vestidos de gris lo escuchaban asintiendo. La mayoría tomaba nota en pequeños cuadernos. Algunos lo hacían tan despacio que no les daba tiempo a apuntarlo todo.

–Tened los ojos bien abiertos siempre y en todas partes, y aprestad el oído. Pongamos que pasáis junto a un cementerio donde están enterrando a alguien. Entrad como si fuerais a rezar con los demás. Si veis que la tumba en cuestión, u otra de al lado, está orientada al Este, apuntad el nombre del difunto y de la familia, pues bien puede ser que se trate en realidad de un moro, cuya cabeza apunta a La Meca. –Esperó a que los familiares lo anotaran y prosiguió–: Pongamos que es invierno y hace mucho frío. Pasáis por delante de una casa un sábado, levantáis la vista y veis que no sale humo de la chimenea. Informaos, preguntad quién vive allí: pueden ser judaizantes, que suspenden sus actividades el día del Sabat.

Tomó uno de los libros que había en un mueble y lo abrió haciendo una mueca de grandísimo asco, pues aunque en el lomo, en grandes caracteres dorados, decía Santa Biblia, mostró que lo que así estaba encuadernado no eran sino las obras del mismísimo Voltaire, el emisario mayor del diablo, traducidas al castellano por manos criminales. El libro, explicó, fue confiscado por el Santo Oficio en casa de una familia segoviana, uno de cuyos miembros era obispo.

Y añadió:

–Si alguien os dice que la Virgen es la madre de Cristo pero no la de Dios, sabed que es un hereje, pues Cristo es Dios. Si oís que alguien dice «el templo» en lugar de «la iglesia», estad seguros de que es un judío o, peor aún, un hugonote. Si en la calle o en el campo veis a un hombre que orina escondiéndose el miembro, anotad su nombre: está quizá circunciso y por eso no quiere que se lo vean. Por lo mismo, si alguien rehúsa una invitación a cenar una noche de luna llena, puede tratarse de un discípulo de Satanás, que se ha citado esa noche con otros endemoniados. Apuntad su nombre y dirección, sobre todo si es mujer.

Les dio otros ejemplos y les recomendó no escatimar esfuerzos. Que llevaran los nombres de los sospechosos a su despacho del Santo Oficio y nada temieran. La Inquisición se encargaría de instruir los procesos. Ellos no eran otra cosa que auxiliares de la justicia y no debían considerarse acusación. Juzgar a aquellos reos correspondía a los hombres de Dios.

Los familiares le formularon algunas preguntas de carácter práctico, a las que Lorenzo respondió lacónicamente. Les recomendó una última vez celo y discreción. Les dio su bendición, que ellos recibieron persignándose, y les dijo que podían retirarse.

Cuando salían de su celda, vieron que Lorenzo se arrodillaba para rezar.

5

El mesón de doña Julia, mujerona de cuarenta años y hermoso rostro siempre colorado por los fuegos de la cocina, estaba situado en una callejuela del centro de Madrid, no lejos de la Plaza Mayor, y atraía a una parroquia popular a la vez que selecta. Se veían allí guitarristas y bailaoras, las cuales a ratos se subían a una mesa y se arrancaban a zapatear; escritores sin un cuarto que, esperando ser convidados a un chato de vino, mariposeaban en torno a algún torero taciturno cuyos dedos sobaban un largo cigarro puro; políticos, siempre bien protegidos por su séquito, acompañados a veces por visitantes extranjeros que al entrar torcían el gesto al olor de las fritangas, y, en fin, toda una muchedumbre de artesanos, modestos vendedores, criados, alcahuetas en busca de jóvenes almas a las que perder, mozos de cordel, mujeres de mala vida y, claro está, ladrones y rateros.

Colgaban de las vigas perniles, chorizos, ristras de ajos y de pimientos rojos secos. En una ancha chimenea unos sollastres con las manos enguantadas asaban varios pinchos. En unas trébedes se freían morcillas. Serrín por el suelo. Cuernos de toro en las paredes, así como estampas de corridas.

Doña Julia, mujer de perfil griego y pelo recogido en un moño, reinaba sobre esta humanidad bulliciosa que tan pronto se irritaba como enmudecía al ver entrar, rodeada de hombres de mirada ufana, a alguna comedianta famosa; reinaba, sí, sobre este enjambre compacto que aplaudía, apostrofaba, se calentaba de pronto por razones oscuras, se entristecía al saber que un mendigo conocido moría en la calle o cantaba a coro alguna tonadilla de éxito.

Varias guitarras pugnaban siempre por hacerse oír en medio de aquel guirigay de voces broncas, risotadas de mozas y ladridos de perros.

En este mesón celebró Inés Bilbatua su decimoctavo cumpleaños, en compañía de sus dos hermanos, Ángel y Álvaro, a los que llamaba sus ángeles de la guarda, ambos mayores que ella, y de cuatro o cinco amigos de su misma edad y condición.

Sellaba así su entrada en el mundo, ese mundo que su padre llamaba el verdadero. Sin dejar de comer, incluso a veces con los dedos, de las distintas pitanzas que a oleadas les servían los criados (amontonamiento de platos que parecía no tener fin), devoraba con los ojos cuanto sucedía a su alrededor, preguntaba quién era éste o aquélla, bebía vino tinto. Incluso, en un momento dado, dio un tiento a una bota de Valdepeñas que su hermano Álvaro le enseñó a sostener, como un hombre, a cierta distancia de la cara. Le cayó el chorro de rosado caldo por cuello y vestido, pero esa noche tanto le daba. Superaba riendo el último obstáculo que separaba su infancia de su vida adulta.

¿Habría apostado su padre discretamente a dos o tres hombres en el local, por si se armaba alguna zapatiesta que pusiera en peligro a su hija? Es posible. Nunca se supo.

Los que sí estaban allí eran los hombres de Lorenzo. Dos de los familiares a los que instruyera días antes y que cumplían su deber diario, vestidos de gris como siempre, inadvertidos, vaso de vino en mano, charlaban en voz baja observándolo todo con mirada escrutadora.

No habían dejado de reparar en la mesa de Inés, ni en la envidia que despertaba en los presentes aquella avalancha de platos, que doña Julia vigilaba catando al pasar, con la punta de los dedos, el cordero recién salido del horno o los pimientos. Una familia rica, sin duda. Doña Julia conocía ya a los dos hermanos y les servía lo mejor.

Se dirigía la patrona a la caja cuando uno de los hombres de Lorenzo se levantó como al descuido y le salió al encuentro. En voz baja le hizo una o dos preguntas que nadie pudo oír y a las que ella respondió sin detenerse. El hombre volvió a sentarse y anotó algo en un cuaderno. Su compañero de mesa nada le preguntó.

Días más tarde un dominico calvo, montado en una simple mula, entraba en el patio de la vasta morada de Tomás Bilbatua y, sorteando las mil riquezas allí almacenadas, pedía ver al comerciante.

Avisado al momento, salió Tomás a recibir al fraile, cuya visita mucho lo extrañaba, y se presentó.

–¿Tiene usted una hija llamada Inés? –preguntó el dominico sin apearse de la mula.

–Sí, ¿por qué?

–Tengo órdenes de entregarle esto de parte del Santo Oficio. –Mostraba el fraile un rollo de pergamino.

–¿A mi hija?

–Sí.

–Yo se lo daré.

El dominico dudó. Era una orden de comparecencia y debía entregarla en mano, según la usanza.

Tomás se la arrebató de las manos, la desenrolló y la leyó, primero una vez y luego, sin decir nada, otra vez.

El fraile, que, a lomos de la mula, tampoco alcanzaba a recuperar el documento, le dijo que no le importaba dejárselo, pero que el caso exigía la máxima discreción.

–Desde luego –dijo Tomás.

Con el pergamino en su poder, subió al primer piso. Al verlo pasar le preguntaron algo dos empleados, pero él no hizo caso. Halló a Inés en el cuarto donde solía trabajar, registrando y colocando, con ayuda de dos operarias, piezas de tejido recién llegadas de China y de la India.

Tomás despidió a las operarias con una seña, cerró la puerta y dijo a Inés que acababa de recibir un aviso del Santo Oficio.

Inés se quedó extrañada. A su edad no sabía a punto fijo ni la historia ni el cometido de aquella institución, a la cual los críos mentaban como a un espectro tétrico y borroso, casi legendario, hombre lobo, bestia feroz o monstruo sanguinario que en tiempos pasados fue el terror de las gentes.

–¿Qué quieren? –preguntó a su padre.

–Nunca lo dicen. Quieren verte. Toma, lee.

Le dio el pergamino y ella lo leyó. Era una comunicación breve y formal.

–¿Por qué te llaman? ¿Lo sabes? –le preguntó su padre, que estaba pálido.

–No.

–¿No tienes idea de por qué puede ser?

–No.

–El otro día, cuando saliste con tus hermanos, ¿fuisteis al mesón de doña Julia?

–Sí.

–Ven.

Y tomándola de la mano la sacó del cuarto. Al pasar por el pasillo abrió una ventana y llamó a Ángel y a Álvaro, que estaban trabajando en el patio, y les ordenó que subieran deprisa.

Llamó también a María Isabel, la madre. Toda la familia se juntó en uno de los salones de la casa, a puerta cerrada. Tomás leyó en voz alta la convocatoria. María Isabel, sofocada, se sentó, con la mirada perdida. Los hermanos permanecían de pie y en silencio, al parecer más tranquilos.

–Piensa, haz memoria –le decía Tomás a su hija–. Esa noche era la primera vez que salías. ¿Te oyó alguien decir alguna palabrota?

–¿Alguna palabrota? ¡Pero si no sé ninguna!

–¿Dijiste algo que pudiera parecer blasfemo?

–No, nada.

–¿O hiciste alguna indecencia?

–¿Yo?

Los hermanos lo confirmaron. Sólo hablaron de comida, de vino, del frío, un poco de la novia de Álvaro, que ese día no pudo acompañarlos por tener enferma a la madre; comentaron también los últimos chismes y cuentos de Madrid y de Francia. Y como no podía ser menos y todo el mundo hacía, hablaron de la guerra que las monarquías europeas hacían a la Revolución (se decía incluso que Francia pensaba invadir España para «liberarla»), así como del control marítimo que la armada inglesa ejercía en todas partes, sobre todo en Gibraltar, lo que perjudicaba el comercio.

Sí, hablaron un poco de todo. Y también cantaron, con los demás.

–¿Y ni una palabra de religión?

–Ni una palabra.

–Haced memoria los tres. Esto puede ser grave. Tened en cuenta que allí había, cerca de vosotros, oídos que no perdían ripio. ¿Y bien? Puede ser un detalle, un gesto... ¿No cantasteis en francés?

–No.

–¿Ni imitasteis los gestos de la misa, de la confesión, de la comunión, en broma, por hacer el tonto?

Se esforzaron por recordar con detalle una velada divertida, quizás un tanto alegre (uno de los comensales acabó borracho e Inés se puso perdido el vestido), pero en conjunto decorosa y que no llamó especialmente la atención.

Ángel dijo entonces:

–Será que quieren que Inés testifique contra alguien, a veces lo hacen.

–Que testifique, ¿contra quién? –preguntó la madre.

–No lo sé. ¿Crees que lo especifican?

–No –dijo Inés–, nada tengo que decir de nadie. Nunca lo he hecho. Iré, iré a ver. Tampoco puede ser tan grave. Lo mejor es que acuda ahora mismo.

Su padre se mostró conforme y él mismo la condujo en coche al lugar en que habían citado a Inés, en las afueras de Madrid. A pie y en silencio se llegaron hasta la puerta del largo monasterio de piedra gris y ventanas angostas con férreos barrotes.

Tomás llamó y esperaron más o menos un minuto. Embozada en su larga capa con capucha, la joven sonreía a su padre, al que veía inquieto.

Se oyeron descorrerse varios cerrojos y un ventanuco cuadrado se abrió en la gruesa puerta de madera. Al otro lado, a través de tres barrotes de hierro, se entrevió una figura. Inés desenrolló el pergamino y lo mostró por el hueco.

La puerta se abrió casi en el acto. Inés dijo unas palabras a su padre, asegurándole que no tardaría y se verían al poco. Él nada contestó. Ella lo abrazó y entró. La pesada puerta se cerró lentamente. Tomás Bilbatua perdió de vista a su hija. Oyó los leves pasos de ésta alejándose por un pasillo interior y cómo echaban de nuevo los cerrojos.

Regresó al coche volviéndose varias veces. El cochero le preguntó si deseaba partir. Tomás contestó que prefería esperar.

Dos frailes cuyos rasgos Inés apenas distingue la introducen en un recinto sin ventanas, oscuro. El cuerpo de marfil del crucificado en una de las paredes es la única mancha clara. Arden cuatro cirios.

En una hora, su vida ha dado un vuelco que nada hacía presagiar. Se halla de pronto en ese universo casi fantástico sobre el que tanto se ha fabulado y con el que, en broma, la amenazaban cuando cometía alguna travesura, en ese ámbito remoto con el que la imaginación se encendía y que ahora se ha hecho realidad. Así es el mundo, allí está ella, no puede dudar de que eso es la Inquisición. No es ni un juego ni un sueño. Los cirios son cirios de verdad y puede oír respirar a los frailes.

¿Por qué está allí? ¿Qué quieren de ella? Nada sabe. De momento siente más curiosidad que miedo. Mira en derredor como para grabar en su mente todo cuanto ve: los pasillos que acaba de recorrer, el recinto en el que en ese momento se encuentra...

Cortésmente la invitan a sentarse en una banqueta. Ella así lo hace y, pues siente frío, se arrebuja en la capa.

Por otra puerta entra un tercer fraile y toma asiento a

una pequeña mesa aparte. Deposita en ella un legajo de papeles, un tintero y unas cuantas plumas de oca, y con la yema del pulgar comprueba que éstas estén bien cortadas. Es un hombre de baja estatura, entrado en carnes, grave. De un bolsillo saca unos anteojos y con un pliegue del hábito frota los espejuelos hasta dejarlos bien limpios; luego se los cala en la nariz. Ordena los papeles, moja la pluma.

Ante Inés hay otra mesa, más grande, y cuatro sillas de anea, todas iguales. Entran entonces cuatro frailes con la cara oculta por capuchas negras y toman asiento en silencio. Inés los mira y se le antojan máscaras de carnaval. Uno de ellos, el segundo por la derecha, se saca del seno unos pliegos y los consulta largo rato. Los demás esperan, uno tose.

Se trata del primer interrogatorio, medida que Lorenzo ha vuelto a poner en vigor hace unas semanas. Lorenzo mismo podría ser uno de los frailes encapuchados, aunque no puede saberse con seguridad, por lo muy ocupado que está con tanto interrogatorio. Desde luego, no es el que habla.

El fraile que consultaba los papeles alza la cabeza, se quita la capucha, dejando así ver su semblante grave aunque nada hostil, y mira a Inés durante cinco o seis segundos. Hasta sonríe un poco. Levanta la mano derecha, de muñeca flaca y blanca, y da la bendición pronunciando la fórmula ritual:

—*In nomine patris, et filii et spiritus sancti.*

Todos se persignan. Inés no sabe de pronto qué debe hacer, pero luego decide santiguarse también. Y cuando todos dicen «Amén», lo mismo hace ella, con un ligerísimo retraso.

—Arrodíllese —ordena el fraile que parece presidir la sesión.

Ella obedece sin inmutarse. El fraile le pide entonces, con buenos modos, que rece el Paternoster. Eso empieza a hacer ella, aunque en español.

—No, hija mía —le dice el dominico–, récelo mejor en latín.

¿Será capaz la joven? Sí, y comienza:

—*Pater noster qui es in coelis, sanctificetur nomen tuum, adveniat...*

Una mano blanca surge del hábito y el fraile dice:

—Bien, bien, es suficiente, siéntese.

Inés se incorpora y se sienta. El fraile se cubre con la negra capucha y la misma voz (el rostro ya no se le ve) pregunta si la joven allí sentada es Inés Bilbatua, hija de Tomás Bilbatua y de María Isabel.

—Sí —dice Inés–, yo soy.

El notario de los anteojos anota la respuesta. La pluma de oca rasguea un momento sobre el papel y luego se queda inmóvil, a la espera. El dominico que interroga y cuya voz suena muy queda precisa que sólo quiere hacer unas preguntas. Lo único que exige es que la joven responda con sinceridad.

—Sí —dice Inés.

—Acaba usted de cumplir dieciocho años.

—Así es.

—Y vive con sus padres.

—Sí.

—Dígame: el pasado miércoles por la noche, 16 del corriente, ¿cenó usted en el establecimiento propiedad de doña Julia?

—Sí, en efecto —dice ella, sorprendida.

–Estaba usted con sus dos hermanos, Ángel y Álvaro Bilbatua, y cuatro amigos, una mujer y tres hombres algo mayores que usted.

–Sí.

–Tengo aquí sus nombres, pero ahora no hacen al caso. Contésteme: ¿qué les sirvieron?

–¿De comer?

–Sí, de comer. ¿Qué les llevaron a la mesa?

Inés parece sumamente desconcertada y pregunta de nuevo:

–¿Quiere usted saber lo que comimos?

–Exactamente. Lo que les sirvieron y lo que ustedes comieron. Díganoslo.

Ella hace un esfuerzo de memoria y dice que les sirvieron y comieron un poco de todo: pollo, sardinas, cordero asado, guisantes, pimientos. El escribano lo anota todo.

–¿Y qué más?

–Patatas, aceitunas...

–¿Algo más?

–Es todo, creo.

–¿No les pusieron cerdo?

–Sí, es verdad, aunque yo no comí.

–¿Por qué?

–No me gusta, nunca lo como.

–¿Es ésa la única razón?

–La única razón, ¿de qué?

–No comió usted cerdo, ¿solamente porque no le gusta?

–Sí, eso es.

–¿Está usted dispuesta a jurar por la Santa Cruz que dice la verdad?

–¿Sobre lo del cerdo?

–Sí.

–Pues claro que estoy dispuesta.

La mano blanca toma de algún sitio un crucifijo, más pequeño que el de la pared, y se lo alarga a Inés.

–La escuchamos –dice la voz.

Inés alarga la mano por encima de la mesa, hacia el crucifijo, al tiempo que dice:

–Juro por el sagrado cuerpo de Cristo que digo la verdad.

Y vuelve a ocultar la mano bajo la capa. La amable voz del encapuchado sigue diciendo:

–Si le diéramos ocasión de demostrar ante Dios y los hombres la verdad de lo que dice, supongo que no tendría usted inconveniente.

Inés no acaba de comprender a qué viene tan complicada frase. Aun así, como es persona de absoluta franqueza, dice que sí, que está dispuesta y no tiene inconveniente alguno. Se alegra incluso, añade, de poder serles útil.

–Muy bien –dice la voz–. Venga por aquí.

Todos se ponen en pie.

Tomás lleva cuatro horas esperando. Da vueltas en torno al coche pateando con fuerza el suelo para quitarse el frío. El cochero permanece apoyado contra el caballo, que le da calor. Los hombres echan vaho por la boca como el animal por los ollares.

Ángel, el hermano, llega al galope y pregunta si se tienen noticias del monasterio. Nada, responde Tomás.

El joven echa pie a tierra, corre a la puerta del edificio y la aporrea un buen rato. De nuevo se abre el ventanuco cuadrado sin que pueda verse quién hay dentro. Ángel dice a gritos que su hermana lleva horas encerrada y quiere saber qué ocurre. Se llama...

No le dejan acabar. El ventanillo se cierra de golpe. Una mano echa los cerrojos.

Ángel vuelve con su padre. Éste ha montado en el caballo del hijo y lo revuelve dándole con los talones en los flancos. Como ha venido en coche, no calza espuelas y el caballo tarda unos segundos en reaccionar.

–¿Adónde vas? –grita Ángel.

Alejándose ya, el padre le contesta:

–¡Espérame aquí!

Ángel vuelve lentamente al coche. También él empieza a sentir frío, y patea el suelo.

Inés debe demostrar ahora que ha dicho la verdad. Le han hecho quitarse la ropa de calle y la capa, los zapatos y las medias. Viste una especie de túnica de reo azul pálido que le viene grande. Escoltada por dos frailes con capucha, entra en una sala abovedada y aún más oscura que aquella en la que acaban de interrogarla.

Hay ahí dos hombres de pie, con la cara descubierta y expresión impávida, de brazos robustos y peludos, que no son frailes. Al menos no llevan hábito. Ante ellos pende del techo una soga.

Aparece el notario con sus trebejos y, soplándose los dedos, se instala donde buenamente puede. Ya se ha traído la mesita y sale un momento al pasillo a buscar tintero y plumas. De vuelta, lo comprueba todo. La mesa cojea y eso lo irrita. Dobla un pliego en ocho partes y calza el mueble. Mejor, aunque no perfecto.

Para Inés, la hora de la sorpresa y la curiosidad ha pasado. Ahora tiembla de frío y también de miedo. Está ante la Inquisición pura y dura. No son ya habladurías ni leyendas. Ésa es la verdad y lo sabrá sufriendo. No acaba de creérselo.

De un tirón los dos frailes que la acompañan la despojan de la mísera túnica. En un abrir y cerrar de ojos, está desnuda. Su piel blanca parece delicada. Sin gritar, se cubre con las manos el vientre, el sexo; se encoge y aprieta las piernas.

Los cinco hombres que la rodean la observan, aunque con un mirar que parece frígido y distante. Están adiestrados y saben disimular. Si ese cuerpo joven, que jamás ojo de varón vio desnudo, les gusta, los sorprende, los atrae, no lo dejan traslucir. Hacen su trabajo.

Uno de los hombres pregunta otra vez a Inés si ha dicho la verdad y está dispuesta a demostrarlo.

—Sí —murmura Inés.

—Vamos a verlo —dice el fraile.

A una indicación de éste, y con gran maña y facilidad, los dos ayudantes le colocan a Inés las manos a la espalda y le atan las muñecas con el cabo de la soga, a la altura de los riñones.

—Vamos a verlo —repite el fraile.

La soga pasa por una garrucha fijada a la bóveda, en el centro del recinto. El fraile hace señas a los ejecutores, a los que más bien habría que llamar verdugos, y éstos tiran de la cuerda, al principio suavemente. Las manos de Inés suben espalda arriba. Esto le duele, se queja, pero aún apoya en el suelo las puntas de los pies. Oye una nueva pregunta y responde:

—¡He jurado por el cuerpo de Cristo! ¡Por el cuerpo de

Cristo! ¡Juro que no he mentido! ¿Por qué iba a hacerlo? ¿Qué podría ocultar? ¿Por qué? ¡Díganme por qué!

A otra seña de los frailes, los dos hombres tiran nuevamente de la cuerda. El cuerpo de Inés se curva como un arco y sus pies dejan de tocar tierra. Le cuesta respirar, solloza.

Impasible, el escribano moja de vez en cuando la pluma y va consignándolo todo.

–Usted ha dicho –dice la voz del fraile, la misma que la interrogaba en la otra sala– que no comió cerdo porque no le gustaba.

–¡Y es verdad!

–Nosotros no estamos tan seguros.

–¡Lo es! ¡Es verdad! ¡El cerdo no me gusta! ¡Nunca como!

–Nosotros creemos que es por otra razón.

–¿Otra razón? ¿Cuál?

–La verdadera razón por la que nunca come cerdo no es la que usted dice.

–¿Y cuál es?

–Usted es en realidad una judaizante.

–¿Una qué?

El fraile, siempre con la capucha puesta, repite la palabra, que ella no conoce, y luego le explica con cierta prolijidad lo que significa.

Es muy posible, dice, y desgraciadamente incluso harto frecuente, que los seres humanos, cuya ingénita flaqueza es de todos conocida, se aferren rabiosamente a sus errores, por mucho que los buenos pastores hayan tratado mil veces de llevarlos por el camino de la verdadera luz. Sí, las tinieblas son poderosas y tentadoras, y seducen con fuerza irresistible. Nosotros, prosigue el fraile, conocemos gentes que, clandestinamente, persisten en seguir su falsa senda y varias veces al día se postran hacia La Meca y murmuran sus necias oraciones, o practican en secreto ritos judíos.

Y detrás de todas esas supercherías y crímenes está Satanás, que se recrea con nuestros yerros.

–¿Quiere usted complacer a Satanás? –concluye el fraile.

Inés no contesta a la pregunta, que quizá no ha comprendido. ¿Complacer a Satanás? Lo que ella siente es un dolor atroz en los hombros, cuyos músculos y tendones parecen a punto de desgarrársele. Pero el fraile, con voz neutra y sosegada, le repite que judaíza en secreto y que cierto día, en un lugar público, alguien la vio casualmente abstenerse de comer carne de cerdo.

–¡No, no! ¡No es verdad! ¡No! ¡No es verdad! –es lo único que puede gritar.

El fraile insiste. Ella niega una y otra vez. Su desnudo cuerpo parece como partido en dos. Su cabeza cae hacia delante y su voz se ahoga.

–Vamos –le insisten–, declare lo que debe declarar. Confiese.

–Pero ¿qué? –pregunta una vez más Inés con voz casi ininteligible–. ¿Qué quiere usted que confiese? ¿Qué?

–La verdad, nada más que la verdad.

–¡Dígame cuál es la verdad!

–Usted la conoce.

–¡No! ¡No, la conozco! ¡No entiendo nada! ¡Dígame qué quiere que diga!

6

Tomás Bilbatua, que ignora lo que sucede al otro lado de los gruesos muros del edificio, está preocupado. Suya fue la idea de ir al mesón de doña Julia y teme que Inés, que es algo ligera de lengua, soltara ese día alguna imprudencia, bebiera demasiado, insultara a la Iglesia o a algún santo. Los españoles poseen verdadero talento para la blasfemia, y en poner de vuelta y media todo lo sagrado no tienen igual.

En el mesón se hallaba Inés entre gentes malhabladas que siempre están «cagándose en Dios», en su santa madre y en todos los santos. Y si el vino se le subió a la cabeza, ella misma pudo perder la compostura y echar cualquier cosa por esa boca. Es muy capaz.

Y Tomás se siente responsable, casi culpable. Tendría que haberle hecho caso a su mujer, María Isabel, que quería celebrar el cumpleaños en casa.

Como muchos madrileños bien informados, Tomás sabe que un tal Lorenzo Casamares ha tomado el poder, por así decirlo, en el Santo Oficio. ¿En qué circunstancias? No lo sabe. ¿Para hacer qué? Lenguas anónimas de clérigos ilustrados hablan de un endurecimiento seguro, de un rigor renovado. Al parecer, el hermano Lorenzo ha convencido a sus compañeros, y en particular al inquisidor del Tribunal de Corte, de la necesidad de apretar la mano.

Todos culpan a la Revolución francesa. La Inquisición es una defensa de origen divino y ayuda a proteger a España. Para algunos, ese recrudecimiento es el buen camino, el único posible. Para otros, los menos, un craso error, un paso en falso. Pero quienes lo lamentan se muestran discretos y no llegan a desear que la Iglesia se sitúe junto a la guillotina.

Tomás Bilbatua no conoce a Lorenzo, pero sabe que Goya, del que Tomás es fiel cliente, sí, pues le está pintando un retrato. Y corre a verlo. Lo encuentra trabajando, como de ordinario. Goya, que nota su agitación, le pregunta el motivo. Tomás, impaciente, señala el retrato de Lorenzo y dice:

–Tengo que hablar con ese hombre.

–¿Por qué?

–¿Es Casamares?

–Sí.

En pocas palabras le explica Bilbatua lo ocurrido esa mañana: el emplazamiento y el encierro de Inés, los cerrojos, el silencio, la falta de noticias. El tal Lorenzo Casamares, según dicen, es ahora persona influyente en el Santo Oficio. Si alguien puede hacer algo por ella es él.

–Y tú, Francisco, tú lo conoces; ve a verlo, o llévame a mí, pero ahora.

Goya procura calmarlo. No es posible que la Inquisición secuestre así como así a una persona, le dice, esos tiempos ya pasaron.

–Estate tranquilo, Inés saldrá, ten paciencia.

Pero Bilbatua ni está tranquilo ni quiere tener paciencia. Presiente que su hija está en peligro y cada segundo cuenta. Goya debe llevarlo en presencia de Lorenzo.

–¡Pero si apenas lo conozco! –le dice Goya–. Sólo ha

venido tres o cuatro veces, ¿cómo quieres que me presente allí? ¿Y qué puedo decirle? ¡Ni siquiera me dejarán pasar!

–¿Te molesta?

–¿Ir?

–Sí, dime la verdad.

–Pues sí, un poco. Prefiero no tener nada que ver con esa gente. No quiero deberles nada, y menos aún pedirles favores.

–¡No es ningún favor! ¡Lo único que quiero es saber si puedo hacer algo por mi hija! ¿Lo entiendes o no?

Goya lo entiende, ciertamente. Sólo que, a la hora de actuar, titubea. Su ojo y su mano ven y muestran los abismos y las tinieblas del mundo, pero a su voluntad le falta determinación, aun ante un amigo angustiado. Un escrúpulo íntimo lo ata de pies y manos, lo paraliza. Su atrevimiento no pasa de la plancha de cobre, del lienzo.

Se limpia las manos, va de un lado a otro, dice que lo esperan unos amigos para ir de caza. Bilbatua le contesta que la caza bien puede esperar. Goya le ofrece un vaso de vino que el otro rehúsa. Dice que quizá pueda hablarle al rey, o a la reina, en la próxima sesión de pose. Pero eso tardará seguramente varias semanas. Bilbatua no puede, no quiere esperar. Su hija está encerrada en un calabozo. ¿Qué querrán de ella? ¿Qué estarán haciéndole?

El comerciante se detiene varias veces ante el retrato de Lorenzo. De pronto le pregunta a Goya:

–¿Está terminado?

–Está secándose.

–¿Te ha pagado?

–No, todavía no.

–¿Te fías de él?

–¿Por qué lo dices? ¿Por si va a pagarme?

–Sí. ¿Estás seguro de que tiene para pagarte?

Goya no contesta. Se encoge levemente de hombros. ¿Cómo no va a pagar un dominico? Además, se lo ha dejado más barato (aunque esto no se lo dice a Bilbatua). Lo cobrará dentro de dos o tres días, cuando Lorenzo vaya a recogerlo y a elegir marco. Sí, se fía, dice.

–¿Y cuánto le cobras? –pregunta Bilbatua.

Unos diez días después, hacia mediados de abril, Lorenzo fue al taller de Goya. El retrato estaba acabado (Goya se lo avisó con una nota). El inquisidor auxiliar lo contempló largo rato y luego comentó, en voz baja y calma:

–¡Qué extraño! Si me encontrara con este hombre en la calle no lo reconocería.

–Yo sí –dijo Goya.

–Nunca nos vemos como somos –agregó el fraile–, suponiendo que yo sea así.

–Si usted viera a este hombre, en la calle o donde fuera –preguntó el pintor–, ¿qué pensaría de él? ¿Le gustaría?

–No sabría decirle. Me pararía a saludarle, sin duda, y le contestaría si me hablara, querría prestarle ayuda. Y sí, creo que me inspiraría confianza. Pero no puedo decir si me gustaría. –Guardó silencio un instante mirando fijamente su propia imagen y añadió–: Lo que sí me gusta es el retrato. Me gusta cómo está pintado.

–Me alegro –dijo Goya.

–Uno no puede por menos que fijarse en el rostro, que parece surgir del hábito. Da la impresión de que, en contraste con la prenda, la piel palpita. Me agrada ese blanco, ese negro, esa sencillez. Y la boca y los ojos brillan con luz propia, como obra de Dios que son, frente al hábito, producto humano. Maravilloso trabajo, sí señor.

–Gracias. ¿Desea que le muestre algunos marcos?

–Sí, pero que no tengan florituras ni dorados, si es posible. Algo sobrio, sólido.

–Muy bien.

Goya se puso a buscar muestras de marcos en un rincón del taller. Mientras, Lorenzo permaneció largo rato inmóvil ante el lienzo, como ante un inesperado espejo. Pensaba quizás en los iconoclastas, aquellos herejes cristianos que en el pasado destruían las imágenes sagradas por considerar impío dar a Dios apariencia bajamente humana. ¡Pero si Dios mismo se hizo hombre, dándonos así ejemplo!, respondían los doctores de la Iglesia. Y, desde luego, nada malo había en representar al hombre mismo, creado a imagen y semejanza de Dios. Pero estos argumentos no bastaron para convencer a los destructores y, una vez más, hubo que recurrir a las armas para aniquilar a los impíos.

Lorenzo se metió la mano en un bolsillo, sin duda en busca de dinero, y dijo sonriendo:

–Después de todo, las manos no eran necesarias. Por no hablar de lo que me he ahorrado.

Sacaba una bolsa negra cuando Goya regresó, trayendo dos modelos de marco, y le dijo:

–No, no se moleste, el cuadro ya está pagado.

–¿Cómo es eso?

–Que se lo regalan.

–¿Quién? ¿Usted? ¿No quiere que le pague?

–No, no soy yo, es otra persona. Yo ya he cobrado. Escoja marco y en cuatro días se lo mando. El marco también está pagado.

–Explíquese, ¿quién ha pagado?

–Oh, alguien que puede permitírselo. Un amigo. Se llama Tomás Bilbatua. Seguramente habrá oído usted hablar de él. Un comerciante.

Lorenzo guardó silencio unos instantes. «¿Bilbatua?», preguntó. Miró a un lado y otro como buscando el retrato de la joven que en otra visita llamó su atención, pero no lo vio. Seguramente ya se lo habían llevado. Goya agregó que su amigo deseaba también contribuir a la restauración de la iglesia de Santo Tomás, que estaba pidiéndolo a gritos.

–Es la iglesia de su santo patrón y está muy interesado. Quiere que yo pinte frescos en las paredes y el techo, escenas de la vida de santo Tomás, lo que yo vea. Y no me he negado, como podrá usted suponer.

Lorenzo, pillado por sorpresa, reflexionó. El nombre de Bilbatua le era familiar. Medio Madrid lo conocía, como se conoce el nombre de la gente rica, y también le sonaba el de Inés por alguno de los muchos interrogatorios que había ordenado desde que llevaba las riendas del Tribunal de Corte. Sí, aunque no asistió a su primer interrogatorio, ocupado como estuvo en otras cosas, creía recordar a la joven.

–Y ese comerciante –le preguntó a Goya–, ¿qué espera de mí a cambio?

–No mucho.

Goya pasó un momento a otra pieza y volvió con el retrato de Inés. Lo mostró a Lorenzo y le preguntó si recordaba aquella cara.

En efecto, Lorenzo no la había olvidado y asintió.

–Se llama Inés Bilbatua –precisó Goya.

Sí, sí, el nombre no le era desconocido.

—Hace unos días —añadió Goya con apresuramiento, como si deseara quitarse un peso de encima— la llamaron al Santo Oficio y desde entonces su familia no sabe nada.

—¿Por qué la citaron? —preguntó Lorenzo.

—No lo sé, nadie sabe nada. Apenas tiene dieciocho años. Eso es lo que su familia quiere saber, de qué la acusan.

—Su familia no tiene de qué preocuparse —dijo Lorenzo—. Últimamente hemos llamado a mucha gente y, como es natural, la cosa lleva tiempo.

—Mi amigo Tomás querría invitarnos algún día a cenar a su casa. Nada, para que le diga usted algo de su hija y hablar de los trabajos de la iglesia... El día que usted elija, aunque cuanto antes mejor, claro.

—Sí, ¿por qué no?

Lorenzo estaba tranquilo y relajado. Lo que Goya acababa de decirle no parecía apurarlo en manera alguna. Echó un vistazo al contenido de su bolsa negra, que había tenido todo el tiempo en la mano, y se la guardó diciendo con voz sosegada:

—No puedo aceptar que ese caballero al que no conozco pague mi retrato, de ningún modo. Devuélvale usted el dinero, dígame cuánto le debo y se lo haré llegar, hoy no llevo bastante. Pero si su amigo quiere de verdad contribuir a la restauración de la iglesia, bienvenido sea. Su generosidad será tenida en lo que vale, dígaselo así. En cuanto a lo de la cena, será un día de la semana que viene.

—¿No podría ser antes?

—No, me es imposible. —Se encaminó despacio a la puerta y añadió—: Y no se preocupe usted por el dinero, lo recibirá.

–No ha escogido marco –dijo Goya.

–Oh, usted lo hará mejor que yo.

Inés se halla sola en una angosta celda. Vestida con la túnica azul con la que entró, enfundados los pies en medias agujereadas, cubiertos los hombros por un mantón de lana, permanece sentada en una yacija de madera, con las piernas colgando y la mirada perdida. Lleva encerrada cerca de un mes. Frente a ella, en la pared, cuelga un crucifijo, emblema universal del dolor y de la muerte. En el suelo hay un cántaro de agua, un vaso de barro cocido, un cubo con tapa, un poco de paja; sobre una minúscula mesa, libros piadosos.

Oye descorrer un cerrojo, ve abrirse la puerta. Aparece un fraile con la cara descubierta que cierra al entrar y le pregunta si es Inés Bilbatua.

Ella asiente. Sí, ella es.

–No debes temer nada –le dice Lorenzo, que por primera vez, y gracias a un permiso especial, se encuentra con ella–. Vengo por si puedo ayudarte en algo.

–Sí –dice ella–, sí puede. Claro, claro que puede.

Él le sonríe. Nada en la expresión de ese hombre denota maldad, ni siquiera dureza. Desde que entró en las dependencias del tribunal, es el primer rostro sonriente que ve Inés. Por fin una persona amable que parece interesarse por su suerte y querer ayudarla. Ya se fía de él.

–¿Qué puedo hacer por ti? –pregunta Lorenzo.

–Quisiera volver a mi casa.

–Comprendo –dice él–, lo comprendo muy bien, y no dudes de que volverás.

–¿Cuándo?

–Esa decisión no está en mi mano. Lo siento, pero aquí tenemos reglas muy estrictas.

–¡Pero yo he confesado! –dice Inés–. ¡He dicho lo que querían!

–Por eso mismo –dice Lorenzo.

–¿Por eso mismo? ¿Qué quiere decir? ¿Que es un pecado?

–¿Un pecado?

–¿Confesar algo que no es verdad es pecado?

Lorenzo parece no comprender muy bien lo que la joven quiere decir y le pide que sea más clara.

–Confesar una mentira –explica ella–, algo que no es verdad, ¿es pecado?

–¿Por ejemplo? ¿Qué has confesado?

–¡Todo lo que quisieron!

–Pero ¿qué?

–¡Ya no lo sé! Ha pasado mucho tiempo... Me dolía tanto... Ya ni recuerdo lo que dije... No sé qué del cerdo...

–Luego ¿tú crees que mentiste?

–Claro que mentí.

Persona de gran aplomo y persuasiva con los hombres, Lorenzo se siente confundido ante las mujeres, a las que conoce mal. Le resultan complicadas, escurridizas. Y las teme. Desde la escuela se las presentan como el umbral mismo del pecado, la perdición del hombre. Bien claro lo dicen los textos antiguos: la primera que se dejó tentar por el diablo fue Eva, y por culpa de ésta Adán fue condenado al destierro, la penuria, la muerte. El justo debe recelar de la mujer, san Pablo es categórico en este punto: que los hombres se comporten con sus esposas como si fueran célibes. Los verdaderos servidores de Dios son aquellos que se han castrado por amor a Él.

Pero Lorenzo es también un simple mortal, un hombre apuesto, de sangre caliente y músculos poderosos. El deseo del cuerpo femenino, esa oscura fuente de goces, lo persigue desde niño como un misterio. Al igual que otros clérigos y religiosos de su edad, tiene erecciones nocturnas que aplaca con agua fría, e incluso poluciones involuntarias que, con no poco sonrojo, debe confesar (es su confesor el padre Gregorio, que lo escucha en silencio y, sin hacer comentarios ni aconsejar nada, le impone sólo pequeñas penitencias). A veces no puede evitar representarse imágenes voluptuosas cuando contempla estatuas de Vírgenes o cuando ve senos desnudos cercenados por la espada del verdugo en pinturas de mártires santas, imaginaciones sacrílegas y vergonzantes todas ellas, difíciles de ahuyentar.

Un anochecer, cuando tenía veintidós años, estando de paso en Zaragoza, salió del convento en que se hospedaba y, como asesino que acude al lugar del crimen, ataviado con ropas de pobre que compró a un ropavejero, se dirigió a un barrio de mala fama en las afueras de la ciudad, a orillas del Ebro. Encontró allí mozas vestidas de vivos colores que lanzaban sonoros besos desde la penumbra. Una de ellas lo tomó del brazo y él se dejó llevar. Canturreando, la muchacha lo condujo a un carromato y ambos subieron. Creyó ver allí un montón de ásperos sacos y también un perro, al que la moza echó fuera. Estaba muy oscuro y se oía el murmullo del cercano río. Ni siquiera le veía la cara a la mujer, que, sin dejar de cantar, estaba ya quitándose la harapienta ropa.

¿Qué edad tendría ella? ¿Cómo era su rostro? Lorenzo nunca lo supo. Sin chistar dio el dinero que le pedían, se dejó guiar por la mano y en un instante perdió lo que en su pueblo llamaban la flor. No bien se repuso del espasmo, la moza lo despidió y hubo de volver solo, resistiendo el acoso de otras mozas.

De regreso en el convento, se deshizo de sus prendas pecadoras, se puso de nuevo el hábito y en mitad de la noche despertó a un fraile para que lo confesara. La idea de que Dios pudiera llamarlo a su seno en aquel momento, estando en pecado mortal, le resultaba insoportable. Sin embargo, pese a la absolución que recibió de labios del soñoliento anciano, durmió mal.

Luego, cuando recordaba la flaqueza de aquel día, que él, para justificarse ante sí mismo, atribuía a la necesidad de saber, a un prurito de conocimiento, sentía una leve repugnancia, casi asco. En nada se parecía aquel recuerdo a los goces con los que había soñado o hallaba descritos, por ejemplo, en los manuales de los confesores, como el del ilustre padre Sánchez. Nada en aquello evocaba las gracias femeninas, los transportes de la carne, los abismos embriagadores del placer, todas aquellas metáforas que lo asediaban sin tregua y sin piedad.

Recordaba el fango del suelo, las sacudidas de la carreta, el olor a hembra y a can. Una fuerza inexplicable arrastraba su recuerdo una y otra vez a lo de aquel triste día en las afueras de Zaragoza, a orillas del Ebro. Pero una voz –su propia voz– le decía que aquello no fue sino un simulacro de amor, que todo seguía aún por descubrir, por experimentar.

Es la misma voz que le habla ahora en la celda de Inés. Atisba el nacimiento del seno cuando ella se inclina hacia él y bajo la túnica azul adivina su cuerpo blanquísimo.

Está más pálida que en el retrato de Goya, menos risueña, menos radiante, pero sí, sigue siendo un ángel del cielo, un ángel que repite, con una especie de ansiedad: «¿Es pecado?».

Él, que no ha instruido el caso, que no sabe lo que los familiares vieron en el mesón de doña Julia, que sólo da instrucciones generales que ejecutan otros, nada puede decirle a la suplicante joven.

¿De qué serviría, además? Nada tiene que reprocharse, ni ante sus hermanos, ni ante Dios. Él obra por el bien de todos y no puede permitirse favorecer a nadie.

Inés repite una y otra vez que quiere irse a casa, que no ha hecho nada, que la carne de cerdo no le gusta, que ignora cuáles son los ritos judíos, que confesó lo que le pidieron por no sufrir.

–Puedo transmitir un mensaje a su familia –dice él.

–¡Oh, sí!

–¿Qué desea que les diga?

–Que los quiero. Se lo ruego, dígales que los quiero, a mi padre, a mi madre, a mis hermanos, que los quiero a todos, que no he hecho nada malo, que quiero verlos muy pronto...

–Se lo diré.

–No quiero que piensen que he hecho nada malo. No olvide decirles eso, eso sobre todo. Que soy su hija, que volveré a casa, que me esperen. –Cierra los ojos, junta las manos y añade–: Continuamente, diez, veinte veces al día, cierro los ojos y rezo. Rezo al Señor y le pido que, cuando los abra, mi madre, mi padre, mis hermanos, aparezcan de pie ante mí...

–¿Quiere que rece con usted?

–Sí, sí, gracias.

Ella se arroja a sus pies y los rodea con los brazos. Turbado por aquel cuerpo, él no sabe qué hacer. Toma la cabeza de Inés entre sus manos y le pide que se levante; pero ella se aprieta con más fuerza a sus piernas. El mantón se ha deslizado al suelo. ¿Se habrá vuelto loca?

Lorenzo le acaricia suavemente el cabello y le dice que no llore, que todo irá bien, que él proveerá. Palabras hueras y consabidas, pero son las únicas que se le ocurren: nunca se vio en una situación así.

Ella eleva hacia él unos ojos arrasados en lágrimas. Es la primera vez en su vida que ve Lorenzo llorar tan cerca a una joven. Perturbada e incapaz de calmarse y recapacitar, es inútil hablarle, no entendería. Bruscamente un recuerdo asalta a Lorenzo: el de una mujer maquillada que lo atrae en la noche hacia un rumoroso río y canturrea una canción de amor. Echa de sí el recuerdo, pero éste vuelve una y otra vez. Inés llora y gime pegada a él.

Con voz insegura él empieza a rezar:

–*Gloria in excelsis Deo...*

Son palabras que ella conoce. Inés continúa:

–*... et in terra pax hominibus...*

Gloria a Dios en los cielos, y en la Tierra paz a los hombres...

–*... bonae voluntatis* –dicen a la vez.

En la Tierra paz a los hombres de buena voluntad. Paz en la Tierra.

Lorenzo toma a Inés por los hombros y la levanta. Ella no se resiste, se sienta incluso en su regazo: ya no está sola. Se aprieta contra él como pidiendo amparo y con los brazos le ciñe el cuello bajo la cogulla del hábito.

Y así siguen rezando un rato más.

7

Unos días después, Lorenzo fue llamado a Sevilla por razones de gobierno interno y también de política exterior. Un año antes, en junio de 1791, el rey de Francia, junto con su mujer austriaca y sus hijos, disfrazados todos, trató de huir del país en berlina. Reconocidos en Varennes, fueron detenidos en una posada y conducidos a París, donde entraron entre dos filas de soldados que rendían los fusiles en señal de afrenta.

Un rey trataba de abandonar a su pueblo y ese mismo pueblo lo traía de vuelta.

Para los observadores avispados, la corona francesa, ceñida por un monarca indeciso y poco lúcido, estaba abocada a caer en más o menos breve plazo. Sólo podía salvarla la pronta intervención de una coalición europea que, sin embargo, tardaba en constituirse, y en la cual el rey de España, Carlos IV, al que Luis XVI apelaba en vano, vacilaba en participar.

Parte del clero francés, profundamente dividido –los eclesiásticos debían jurar la Constitución Civil del Clero si querían ejercer su ministerio–, partía al exilio, como los nobles emigrados, y buscaba asilo y protección en los países católicos vecinos, principalmente en España. ¿Qué hacer con ellos? ¿Cómo acogerlos? A estas preguntas, entre otras, debía responder la junta de Sevilla.

Lorenzo permaneció en la ciudad más tiempo del previsto y regresó a Madrid a últimos de junio.

Pasó otra semana y al fin, por mediación de Goya, Lorenzo aceptó la invitación de Tomás Bilbatua, quien seguía sin noticias de su hija. Quedaron citados para el 6 de julio. Hacia las ocho y media de la tarde –aún había luz–, Goya y Lorenzo atravesaron el umbral de la casa del comerciante. Los recibió un mayordomo que, a través del patio aún en plena actividad mercantil, los condujo hasta la escalera principal, en la que unos sirvientes encendían ya candelabros.

Al pie de la escalera los esperaban Bilbatua y sus dos hijos. El anfitrión se inclinó ante el representante del Santo Oficio y le manifestó lo muy honrado que se sentía por su visita. Lorenzo, que parecía tranquilo y dueño de sí, contestó con unas palabras muy sencillas y muy esperadas: el gusto era suyo, lamentaba no haber podido acudir antes...

Bilbatua saludó amistosamente a Goya, dándole incluso un abrazo, tras lo cual los cinco hombres subieron la escalera. Arriba los aguardaba María Isabel, muy bien vestida y enjoyada. Como recibía a un religioso, se había maquillado poco, llevaba un vestido sin escote y se cubría el pelo con una gruesa mantilla negra.

Tomás la presentó al dominico, a quien ella dio la bienvenida. Él se lo agradeció inclinándose un poco pero sin tomarle la mano.

–Por aquí, por favor –dijo ella.

Todo parecía discurrir normalmente.

Echaron a caminar por una larga crujía del primer piso, y de trecho en trecho se detenían para admirar ya la maqueta de un galeón, ya tallas de santos en madera dorada procedentes de América, en las que se apreciaba la mano vigorosa de algún artista de las mesetas mexicanas o las selvas de Costa Rica ajeno a las escuelas europeas; ya, en fin, tapices flamencos que representaban mil productos originarios de todos los continentes entonces conocidos y que, colgados allí de las paredes, eran como reflejos de los más preciosos escaparates y almacenes del comerciante. La Tierra era un cuerno de la abundancia inagotable, puesto graciosamente al alcance de los hombres; todos los bienes del planeta parecían accesibles, como dispensados por la mano inmensa de una naturaleza próvida, otrora salvaje y finalmente dominada.

Se detuvieron también ante el retrato de cuerpo entero del dueño de la casa, al que Goya había representado apoyando la diestra en un globo terráqueo, en la siniestra un rollo de papel, sobre un fondo marino surcado de navíos. Lorenzo admiró la obra del artista.

–Es más que un hombre –dijo el dominico sonriendo–, es toda una vida.

Goya agradeció el cumplido. Lorenzo, muy distendido, añadió que el comerciante sí pudo permitirse que le pintaran las manos.

–Yo tuve que renunciar –dijo–. Por suerte, vistó hábito y pude esconderlas en las mangas.

Siguieron adelante, pasando ante nuevas maquetas de barcos, primorosamente reconstruidos, incluso con su diminuta tripulación en cubierta y sus aparejos.

Llegaron por último ante el reciente retrato de Inés, inútil regalo de cumpleaños, que Lorenzo ya había visto en el taller del pintor.

Se borró la sonrisa de los labios del dominico, y largo rato estuvo éste contemplando el radiante retrato. Toda la juventud, toda la esperanza del mundo estaban allí plasmadas. La sonrisa de la joven parecía iluminar la crujía entera. Padre, madre y hermanos observaron en silencio la actitud del fraile.

—Siento —dijo Tomás con voz súbitamente debilitada— que mi hija no pueda cenar con nosotros.

Lorenzo asintió. Daba la impresión de que compartía el pesar de Tomás y que también lamentaba la ausencia de la joven. Pero se limitó a decir:

—Maravilloso trabajo, Goya, maravilloso de veras.

Y siguió andando con pasos pausados.

Goya permaneció quieto un momento, mirando a su joven fantasma, y luego echó a caminar, también pausadamente.

Al final de la crujía, y antes de entrar en el comedor, Tomás indicó a Lorenzo una mesita y le hizo señas de acercarse. Dos criados retiraron un retal recamado en plata y dejaron a la vista, sobre la mesa, un cofre de hierro.

Tomás mismo manipuló los cierres, abrió el cofre, levantó un paño de terciopelo rojo y, como en los cuentos de hadas, aparecieron columnas de monedas de oro y plata cuidadosamente ordenadas, sostenidas por piezas de madera.

Lorenzo no pareció sorprenderse, pese a que lo que allí refulgía era un verdadero dineral. Ni se inclinó ni su mirada se alteró.

—Por cierto —dijo—, supongo que nuestro amigo Goya le habrá dicho que no puedo aceptar que pague usted mi retrato.

—Sí, me lo ha dicho.

—Le agradezco el detalle, pero va en contra de nuestros usos.

–Lo comprendo, hermano Lorenzo –dijo Bilbatua–, lo comprendo muy bien. En el cargo que ocupa no puede permitirse levantar sospechas de ninguna clase. No he estado muy acertado, disculpe. Pero sí le pido que acepte esto para la restauración de la iglesia que lleva mi nombre.

–Se lo agradezco en nombre del apóstol –dijo Lorenzo.

Los criados pusieron en su sitio el paño de terciopelo y cerraron el cofre, mientras los señores Bilbatua indicaban el camino al comedor. Una magnífica araña holandesa de veinte velas y reluciente cobre alumbraba la estancia. Bandejas y jarras de plata bruñida, dispuestas sobre los muebles, reverberaban a la luz.

María Isabel distribuyó a los comensales en torno a la mesa y, mientras Lorenzo pronunciaba el consabido Benedicite, todos permanecieron en pie.

Acabada la oración, se persignaron y tomaron asiento. Lorenzo lo hizo a la derecha de María Isabel y a la izquierda de Goya. Se sirvió primero un oporto añejo. Bilbatua explicó que en la cala de algunos de sus barcos solía poner un tonel del mejor oporto para que diera una o dos veces la vuelta al mundo. El constante vaivén de la embarcación mejoraba la calidad del vino y refinaba sus aromas.

Alzaron las copas, aspiraron los efluvios del vino y brindaron por la restauración de la iglesia de Santo Tomás. Nada había que temer. Todo rebosaba urbanidad y buenos modales, casi el gozo de estar juntos. El hermano Lorenzo, en tanto los sirvientes traían aceitunas, jamón, pescado en salazón, almendras y otros manjares exóticos, fue el primero en hablar de Inés:

–Supongo que están preocupados por su hija y esperan noticias suyas.

–Sí, desde luego –contestó María Isabel–. No pensamos

más que en ella. Nunca había salido de casa, como quien dice. Ha vivido siempre con nosotros. Y no sabemos nada.

–¿La ha visto usted? –preguntó Tomás.

–Sí, varias veces.

–¿Y cómo está? –preguntó la madre–. ¿Qué hace?

–Está muy bien –contestó el fraile tras beber un trago de oporto–. Está tranquila, bien de salud, y les envía todo su amor. Habla a menudo de su familia.

–¿Qué pasa? –quiso saber Álvaro–. ¿Qué ha hecho? ¡Es lo que todos nos preguntamos!

–Sí –dijo la madre–. No comprendemos de qué se la acusa. Nadie nos informa. ¿Cuándo podremos verla?

–No puedo decírselo con exactitud. Primero debe ser juzgada.

Se hizo el silencio en la mesa. Incluso los sirvientes parecían contener la respiración.

–¿Juzgada? –preguntó Bilbatua al dominico–. ¿Por qué juzgada? ¿Por qué cargos?

–Por lo que ha confesado –contestó Lorenzo con calma.

El silencio se hizo más tenso y opresivo. A una señal de Tomás, los sirvientes se retiraron de puntillas y cerraron la puerta al salir.

–¿Y qué ha confesado? –preguntó la madre.

–¿No lo sospecha usted?

–No.

–Ninguno tenemos la menor idea –añadió Tomás–. Y mire que le hemos dado vueltas.

Lorenzo pareció reflexionar un momento y luego dijo:

–Ha confesado que judaíza.

Miradas perplejas recorrieron la mesa de punta a punta.

–¡Eso es imposible! –declaró la madre.

–¿De verdad?

–Completamente imposible. ¿Judaizar? ¿Inés? ¡Pero si somos cristianos desde siempre!

Lorenzo, como si hubiera esperado todas esas preguntas, esas reacciones, esas protestas, se volvió hacia Tomás y le dijo:

–No dude en corregirme si me equivoco, pero nuestros hermanos archiveros me han dicho que el bisabuelo de su abuela, que aún no se apellidaba Bilbatua, se convirtió al cristianismo cuando emigró de Amsterdam y se estableció en España. Eso fue, si mal no recuerdo, bajo Felipe IV, en 1634. Tienen, pues, un antepasado judío en la familia.

Todos guardaron silencio, estupefactos, al tiempo que Lorenzo preguntaba a Tomás, llevándose una aceituna a la boca:

–¿Es verdad eso o no?

–Verdad, creo –contestó Tomás en un murmullo–, o al menos posible; lo he oído contar. Pero creía que yo era el único en saberlo.

–No era el único, ya que su hija ha confesado.

–¿Qué ha confesado exactamente?

–Que sigue practicando ritos judíos, que están prohibidos, como usted sabe. Que los practica en secreto. Supongo que alguien le habló de su lejano antepasado.

–¿Quién?

–No nos lo ha dicho. Es uno de los puntos que el proceso intentará esclarecer. Quizá llevaba el mal en la sangre, desde que nació.

–Pero ¿qué ritos son ésos? –preguntó de pronto María Isabel–. ¡Es la primera vez en mi vida que oigo tal cosa! –Y volviéndose hacia su marido le preguntó–: ¿Es por parte tuya o mía?

—Mía —contestó Tomás.

—¿Y nuestra hija lo sabía?

—Parece que sí —dijo Lorenzo.

—¿Sabía —prosiguió la madre, muy agitada— algo que ocurrió en nuestra familia hace más de un siglo y yo desconocía? ¿Y no me dijo nada? ¡Vamos, no puede ser!

—Sí puede ser, señora, y es. El de su hija no es el único caso extraño que hemos de analizar. Yo mismo he examinado con lupa el de su hija. Se la interrogó según las instrucciones del tribunal. Aun así, no todos los detalles han sido aclarados. Le repito que no es seguro que supiera lo de su antepasado. Es posible que haya conocido a alguien bajo cuya influencia se convirtiera.

—¿Se convirtiera al judaísmo?

—Casos así ha habido, y aún más sorprendentes. Por eso ha de sometérsela a un proceso, en el que volverá a ser interrogada y que decidirá su suerte. Le repito que ha confesado practicar ritos judíos, no comer cerdo y otras cosas...

—¡Pero es que a Inés no le gusta el cerdo! —exclamó Ángel—. ¡Nunca lo come!

—Eso es lo que ella decía, a ustedes y a sus amigos. Está claro que les mentía.

—Pero ¿dónde se supone que ha aprendido esos ritos? —preguntó Bilbatua—. ¿Quién se los ha enseñado, quién la ha apartado de nuestra fe? Mi mujer acaba de decírselo: ella nunca salía de aquí.

—Su casa es grande, está abierta a todos, trabajan muchas personas y se ven forasteros a diario. Ponzoñas de todo el mundo circulan aquí libremente.

—Mi hija —dijo Tomás— no podía confesar algo que ignoraba.

Lorenzo se mostró de acuerdo en este punto. Algo debía de saber, de un modo u otro. Resulta difícil creer que por mera filiación, por remoto parentesco, se transmitan el conocimiento de ritos prohibidos y la inclinación a practicarlos. La sangre, que se sepa, no arrastra de tan lejos las creencias.

–Por todo ello –añadió– debemos continuar, buscar cómplices. Puede que al final no sea nada grave, pero Dios, pónganse en nuestro lugar, Dios no nos perdonaría dejar pasar la ocasión de descubrir, con un poco de suerte, toda una secta de enemigos de la fe.

Álvaro se inclinó de pronto sobre la mesa y preguntó a Lorenzo:

–¿Han sometido a mi hermana a la cuestión de tormento?

–Naturalmente –contestó al punto el fraile–, como a todos los sospechosos.

Un estremecimiento de horror sacudió a los comensales. Aquellas palabras traían a la memoria siniestros relatos de antaño que no se pronunciaban sino en voz baja. María Isabel tomó su servilleta, la retorció violentamente entre las manos y preguntó a Lorenzo:

–¿Han torturado a mi hija?

Ángel alargó la mano para calmar a su madre, que parecía desfallecer, mientras Lorenzo corregía:

–Le han dado tormento, una sola vez, el tormento ordinario.

Eso significaba que habían interrogado a Inés con métodos que no causaban la muerte ni la efusión de sangre. Goya, que sentía un gran desasosiego desde que se sentaron a la mesa, pidió al inquisidor auxiliar que fuera más preciso. ¿En qué consistía el tormento? ¿La garrucha? ¿El agua? ¿El potro?

–La garrucha, simplemente –dijo Lorenzo–, y sólo duró unos minutos. Confesó muy pronto.

Prolongar ese tormento, además del dolor por el estiramiento y porque en ocasiones se dejaba caer súbitamente al reo, impedía respirar a éste y podía provocarle la muerte por asfixia. En los archivos se conservaban expedientes de casos así, que Lorenzo conocía, pero se cuidó de mencionarlo.

–¿Lo presenció usted? –preguntó Bilbatua.

–No, eso no es de mi incumbencia.

–¡Pero yo creía...! –dijo Tomás–, ¡todo el mundo creía que esos procedimientos fueron abandonados hace mucho!

–Así es –dijo Lorenzo–, pero la situación de la Iglesia en estos momentos nos obliga a retomarlos.

–¿Por qué? –preguntó Álvaro.

–Porque ante la oleada de errores sangrientos que nos llega de Francia, y la epidemia que nos amenaza, que nos invade incluso, debemos más que nunca buscar y afirmar la verdad.

María Isabel dejó la servilleta en la mesa y con voz súbitamente empañada preguntó:

–¿Piensa usted que mi hija constituye una amenaza para la Iglesia?

–Es posible. Ella y sus cómplices. No podemos descuidarnos. Si son ustedes buenos cristianos, lo entenderán.

–Explíqueme una cosa –dijo Álvaro–: ¿cree usted que esos métodos llevan a la verdad?

–Necesariamente.

–¿Y por qué está tan seguro?

–El tormento es la piedra de toque de la verdad. No conocemos nada mejor.

–Díganos por qué –pidió Goya.

—Es muy sencillo.

Desde su vuelta del monasterio, donde había tomado aquella decisión suya, el espíritu de Lorenzo se había a la vez recogido y dilatado; recogido, pues había sofocado su curiosidad profana, había conjurado toda veleidad liberal, filosófica o científica procedente de Francia o de cualquier otra parte, y se había ceñido a la fe católica tradicional con rigor y aun con arrebato; y dilatado, pues dentro de esta fe, que podía parecer una cadena, hallaba acentos nuevos, caminos insospechados, ideas y visiones que a veces hasta a él mismo lo sorprendían.

Por eso aquel día, sin sospechar que su carrera inquisitorial, que tan brillante se prometía, pronto iba a frustrarse, defendió con elocuencia y ardor las excelencias del tormento como prueba cierta de la verdad. ¿Que por qué? Porque los inocentes nunca confiesan. Dios, arguyó, por medio del tormento (que algunos necios consideran cruel), les da alientos para resistir el sufrimiento hasta el final, y por eso es un don de Dios.

—Los limpios de corazón —prosiguió— no temen el tormento. Lo resisten fácilmente. El dolor es la clave del alma, y si no lo comprendemos así, erraremos el camino. Cristo es la verdad suprema, como sabemos, la verdad y la vida. Ahora bien, cuando lo vemos clavado en la cruz, ¿qué imagen ofrece? La de un hombre que sufre, pero que sufre en la verdad.

Todos lo escuchaban en silencio, pensando acaso que para defender así la tortura debía de haber perdido el juicio. Sí, él podía dar esa impresión, pero su discurso no dejaba de ser riguroso y coherente.

—Pensemos —siguió— en el caso de los no inocentes, como su hija. El tormento los lleva a confesar sus pecados y errores, y esa confesión, se lo aseguro porque lo tengo comprobado, les infunde al momento una gran paz, una gran serenidad interior. El tormento fortifica el alma, eleva el espíritu, es una merced de Dios y por ello debemos estarle agradecidos, seamos o no culpables. Compréndanlo: el tormento permite a los culpables desahogarse, pues al confesar se liberan de lo más pesado: el pecado. Y a los inocentes que no confiesan les salva la vida.

Los entrantes seguían en la mesa. Lorenzo era el único que los había probado. Tras oír este retórico y en apariencia inapelable elogio del tormento, y no sin evidente torpeza, Goya quiso aligerar el ambiente.

—Eso no tiene ni pies ni cabeza —comentó a Lorenzo—. El tormento no demuestra absolutamente nada. ¡Yo, bajo tortura, confesaría lo que fuera! ¡Que soy el sultán de Turquía!

—No —le dijo Lorenzo—, no lo confesaría.

—¡Ya lo creo! Con tal de no sufrir, me conozco bien, confesaría lo que fuese.

—Nada de eso.

—¿Cómo que no?

—Goya, dígame la verdad: pese a lo que dicen de usted, yo estoy seguro de que, en el fondo de su corazón, teme usted a Dios. ¿Me equivoco?

—Es verdad, temo a Dios como todo el mundo.

—Pues bien, ese temor de Dios, en caso de que lo sometieran a usted a tormento, por los motivos que fueran, le impediría confesar en falso. La gracia de Dios sería con usted.

—¿Y si el dolor me trastornara y no supiera lo que me digo?

—Goya, óigame y créame. Tenemos experiencia en estas cosas. Si es usted inocente, Dios le dará fuerzas para aguantar el dolor.

Se hizo un silencio, en el cual podía oírse a María Isabel sollozar con la servilleta puesta en la boca.

–¿Está usted completamente seguro de lo que dice? –preguntó al cabo Bilbatua.

–Sí, estoy seguro; si no, no lo diría.

–¿Nunca ha dudado de nada?

–Sí, claro que he dudado, como es natural, y me he preguntado muchas cosas. Pero de un tiempo a esta parte esas dudas se han disipado y se ha hecho la luz. Ya no dudo. Cristo me ha revelado su verdad, como a santo Tomás, y ya no me abandonará.

–Permítame, hermano Lorenzo –dijo entonces Bilbatua–, que le haga una pregunta: ¿a usted lo han interrogado alguna vez de esa manera?

–¿A mí?

–Sí, a usted, ¿lo han expuesto alguna vez a la cuestión de tormento?

–No, nunca.

–Aún no se ha dado el caso, ¿verdad?

–No.

Bilbatua respiraba con celeridad y reflexionaba. Tomó un taco de jamón y se lo tragó de una vez. Goya, que lo observaba y lo conocía bien, vio en su mirada un fulgor que nunca antes le había visto, ni aun cuando pintó su retrato; un fulgor sombrío pero vivísimo, de una fijeza salvaje.

Iba a decirle algo cuando su amigo, con voz fría y casi inaudible, retomó la palabra para dirigirse a Lorenzo:

–Si lo sometieran a usted a tormento y le pidieran que confesase algo absurdo, algo disparatado, qué sé yo..., que es usted un mono, por ejemplo, un mono con apariencia humana..., ¿está seguro de que Dios le daría fuerzas para negarlo? Bajo tortura, bajos los efectos del dolor, de un dolor fortísimo, ¿no diría usted: sí, sí, lo reconozco, confieso que soy un mono?

Lorenzo se quedó mirando a Bilbatua con una suerte de incredulidad, incapaz de articular palabra, y Goya, esforzándose por reír, exclamó:

–¡Yo sí lo confesaría, lo confesaría al momento!

–Tú sí, ya lo sé. Pero ¿usted, hermano Lorenzo? Se lo pregunto a usted.

María Isabel, que sin duda conocía aquel mirar fulgurante y feroz de su marido, persona ordinariamente cortés, risueña y sutil, quiso pararle los pies y le dijo, dando unas palmaditas en la mesa:

–Tomás... Tomás...

Pero Tomás no hizo caso. Seguía mirando a Lorenzo y esperando respuesta. El inquisidor auxiliar bajó la vista y se quedó como observando la copa de oporto que aún sostenía entre los dedos.

Goya procuró de nuevo poner paz y preguntó a Bilbatua a qué estaba jugando. ¿No veía que esa pregunta no venía a cuento?

–A nadie se le ocurriría pretender que el hermano Lorenzo pueda confesar que es un mono –rezonga.

–A mí, a mí se me ocurre –contestó Tomás.

Y lentamente se levantó, retiró la silla y se dirigió a la puerta. María Isabel le rogó que volviera a la mesa; en vano. Sin responder, Tomás salió del comedor. Su mujer pidió a Álvaro y a Ángel que fueran a buscarlo, pero ninguno de los dos se movió.

Lorenzo, que había levantado la vista, miraba a unos

y otros, particularmente a Goya, que creyó leer en sus ojos un reproche, el reproche de haberle tendido una trampa.

Transcurrieron varios minutos en medio del embarazo general. María Isabel, visiblemente azorada, ofreció a Lorenzo unas anchoas que calificó de deliciosas. El fraile ni las miró ni se molestó en rechazarlas. Ella le preguntó de nuevo por Inés, y él no respondió sino con pocas palabras: estaba bien, muy bien. Lorenzo empezaba a ponerse nervioso. María Isabel llamó a los criados tocando una campanilla, pero nadie acudió. Preguntó entonces a Goya en qué estaba trabajando. La pregunta pilló desprevenido al pintor, que no supo qué contestar y sólo balbució unas sílabas. En eso se levantó Álvaro, salió del comedor y al rato volvió y se sentó de nuevo sin decir una palabra.

Entonces entró Tomás Bilbatua. Traía un papel en el que había escrito unas líneas.

–Tenga. Lea y firme –le dijo a Lorenzo, dándole el papel.

–¿Y esto?

–Es su confesión.

–¿Cómo dice?

–Voy a leérsela. Luego firmará. –Bilbatua se acercó el papel a los ojos y leyó–: «Yo, Lorenzo Casamares, reconozco y confieso que, pese a mi apariencia humana, soy en realidad un cruce de padre chimpancé y madre orangután. Y añado que he puesto todo mi empeño en ingresar en el Santo Oficio con el fin de comprometerlo y destruirlo». Y ahora firme. –Y le tendió pluma y tintero–. Firme.

A todas éstas, María Isabel, muda de espanto, miraba aquí y allá como si mil demonios hubieran irrumpido a gritos por las ventanas. Goya se puso de pie y preguntó a Bilbatua si es que estaba borracho o loco.

–Tú no te metas, Francisco –le dijo el comerciante, que seguía tendiéndole el papel al dominico–. Esto es asunto mío.

El hermano Lorenzo se levantó despacio, frunciendo el ceño como si tratara de asumir una circunstancia inaudita e incalificable. ¿Qué hacer? En nada podían ayudarle los libros de consejos para uso de confesores. No recordaba un solo precedente de lo que allí estaba ocurriendo. Bilbatua sabía desde luego que no podía permitirse tamaña insolencia con un miembro de la Inquisición. ¿Habría enloquecido de verdad, como decía Goya, a causa, por ejemplo, de la inexplicable reclusión de su hija? Y si así era, ¿cómo debía él comportarse?

–Firmará, ¿sí o no? –instó Tomás.

–Escuche...

–No escucho. ¿Firma o no?

–Tomás Bilbatua, ¿cómo pretende que firme eso? ¡No lo haré y usted lo sabe! ¡Basta de bromas, por el amor de Dios!

–Dios no pinta nada aquí esta noche. Está ausente, ¿qué le parece? No ha venido. Yo lo invité, pero estaba ocupado. Me pidió que se lo dijera.

–Pero ¿qué estás diciendo? –preguntó Goya.

–¡Tomás, calla! –exclamó María Isabel con una voz cascada, extrañamente afónica–. ¡Calla!

–¿Conque no firma?

–No, no firmo... ¡Claro que no!

Bilbatua hizo entonces una seña a sus hijos y éstos salieron de la estancia como si ya supieran lo que debían hacer. Por dos puertas distintas entraron entonces tres sir-

111

vientes y Tomás les ordenó cerrar los postigos de las ventanas y correr las cortinas. Ellos así lo hicieron. Lorenzo se dirigió a Goya y le dijo:

—Francisco, sáqueme de aquí.

—Vamos —respondió Goya.

Precediendo al fraile, el pintor se encaminó a la puerta principal, pero a una señal de Tomás los sirvientes le cortaron el paso.

—¡Abrid esa puerta! —gritó el pintor.

No hicieron caso. Goya arremetió contra ellos e intentó pasar a viva fuerza, seguido de Lorenzo. Pero los criados, jóvenes y robustos —dos de ellos eran africanos—, los repelieron.

—¡Dejadnos salir! —gritó Goya, emprendiéndola a puñetazos.

—¿Acaso ha dejado él salir a mi hija? —le preguntó Tomás, gritando también—. ¿Acaso la ha escuchado cuando le suplicaba que la soltara?

Ángel y Álvaro entraron en ese momento trayendo una larga soga. Goya forcejeaba en vano con los sirvientes mientras Lorenzo, sin despegar los labios, aguardaba. Bilbatua hizo señas a sus hombres, que sujetaron al pintor y se lo llevaron. Lorenzo quiso seguirlos, pero se lo impidieron. Era la primera vez que le ponían la mano encima, pese a su vestidura sagrada, y se quedó estupefacto. Como él y todos los religiosos solían decir, consideraba aquel hábito una especie de inexpugnable armadura a prueba de injurias y perfidias mundanas. Pero ahora lo traicionaba, lo entregaba a unas manos de piel negra que lo agarraban y vapuleaban siguiendo órdenes que él no había dado.

—Descolgad la lámpara —dijo Bilbatua.

Ángel y uno de los criados brincaron a la mesa y con ayuda de unas pértigas desengancharon la lámpara holandesa, que dejaron aparatosamente sobre la mesa, entre los platos, las copas, los cubiertos. La mitad de las velas se apagaron. Álvaro pasó la soga por el gancho del techo e hizo en ella un nudo corredizo.

Se oía fuera la voz de Goya, que gritaba y aporreaba la puerta cerrada. Lorenzo, persuadido ya de que no se trataba de una simple intimidación, empezó a forcejear para desasirse. Pero los sirvientes africanos lo sujetaban con firmeza.

–¿Se decide usted a firmar la confesión? –preguntó otra vez Bilbatua al fraile.

Lorenzo cabeceó sin dejar de debatirse.

–Pues nada –dijo Tomás–, vamos a ver si Dios le da fuerzas para resistir el tormento. Vamos a ver lo que es la verdad.

E hizo ciertas señas a sus dos hijos. María Isabel salió entonces del comedor por otra puerta y corrió llorando a un pequeño oratorio, donde se arrodilló ante una imagen de la Virgen y, sin aliento, se puso a rezar a toda prisa, sin saber muy bien lo que decía. Quería quizá desviar la atención del Altísimo, evitar que la maldición divina se abatiera sobre su casa.

Mientras, en el comedor, los hermanos y los criados maniataban por la espalda a Lorenzo y lo aupaban a la mesa, entre cascos de vajilla. Bilbatua le hablaba de la gracia divina y de las bondades del sufrimiento.

–Verá usted –le decía– lo aliviado que va a sentirse cuando haya dicho la verdad... ¡Y qué paz! El dolor es un don de Jesús, acójalo con agradecimiento...

A una indicación suya, los hijos tiraron de la cuerda

y el cuerpo de Lorenzo empezó a elevarse. Pronto los pies dejaron de tocar la mesa, y al quedar en vilo volcaron sobre el mantel una copa de oporto. Notó en los hombros, a ambos lados de la nuca, las primeras y lacerantes punzadas de dolor, pero se mordió los labios y consiguió no gritar. Tomás Bilbatua se plantó delante para poder verlo mejor. «No tema nada», le repetía, «que Dios está con usted y lo asiste, dele las gracias. Y sepa», añadía, «que esto es tan sólo el tormento más suave.»

Álvaro y Ángel, atentos a las instrucciones del padre, dieron un nuevo tirón a la cuerda. El cuerpo de Lorenzo colgaba ya a cierta distancia de la devastada mesa, del mantel arrugado y manchado, de la araña de cobre, algunas de cuyas velas seguían ardiendo. El dolor, atroz, se irradiaba hacia los músculos de la espalda, brazos, manos, cabeza. Durante varios minutos Lorenzo logró no gritar, pese a sentir como si la carne se le desprendiera de los huesos. Por último, tal como Bilbatua suponía, pidió clemencia.

–Parad –ordenó el comerciante–, parad.

Tomás le preguntó una vez más si admitiría la verdad y firmaría el documento. Lorenzo, con la cara desencajada por el dolor, no tenía ánimos para decir que no.

–Haré lo que quiera –dijo con voz ahogada.

Los criados lo ayudaron a sentarse en una silla. Respiraba con atropello y dificultad. Bilbatua, para mayor seguridad, le pidió que copiara la declaración y firmara. Así todo sería de su puño y letra. Ángel le ofreció un vaso de agua, que el dominico apuró de un trago.

–¿Prefiere que le dicte el texto? –le preguntó Tomás, poniéndole la pluma en la mano.

Lorenzo cabeceó débilmente. Lo leería él mismo. Y a duras penas, con una mano en cuya muñeca se veían las marcas rojas de la soga y que aún temblaba un poco, empezó a escribir.

Mientras lo hacía, Tomás le aseguró:

–Quemaré el papel en el mismo momento en que mi hija entre por la puerta de esta casa, le doy mi palabra, y nunca nadie ha dudado de mi palabra. Pero entienda una cosa: no esperaré mucho tiempo, ¿me oye bien? No esperaré mucho tiempo.

Lorenzo copió todo el texto, certificando así que en realidad era un mono, y lo firmó donde Tomás le indicó que lo hiciera.

Cuando terminó, y mientras los sirvientes retiraban la cuerda, encendían las velas de la lámpara y colgaban ésta en su sitio, Tomás propuso al fraile que acabaran de cenar. A eso lo había invitado y apenas si habían empezado. Lorenzo nada contestó. ¿Prefería volver al monasterio? Lorenzo asintió; sí, lo prefería.

Descorrieron los cerrojos de la puerta principal y Lorenzo, con paso no muy seguro, salió de la estancia.

Cuando, ya en el pasillo, pasaba con los ojos bajos ante el retrato de Inés, Tomás lo llamó:

–¡Hermano Lorenzo!

El dominico se detuvo, preguntándose qué más querrían. Tomás le señaló el cofre de la mesita y le dijo:

–Olvidaba eso.

Lorenzo miró el cofre sin saber qué hacer.

–Si quiere se lo llevarán mis hombres, pesa bastante.

El fraile no contestó. Tomás dio órdenes a los criados, que desaparecieron y al poco volvieron con una ancha correa de cuero. Uno de los dos, el más forzudo, se la ató a los hombros y, sujetándolo con ella, cargó con el cofre, en cuyo interior tintineaban las monedas.

El otro criado tomó un farol.

–Se relevarán por el camino –dijo Bilbatua–. Y van armados, para caso de malos encuentros, no tenga miedo.

Lorenzo empezó a bajar las escaleras, seguido de los dos criados.

De pie en lo alto de las escaleras, y con el documento en la mano, Tomás Bilbatua dio las buenas noches a su invitado y le recordó que destruiría el papel en cuanto Inés volviera a casa.

Sin volverse en ningún momento, Lorenzo salió del edificio.

En la calle, Goya, que lo había traído en coche, lo esperaba para llevarlo de vuelta. Al verlo se le acercó, le preguntó cómo se encontraba y lo invitó a montar en la calesa. Sin hacer caso, Lorenzo echó a caminar a paso lento calle adelante. Goya lo alcanzó y le dijo que el monasterio quedaba lejos, que coche y caballo estaban allí, a su disposición. Y que lo sentía mucho, añadió, que quién iba a decirlo, que Bilbatua se había vuelto loco, loco de remate. Y a este tenor siguió excusándose, pues sospechaba que aquello traería terribles consecuencias, incluso para él.

Lorenzo ni le contestaba ni lo miraba. Goya parecía haber dejado de existir para él. Algo encorvado, siguió caminando.

Tras él iban los criados, primero el que cargaba con el pesado cofre, y luego el del farol, cerrando la marcha.

Goya lo siguió con la vista, hasta que el halo que el farol difundía se desvaneció en la oscuridad de la noche.

8

Al día siguiente, ya por la mañana, Lorenzo fue a ver a Inés. Ella lo esperaba con impaciencia, pues sabía –él se lo había dicho– que la víspera había estado en su casa, invitado por sus padres, y en cuanto lo vio entrar en la celda le preguntó por su familia.

–Están bien –dijo Lorenzo.

–¿Y cómo fue la cena? ¿Comió bien?

–Sí, muy bien –contestó Lorenzo.

–¿Y de qué hablaron? ¿De mí?

–Sí, claro, y mucho.

–¿Y qué tal?

Lorenzo, que había resuelto no contarle lo ocurrido, contestó que sus padres la querían mucho y estaban muy preocupados por ella, pero que él los había tranquilizado.

–Yo también los quiero –dijo Inés–, los quiero mucho. Mi padre es un hombre extraordinario. Me encanta trabajar con él. Ha visto el mundo entero, se interesa por todo, tiene amigos en todos los países. Cada día me sorprende con algo.

–Puedo entenderlo –dijo Lorenzo.

–¿Qué han decidido ustedes? ¿Podré volver pronto a casa?

Lorenzo se esperaba ciertamente esta pregunta, pero no sabía cómo contestarla. Se había pasado la noche en blanco, con dolor de hombros, tratando de recobrarse y preguntándose qué hacer. Liberar a Inés no dependía de él: la joven debía ser juzgada por el Tribunal de Corte, irremisiblemente. Impedirlo le era imposible, él mismo había dado nuevo impulso al tribunal.

Pero el juicio podía tardar meses, y Bilbatua le había dejado bien claro que no pensaba esperar mucho.

¿Podía evitarse el juicio? Sí, se podía, incluso tratándose de un confidente; casos hubo en el pasado del tribunal, si bien pocos y muy puntuales. Pero para sobreseer una causa hacía falta, además de poderosos valimientos, el beneplácito del inquisidor del Tribunal de Corte, del inquisidor general (un obispo) y de la Suprema. ¿Y qué argumentos podía aducir Lorenzo? ¿Podía pretender que actuaran en contra de lo que él mismo había preconizado? ¿Y cómo ocultarles a sus superiores la humillación de la víspera, el tormento, la absurda confesión? ¿Cómo reaccionaría el padre Gregorio si se enterara?

Estos interrogantes lo angustiaban. Pero había otro aún peor y al que sí que no veía respuesta: ¿qué podía, qué se proponía hacer Bilbatua? Llegó a pensar en ir a ver a Goya para preguntarle qué intenciones tenía el comerciante, pero luego desistió: ¿no lo había traicionado el pintor? ¿No lo invitó a casa de Bilbatua sólo para hacerle caer en una ratonera innoble y mezquina? Y no se lo perdonaba.

¿Divulgaría Bilbatua su confesión? ¿Cómo? ¿O la daría a conocer primero al padre Gregorio? En ese caso, ¿no convendría adelantársele, sincerarse con su superior y confiar en la benevolencia de éste?

¿Y qué diría la gente de esa ridícula confesión? ¿Podía alguien darle crédito, tomarla en serio? En esto fundaba él secretamente sus esperanzas: en que las gentes sensatas pensaran que se trataba de una chuscada, una broma de mal gusto. ¿No sería mejor salir al paso y decir, por ejemplo: unos amigos inventamos durante una velada cierto juego o concurso de confesiones disparatadas, y yo dije eso, que era un híbrido de mono, con lo que por cierto gané el primer premio?

Pero no, no funcionaría, y lo sabía. Nadie creería que una persona de su posición se dedicaba a parodiar los métodos de la Inquisición en una cena con amigos. Además, había testigos: los Bilbatua, los criados... y Goya.

–No sé cuándo acabará todo –dijo a Inés–. Lo antes posible, espero.

–Quiero irme de aquí.

–Y yo quiero que te vayas, que vuelvas con tu familia. Si estuviera en mi mano, te soltaría ahora mismo, créeme. Borraría todo lo que tiene que ver contigo.

–Estoy segura de que puede ayudarme.

–Sí, haré todo lo que pueda, te lo prometo. Pero sólo Dios puede asistirte. Él está por encima de todos los deseos y obstáculos. ¿Quieres que recemos juntos?

–Sí...

Se arrodillaron el uno junto al otro al pie del camastro y, alzando la cara hacia el crucifijo, empezaron a rezar a dúo, como habían hecho muchas veces. A las primeras frases, la joven ladeó la cabeza y la posó en el hombro de Lorenzo.

Éste nada hizo por apartarla. Al contrario, le placía sentir el contacto de la piel y el cabello de Inés, que notaba ahora con dulzura en su hombro aún dolorido, y también él recostó la cabeza sobre la de ella. Luego desjuntó las manos y lentamente deslizó una por el talle de la muchacha. Advirtió un leve y fugaz estremecimiento. Las reacciones de un cuerpo de mujer le eran desconocidas y aquello lo sorprendió y lo asustó. Pero como la carne que palpaba a través de la túnica no parecía desear apartarse ni negarse, la atrajo hacia sí. En efecto, aquel cuerpo no solamente no se resistió sino que se oprimió aún más por sí solo.

Y así, sin dejar de rezar, fijando los ojos en el Cristo crucificado y con perfecta lucidez, se dejó arrastrar a un abismo imprevisible y delicioso cuyo fondo le resultaba insondable.

Guardó el cofre en un cuarto cerrado del monasterio y no se avistó con el padre Gregorio hasta más de una semana después.

Ambos se hallan ahora con otro fraile, que hace las veces de tesorero y cuenta el dinero del cofre, columnas y columnas de monedas; lleva haciéndolo más de una hora, y anota las cantidades en una hoja, a lápiz (para que puedan borrarse sin dejar trazos). El padre Gregorio y Lorenzo esperan, pacientes. El padre Gregorio Altatorre se hace repetir de nuevo el nombre del donante, al que no conoce. Por fin, el tesorero anuncia el total, nada desdeñable.

—¿Basta eso para restaurar la iglesia? —pregunta el padre Gregorio.

—Basta y sobra, padre.

—Muy bien, pues que empiecen las obras. De momento ponga eso a buen recaudo.

Cuando se dispone a levantarse, le dice Lorenzo:

—A cambio el comerciante pide una cosa.

–Como todos –dice el padre Gregorio volviendo a sentarse–. ¿Éste qué pide?

–Ver a su hija.

–¿Su hija? ¿Está aquí?

–Sí, padre.

–¿En qué situación? ¿Acusada?

–Sí.

–¿De qué cargos?

–De judaizar.

–Ya...

–Tiene antepasados judíos.

–¿Qué edad tiene?

–Dieciocho años.

El inquisidor reflexiona un momento y pregunta:

–¿Y qué le ha contestado usted al padre?

–Que abogaría en favor de su hija.

–¿Con qué argumentos?

–Su juventud, su desconocimiento de la vida, la levedad de su falta. De hecho, lo único que sabemos es que no come carne de cerdo, según ella porque no le gusta.

–¿Ha confesado?

–Sí, padre.

–¿Bajo tormento?

–Sí, bajo tormento, padre.

Como ruido de fondo, se oye el tintinear de las monedas de oro y plata que el padre tesorero devuelve al cofre. Los ojos del inquisidor van y vienen de esa pequeña fortuna al rostro sombrío de Lorenzo, que espera.

–Aceptamos –dice al fin– este magnífico don con humildísima gratitud, en nombre de Jesús y de su apóstol, el cual dudó de la resurrección del Señor hasta que tocó sus llagas aún abiertas. La duda no es culpable sino cuando se vuelve obstinada y pertinaz, es decir, soberbia. En otro caso, puede ser una etapa útil, y aun necesaria, en el arduo camino de la verdad.

Lorenzo escucha estas buenas palabras sabiendo, según lo han adoctrinado, que sólo pretenden disimular la sorda reflexión a la que entretanto se entrega la mente ágil y sagaz de su superior. Añade Gregorio que el nombre de Tomás Bilbatua será grabado con letras de oro en el interior de la iglesia para perpetua memoria de su generoso gesto.

–¿Y en cuanto a su hija? –pregunta Lorenzo.

–En cuanto a su hija –contesta el inquisidor tras un breve silencio–, yo mismo rezaré por la intercesión de Nuestro Señor.

–¿No podríamos dejarla en libertad?

–Eso va en contra de nuestros principios, hermano Lorenzo, bien lo sabe, y sería muy perjudicial, sobre todo ahora que, por iniciativa suya, hemos redoblado el rigor. Poner en libertad a esa joven, que ha confesado sus errores, significaría ni más ni menos reconocer que nos hemos equivocado, que el tribunal inquisitorial no está por gracia divina en posesión de la verdad. Y nuestros enemigos no tardarían en sacar partido. Estoy seguro de que comprende lo que quiero decir.

–Sí, padre.

El inquisidor mira atentamente a Lorenzo, que humilla la frente. Le pone incluso la mano en el hombro. Desde que lo conoce, lo aprecia, hasta lo admira. Siente, pese a sus diferencias de carácter y origen, o quizá debido a ellas, un gran apego por ese campesino, un apego casi rayano en el amor.

Aunque de manera más tácita, blanda y flexible, y pese a no estar tan seguro de que sea el camino apetecido por

Dios –pues también él, como santo Tomás, tiene sus dudas–, comparte las hondas convicciones de Lorenzo y desearía verlas triunfar. Lo impresiona el tesón de éste, su entusiasmo, su capacidad de trabajo, mezcla rara y asombrosa de buen gobierno y acendrado fervor... Pero tras este vigor y entrega aparentes adivina también una secreta fragilidad, un desamparo latente, un temblor indefinible, una necesidad de sostén, de consuelo, una zozobra íntima. Lorenzo es el hijo que el padre Gregorio habría querido tener.

–Escúcheme –le dice–. Voy a decirle algo que usted ya sabe, pero que siempre conviene tener presente. Los hombres son falibles. Todos, usted, yo..., todos podemos ser víctimas del error. Sobre todo cuando creemos poseer la verdad. A usted no voy a decirle que es el diablo que nos tienta, no: ese diablo está en nosotros; se llama certidumbre. La certidumbre personal, individual. Usted me comprende, ¿verdad?

–Sí, padre.

–Sin embargo, necesitamos esa certidumbre, pues sin ella nada podemos. A esa certidumbre íntima e inquebrantable la llamamos fe. Pero esa certidumbre individual tiene sus contradicciones, y precisamente para conjurar ese peligro, que a todos nos acecha, necesitamos a la Iglesia, y por eso hemos creado a nuestra santa madre Iglesia. Sea religiosa o política, los hombres necesitan una conciencia colectiva, una conciencia que reconcilie los bienes inestimables de la tradición con las ideas de hoy, con los progresos del pensamiento moderno, encarnado en religiosos como usted, que no son sino emisarios de Dios. ¿Verdad que me comprende?

–Sí, padre.

–Es muy simple, en efecto. Los hombres somos falibles, pero la Iglesia siempre tiene razón.

Lorenzo asiente, se somete. Siente que ha caído en su propia trampa y, por lo pronto, decide no insistir.

El hermano tesorero ha acabado de guardar el dinero y se despide con deferencia del padre Gregorio. Carga el cofre bajo el brazo derecho, apoyado en la cadera, y se retira caminando con dificultad.

En cuanto el fraile sale, Lorenzo se encara con el padre Gregorio como si fuera a espetarle algo. Mira esas mejillas trémulas, esos ojos azules, y se pregunta si puede esperar comprensión, caridad. Tiene la confesión en la punta de la lengua. Quizá sea lo mejor: decirlo todo. ¿Todo? No, todo no. Podría, sí, contar lo de Bilbatua, que lo sometieron a tormento y le sonsacaron una absurda confesión, pero ¿cómo contar lo de Inés, cómo decirle que casi todas las tardes rezan juntos, a solas?

Los límpidos ojos azules parecen escrutarlo. ¿Adivinarán su secreta turbación, su implorar, su contención de palabras que quisieran ser dichas? Es posible. Pero las cosas de esa índole no se cuentan, o sólo a veces en el confesonario, de donde no salen.

El inquisidor levanta la mano derecha y da la bendición. Lorenzo se persigna. Y cuando su superior concluye con la fórmula trinitaria *(in nomine patris, et filii...)*, Lorenzo dice lo que debe decir:

–Amén.

Tras lo cual los dos hombres se despiden y se retiran.

Bilbatua esperó cuatro semanas, a cuyo término decidió dirigirse al mismísimo rey, algo que Lorenzo nunca habría imaginado. Para obtener audiencia regaló a Carlos IV una magnífica escopeta con damasquinados de oro y plata que fabricó en Italia un artesano marroquí, pasó a manos de un corsario y él acabó comprando en un lote.

El rey agradeció el regalo y recibió a Bilbatua y a la mujer de éste a primeros de octubre, cuando la caída del rey de Francia era un hecho y Europa se apresuraba a declarar la guerra a la Revolución.

El comerciante expuso el caso punto por punto y lo más rápido que pudo –sabía que sólo disponía de media hora–, mostrando al soberano, así como a Godoy, que acudió un momento, el papel escrito y firmado por Lorenzo. El rey lo leyó y se echó a reír. Se lo leyó también a Godoy, que, sin embargo, tenía otras cosas en que pensar y no quiso complicarse en los tortuosos asuntos del santo tribunal.

–¿De veras escribió esto? –preguntó el rey a Tomás.

–Sí, majestad.

–¿Había bebido? ¿Estaba ebrio?

–No, majestad. Estaba completamente sobrio, no habíamos hecho más que empezar a cenar. Yo sólo quería demostrar que, sometido a tormento, incluso un eclesiástico como él podría confesar cualquier absurdidad.

–«Un cruce de padre chimpancé y madre orangután...» O sea, ¿un híbrido?

–Sí, majestad.

–¿Ni siquiera un mono de pura sangre? –exclamó el rey soltando el trapo y enseñándole el papel a su esposa–. ¿Él, un dominico?

–Un insigne inquisidor del Tribunal de Corte.

–¿Y dices que le disteis tormento?

–Sí, majestad. El tormento que ellos llaman de garrucha, colgarlo de las manos atadas a la espalda. No duró mucho. Él sostenía que el dolor conduce forzosamente a la verdad y que los realmente inocentes nunca confiesan, pues la gracia de Dios los asiste. Pero ya veis que lo confesó.

–¿Y eso fue en tu casa?

–Sí, majestad.

–Pero sabrás que eso no se puede hacer, ¿no?

–Sí, lo sé.

–¿Y que puedes ser castigado por ello?

–Sí, lo sé. Pero si me permití tal atropello, por el cual estoy dispuesto a pedir perdón y a hacer penitencia, fue por una razón muy sencilla: majestad, tenéis delante a un padre y a una madre desesperados. Nuestra hija lleva encerrada varios meses.

–¿En los calabozos de la Inquisición?

–Sí, majestad. Fue torturada y también ella confesó lo que quisieron.

María Isabel se hincó de rodillas ante el monarca. Como de costumbre, Carlos IV venía de cazar y unos sirvientes estaban quitándole, agachados, las embarradas botas. La mujer pudo tomar una de las reales manos y decir:

–Os lo suplico, majestad, emplead vuestra autoridad y devolvednos a nuestra hija.

–Sí, sí, no te preocupes, veré lo que puedo hacer.

El matrimonio Bilbatua siguió hablando, contando cosas, tratando de mover a compasión: Inés tenía dieciocho años y no podía ser culpable del delito que le imputaban. Pero lo cierto es que el rey no pensaba ya ni en Inés ni en Lorenzo, y ni siquiera preguntó cuál era el delito, la herejía en cuestión. Distraídamente renovó su promesa, les devolvió el documento y los despidió para irse a almorzar.

Al salir de palacio, Tomás, en un aparte, dijo a su mujer que no esperaran nada de él.

Claro estaba que aquel hombre no quería problemas. Rehuía en lo posible tratar negocios complejos, que sin embargo son para un rey el pan nuestro de cada día. Los conflictos entre la razón de Estado y la simple justicia o, más extensivamente, la moral, le traían sin cuidado. Los ahuyentaba como a moscas molestas, los ignoraba. Y el enrevesado proceder de la Inquisición se le antojaba algo impenetrable, como misterio de inmemoriales tiempos. Él era rey para no reinar, lo que explicaba el poder recientemente adquirido por Manuel Godoy, quien aceptaba encargarse de todo y aun parecía disfrutar complicándose la vida. Por algo mantenía el valido públicamente a una querida estando casado y no desdeñaba embarcarse en nuevas aventuras. Se decía que era también amante de la reina, rumor nunca confirmado pero que, de tener fundamento, no debía de simplificar la vida del primer ministro.

En los días y semanas que siguieron, y en vista de que aún no tenían noticias de su hija, Tomás Bilbatua y su mujer pensaron viajar a Roma y entrevistarse con el Santo Padre. Pero les dijeron que éste nunca los recibiría por un asunto tan personal y desistieron.

Por contra, en el curso del mes de noviembre, y tras una serie de diligencias en el entorno del obispo de Madrid, que conocía a Tomás, el papel con la confesión de Lorenzo llegó a manos del padre Gregorio, acompañado de las explicaciones pertinentes.

A diferencia del rey, el inquisidor Gregorio Altatorre lo leyó sin reírse y varias veces. Reconoció la firma, mandó llamar a Lorenzo, lo recibió a solas y le preguntó qué significaba aquello. Lorenzo hubo de admitir que se trataba de una confesión, redactada y firmada de su puño y letra.

–¿Y por qué lo hizo? –le preguntó el padre Gregorio.

–Porque me torturaron.

–¿Torturado? ¿A usted?

–Sí. O, mejor dicho, sometido a la cuestión de tormento, como decían ellos.

–¿Eso cuándo fue? ¿Y dónde?

–En casa de un comerciante que me invitó a cenar, en el mismo comedor. Yo no sospeché nada. Me tendieron una trampa.

–¿El mismo comerciante del donativo para la restauración de la iglesia?

–Sí, padre. Y Goya, el pintor, estaba allí.

–¿El pintor al que encargó usted su retrato?

–El mismo.

–¿Así que lo invitaron, lo torturaron y usted escribió y firmó esto?

Lorenzo se arrodilló ante el inquisidor y casi llorando, cubriéndose los ojos, suplicó perdón.

–Soy un hombre débil –dijo–. Yo creía ser fuerte, pero soy muy débil, más débil que un niño. En cuanto sentí los primeros dolores cedí y firmé lo que quisieron.

–¿Y por eso me pidió usted que liberáramos a esa joven?

–Sí, padre...

–Y si lo hubiésemos hecho no habrían divulgado su confesión, ¿no es cierto?

–Eso decían al menos...

–¿Sabe usted que el rey lo ha leído?

—No, no lo sabía.

—Y al parecer se rió mucho. Pero no ha hecho nada, como de costumbre.

—Pido perdón, padre, a usted y a Dios.

—Sobre todo a Dios.

El padre Gregorio bajó la vista e impuso silencio, actitud muy propia de él. Su mente había recibido en el lapso de unos minutos un caudal de información y le costaba aclararse, como si, en una pesadilla, tuviera que devanar una madeja interminable o se viera obligado a leer un libro cuyas páginas se pegaran.

Así pues, Lorenzo, el hombre en quien había depositado su confianza y veía sin duda a su sucesor, se encontraba ahora en un estúpido apuro... ¿Qué hacer? Seguramente Bilbatua no tardaría en difundir el caso por todo Madrid. Puede que ya circularan copias de aquella confesión por redacciones de periódicos, ministerios, mesones y tabernas...

—¿Se da usted cuenta de lo que ha hecho?

—Sí, padre.

—¿Del perjuicio que ocasiona usted al Santo Oficio y a la religión?

—Sí...

—¿Y no tiene nada más que decirme?

Lorenzo alzó sus oscuros ojos y se topó con la mirada azul del inquisidor. ¿Algo más que decirle, quizás algo secreto? ¿Por qué lo preguntaba? ¿Sabría acaso lo de Inés, lo de sus oraciones juntos? ¿O preguntaba por preguntar?

Lorenzo había tomado mil precauciones para encontrarse con Inés. ¿Es que tenían las paredes oídos, ojos?

—¿Desea que lo oiga en confesión? —insistió el inquisidor.

Lo cual significaba: «¿Desea que lo escuche como a un desconocido, sin que lo que pueda confesarme influya en mi decisión y proceder?».

Lorenzo titubeó unos instantes.

–No, padre –contestó–, se lo agradezco. Le he dicho todo.

–Muy bien.

El inquisidor se puso en pie.

–Vuelva a su celda –dijo–. No salga del monasterio. Le notificaré mi decisión dentro de unos días.

Lorenzo obedeció y se retiró.

9

En los últimos meses, Francisco de Goya venía sintiendo como un zumbar de oídos. La sensación era a veces muy aguda y dolorosa, a tal punto que se llevaba las manos a la cabeza y gritaba. Solía durar uno o dos minutos, y luego los ruidos remitían hasta desaparecer. Sobrevenía de manera irregular y sin síntomas previos. Lo mismo le ocurría tres o cuatro veces en un día como se pasaba una semana sin padecer un solo ataque. Consultó a varios médicos, entre ellos el de palacio, y recibió distintos pareceres. Unos achacaban los ataques al uso abusivo de ácidos en la impresión de los grabados; respirar las emanaciones de esos ácidos dañaba los oídos y la nariz, así como la garganta. Pero a Goya sólo le dolían los oídos. Otros, como siempre, hablaban de «fiebres» o de inflamación e irritación. Nadie llegó a diagnosticarle a ciencia cierta qué padecía.

Tras la lamentable velada en casa de los Bilbatua, el pintor rehuyó prudentemente el trato tanto del comerciante, que lo había plantado en la calle, como del dominico, que debía de tenerlo por un traidor. Por las murmuraciones de palacio supo que Bilbatua había ido a ver al soberano y le había mostrado la confesión de Lorenzo, pero que la gestión no dio fruto alguno: Inés seguía presa, y su suerte, por lo tanto, dependiendo de la Inquisición.

En cuanto a Lorenzo y su situación en el Santo Oficio, Goya nada sabía y nada quería saber. Por desventura se había visto envuelto en una situación de lo más embarazosa que no hizo sino confirmarlo en su natural cautela. A nadie comentaba lo ocurrido aquel día. Sus ayudantes lo veían preocupado y le preguntaban por qué. Él no daba explicaciones. «Los oídos», decía.

Mandó traer al taller el retrato ecuestre de la reina María Luisa y pudo así a sus anchas dar los últimos toques al traje, al paisaje y aun al pelaje del caballo (con ayuda, la verdad sea dicha, de uno de sus aprendices, muy dotado para las pieles). Cuando lo juzgó acabado, llamó al fabricante de marcos con el que solía trabajar y juntos eligieron uno de madera dorada digno de la modelo.

Mientras enmarcaban el cuadro –el fabricante mismo controlaba el trabajo de sus operarios, que martillaban los últimos clavos–, Goya se mostró satisfecho: si luego a la reina y a sus decoradores no les gustaba el marco, siempre podría cambiarse.

Ultimada la operación, el fabricante pasó a contemplar el cuadro propiamente dicho, cosa que aún no había hecho. Aguzando la vista, se alejó y se acercó, y al final dijo que la reina, aunque nunca la había visto de cerca, en el cuadro le parecía..., ¿cómo decirlo?, titubeaba, ¿poco agraciada? ¿Un poco basta? ¿Demasiado masculina?

–Lo que importa –le dijo Goya– es si el cuadro es bueno. ¿Te gusta? ¿Crees que está bien pintado?

–Bien pintado, sí, claro. Cada vez pintas mejor, todo el mundo lo dice. Pero eso no significa que la reina esté guapa.

–Yo pinto lo que veo.

–Lo sé; pero ¿no podrías verla a ella de otra manera?

–¿Qué quieres decir? ¿Que tendría que adularla?

–Es lo que suelen hacer los pintores.

–Los demás quizás, yo no.

El fabricante de marcos observó de nuevo la rechoncha figura de la reina, con pose de parada y uniforme de coronel, a lomos del bello *Marcial*.

–¿Lo ha visto ya la reina? –le preguntó.

–¿El cuadro?

–Sí.

–No. Sólo vio los primeros esbozos, y de pasada.

–Haz lo que quieras, pero yo en tu lugar me lo pensaría dos veces antes de enseñárselo.

–¿Tan horrible está?

–¿No lo ves?

–No, la verdad. Yo lo que veo es el cuadro. Ésa es la reina tal cual, y todo el mundo la reconocerá, ¿o no? Si la sacara más guapa de lo que es mentiría. Y una mentira nunca puede estar bien pintada, ¿lo comprendes?

No lo veía muy claro el de los marcos, aunque, en fin, tampoco era asunto suyo. Pero le iba a contar una historia: cierta vez, un príncipe austriaco que era bajo, tuerto y jorobado, puso de vuelta y media a un pintor porque en un retrato oficial lo representó tal como era. Pidió el príncipe que le hiciera otro, y esta vez el artista lo retrató con la chepa hábilmente disimulada, más alto que una jirafa y en el acto de disparar un arco o un fusil (que de esto no se acordaba), de suerte que, para apuntar, parecía estar cerrando el ojo que le faltaba. Y el príncipe quedó satisfechísimo.

–También yo he empleado esos trucos –dijo Goya–, pero ya soy mayorcito para eso.

Con todo, y aun sin dejarlo traslucir al fabricante, Goya no las tenía todas consigo. Como notaba los nervios en el estómago, dio un bocado a un mendrugo y se echó a la boca dos aceitunas.

—¿De veras crees que debería esperar? —preguntó.

—Si esperas un año —dijo el otro con una risilla—, un año o dos, la reina se verá más vieja en el espejo y más joven en el cuadro. Y todos tan contentos.

—No puedo esperar tanto tiempo. Además, le he puesto más color en las mejillas, le he hecho la barbilla más pequeña y los ojos más grandes, y sobre todo la he sacado con la boca cerrada.

—¿Cerrada? ¿Por qué lo dices?

—Porque apenas si le quedan dientes. Cuando sonríe, aquello se ve como boca de lobo. Se ha hecho un aparato que se pega a las encías, pero se le cae todo el tiempo.

—¿Y dices que le has pintado los ojos más grandes? —preguntó el fabricante de marcos.

—Sí, fíjate bien. ¿No ves que tiene los párpados más altos? No lo notará nadie.

Enfrascados estaban en esta conversación de orden técnico cuando llamaron a la puerta. Fue a abrir uno de los ayudantes. En el umbral aparecieron unos hombres: dos con hábito blanco y negro —dominicos—, y tras ellos, tres más, vestidos de pardo y gris, que a la legua se notaba que eran familiares.

Alarmado, Goya fue hacia ellos y les preguntó qué deseaban.

—¿Es usted Francisco de Goya y Lucientes? —preguntó uno de los alguaciles del Santo Oficio.

—Para servirlos a ustedes.

—Tenemos entendido que ha pintado usted un retrato de Lorenzo Casamares.

—Así es, y está terminado.

—¿Podemos verlo?

—Desde luego, vengan.

Los condujo a una reducida estancia que hacía las veces de almacén y les mostró el cuadro, que, desde la última visita de Lorenzo, hacía unas semanas, tenía apoyado contra la pared y ya enmarcado. Para no agravar lo de Bilbatua, Goya se había guardado de avisar al monasterio. Por decir algo, comentó a los frailes (los familiares se habían quedado en la puerta) que habían elegido el marco de común acuerdo.

—Espero que guste al hermano Lorenzo —añadió.

—Difícil lo veo —contestó uno de los frailes.

—¿Por qué lo dice?

—Porque ya no está con nosotros.

—¿Cómo?

—Ya no es un hermano, ya no es de los nuestros. Se ha deshonrado y ha huido.

—¿Huido?

—Sí, hace cinco días. Venimos a secuestrar el retrato. Aquí tiene la orden del Santo Oficio.

—Entiendo, entiendo —dijo Goya sin mirar siquiera el documento.

—¿Podemos llevárnoslo ya?

—¿El cuadro? Sí, desde luego.

Los alguaciles hicieron señas a los familiares, que se acercaron y levantaron el cuadro. El fabricante de marcos, sus operarios y los ayudantes de Goya presenciaban la escena llenos de curiosidad.

Uno de los frailes, el que parecía tener el mando, tomó a Goya del brazo y se lo llevó aparte.

—Si por casualidad se pusiera en contacto con usted —le dijo—, avísenos de inmediato.

—Sí, sí, descuide.

Los familiares atravesaron lentamente el taller llevando en posición horizontal el retrato de Lorenzo Casamares. ¿Por qué, en qué circunstancias había huido aquel hombre?, quería preguntar Goya. ¿Se habrían enterado de aquel episodio? ¿Y cómo?

Algo tenía que ver esa fuga repentina con la confesión que los Bilbatua le arrancaron aquel día al dominico, se decía el pintor. Pero aunque él estuvo presente, no parecía que de momento el Santo Oficio tuviera intención de interrogarlo. ¿Para qué entrometerse?

Se calló, pues. Algo que en él se asemejaba a un instinto le dictaba ser prudente; oír, ver y callar.

Cuando sacaban el cuadro por la puerta, la mirada de Lorenzo –admirablemente pintada– se posó un instante en él. «¿Conque te has ido?», se dijo Goya. Pero ¿adónde? Misterio.

—Por cierto –aventuró antes de que cerraran la puerta–, el cuadro no está pagado.

—Se lo recordaremos cuando lo veamos –contestó uno de los alguaciles señalando el retrato, en tono nada chistoso.

Enero de 1793.

El retrato acabado de la reina María Luisa se halla ya en uno de los salones de palacio. Está tapado con un velo y aguarda la inspección de las reales personas.

Llegan Carlos IV y su mujer, acompañados del séquito habitual, saludan distraídamente a Goya y toman asiento en unas sillas dispuestas al efecto. El príncipe Fernando no va a acudir. Tampoco Manuel Godoy, al que ciertos asuntos reclamaban fuera de Madrid.

Cuando todos han tomado asiento, Goya da la señal y sus ayudantes dejan caer el velo. El cuadro, barnizado y enmarcado, queda a la vista. Todos lo miran.

Goya observa el rostro de los soberanos, pero no aprecia en ellos reacción alguna, ni de satisfacción ni de disgusto. Ni siquiera dan muestras de sorpresa, cabecean ni hacen muecas. Ni sonríen. Diríase que miran un lienzo en blanco, que no ven nada.

Permanecen en silencio e inmóviles un buen rato. El propio Goya, de pie junto al cuadro, no sabe qué decir, qué hacer. No se atreve a preguntar nada. Aguarda.

La reina es la primera en levantarse, sin chistar una sola palabra, y al punto el rey la imita. Y sin mirar al pintor salen del salón, seguidos de todos los demás. El ruido de sus pasos se aleja, se oye una puerta, silencio.

Goya se queda solo con sus dos ayudantes. Está perplejo, incluso consternado. Es la primera vez que una de sus obras recibe una acogida semejante. ¿Les ha gustado el cuadro? ¿O más bien acaba de perder empleo y pensión? Es difícil interpretar ciertos silencios.

Pregunta a sus ayudantes qué piensan ellos. No saben qué decir, se encogen de hombros. También su suerte está en juego: si Goya deja de recibir encargos de palacio, deberá despedir a algunos ayudantes.

Desalentados, se sientan en la tarima sobre la que está expuesto el cuadro. La imagen ecuestre de la reina, a lomos de *Marcial*, se yergue tras ellos.

–Por lo menos podrían haber dicho algo –murmura uno de los ayudantes.

–Tanto trabajo para nada –se lamenta el otro.

–¿Y ahora qué hacemos? –pregunta Goya–. ¿Dejamos aquí el cuadro o nos lo llevamos?

No lo saben. De momento allí siguen, con el ánimo por los suelos.

–A lo mejor hay que retocarlo –dice uno de los ayudantes.

–Retócalo tú si quieres –contesta Goya–. Yo no lo haré.

Se abre entonces la puerta, asoma un gentilhombre de cámara y dice que el rey desea ver a Goya en sus habitaciones privadas.

Goya se levanta, mira un momento a sus ayudantes, que parecen desearle suerte, y sale tras el gentilhombre. Recorren varios pasillos y llegan a una puertecilla. El servidor la abre y lo invita a pasar.

Goya entra en el despacho del rey. No hay nadie. Nunca había estado en aquella estancia, uno de los centros del poder mundial. Se supone que de ahí, de ese despacho estilo Luis XV, parten las órdenes que han de obedecer pueblos lejanos y dominados, cuyos nombres el rey ni siquiera conoce. En ese tintero moja la pluma con la que se decide el destino de gentes ignotas. Goya contempla la pieza.

Pero ¿qué gentes, qué decisiones? Tal vez sus asuntos atañan a los Estados Unidos de América, a cuyo embajador recibe habitualmente; ya años atrás, su padre, Carlos III, junto con los franceses, envió tropas en apoyo de Washington y los insurrectos.

Se abre una puerta lateral y aparece el rey. El gentilhombre mantiene la puerta abierta mientras el soberano entra y luego la cierra. Carlos IV señala una banqueta tapizada y por señas invita a Goya a sentarse.

Éste duda un momento y luego se sienta. No puede saber que tres o cuatro cortesanos y el gentilhombre de cámara están ya escuchando tras la puerta.

El rey se dirige a un aparador, lo abre y saca un estuche de violín. Goya lo mira desconcertado. El monarca extrae el instrumento, lo afina un momento, se lo coloca bajo la barbilla, respira hondo y empieza a tocar.

Sentado en la banqueta, Goya observa al rey de España tocar el violín para él.

Mientras esto ocurre, un jinete cubierto de polvo, con barba de varios días y ropas llenas de rasgones, se apea a las puertas de palacio y se dirige a la carrera hacia la entrada. Enseña un documento a los guardias, que al punto le franquean el paso. Les indica que se ocupen del reventado caballo y entra deprisa en palacio.

En dos zancadas sube la escalera principal y pide ver al rey: le trae un mensaje urgente. Lleva en camino seis días, prácticamente sin dormir. Lo conducen al despacho del monarca y el gentilhombre de cámara llama a la puerta.

–¡Ahora no! –se oye dentro la voz del rey.

El mensajero debe esperar. Está sin aliento y huele a sudor.

Dentro, ante los ojos pasmados del pintor, el rey sigue tocando. Lo hace durante cinco o seis minutos, y cuando acaba pregunta a Goya:

–¿Te ha gustado?

–Mucho, majestad –contesta Goya.

–Tú, al menos, ¿lo dices sinceramente?

–Muy sinceramente. Estoy emocionado.

Llaman de nuevo a la puerta.

–¡Ahora no! –grita otra vez el rey, y con una media sonrisa pregunta a Goya–: ¿Sabes quién ha compuesto esta pieza?

–No, majestad. ¿Haendel, quizá? ¿Mozart?

–No, no; yo.

–¿Vos?

–Sí, yo, la semana pasada.

–Os felicito de todo corazón, majestad. Me ha parecido excelente, de verdad, un ritmo bien sostenido, buen... Y aunque no soy el más indicado para juzgar, la habéis ejecutado a las mil maravillas.

–Eso no lo sé –dice el rey–, pero la composición tiene su gracia, ¿no? Me pregunto qué haría con ella un virtuoso... –Vuelven a llamar y esta vez exclama–: ¡Ya, ya! ¡Adelante!

Se abre la puerta y entra el mensajero, que hinca la rodilla ante él.

–Majestad –le dice–. Vengo de París... El rey de Francia ha sido guillotinado.

Y le alarga una carta lacrada, sin duda de parte del embajador español en Francia. El rey se ha quedado perplejo y, violín en mano, sin tomar la carta, sólo atina a decir:

–¿El rey de Francia?

–Sí, majestad. Ha sido juzgado y públicamente decapitado. Hace seis días.

–¿Mi primo Luis? –pregunta el rey.

El mensajero se incorpora y se retira, no sin entregar antes la carta al gentilhombre, que se la dará al rey. Lo esencial, en todo caso, está dicho. Carlos IV, que parece ligeramente conmocionado, guarda el violín, cierra el estuche y lo devuelve al aparador.

Acto seguido se dirige a la puerta, seguramente con idea de hablar con la reina o con algún ministro. Al llegar a la puerta, los cortesanos curiosos allí reunidos se apartan para dejarle pasar, cosa que el soberano hace, a paso lento y como un sonámbulo. El gentilhombre aprovecha entonces para entregarle la carta lacrada, que él toma maquinalmente.

Antes de desaparecer, y como si de pronto recordara algo, se vuelve y le dice a Goya:

—A la reina y a mí nos ha gustado mucho el cuadro. Eres todo un artista.

Tras larga y paciente reflexión, y habiéndose encomendado a Dios, el inquisidor Gregorio Altatorre resolvió, pues, expulsar a Lorenzo no sólo del Santo Oficio, sino también de la orden de los dominicos. No lo hizo de buen grado, pues le interesaba grandemente que Lorenzo siguiera al frente de aquella nueva cruzada inquisitorial contra la decadencia moral, para la cual él le había dado casi plenos poderes. La grotesca caída de su protegido lo amenazaba también a él, y debía proceder con firmeza, sin sentimentalismos ni indulgencia.

Durante unos días pensó incluso pedir a Roma una orden de excomunión, lo que habría apartado a Lorenzo del seno de la Iglesia y le habría impedido para siempre administrar y recibir los sacramentos. Pero luego lo reconsideró. ¿Para qué?, debió de pensar. Lorenzo no iba a convertirse al islam ni a ningún otro credo. En el fondo seguía siendo un cristiano. ¿Por qué privarlo del único consuelo que le restaba?

Llamó a Lorenzo por última vez y le habló de la deplorable imagen que había dado de la Inquisición y de la orden, singularmente a ojos del rey, y le dijo que lo más seguro es que debiera ahorcar los hábitos.

¿Y no podría, en calidad de dominico y predicador, desterrarse de España a alguna tierra lejana donde su falta no fuera aún conocida?, preguntó Lorenzo. Pero el padre Gregorio se negó en redondo: ya no era digno de confianza y ninguna misión podía encomendársele, fuera donde fuese.

–Estoy a la espera de las pertinentes medidas disciplinarias –dijo–. Después abandonará este monasterio para siempre. Le estará prohibido vestir el hábito dominico y le sugiero que cambie de nombre. Lo que haga con su vida es ya asunto suyo. Ahora vuelva a su celda y no salga hasta que lleguen los despachos... Eso sobre todo: no quiero que lo vean por ahí.

Lorenzo bajó la cabeza y obedeció. Fue a ver a Inés y, aunque sólo a medias, le contó lo que pasaba: sería la última vez que se verían y no disponía de mucho tiempo. Emprendería en breve un viaje largo e incierto. ¿Adónde? No lo sabía. Inés le suplicó que la llevara con él. No, le contestó, ella no podía traspasar la puerta de la celda, los muros del monasterio. Debía esperar su juicio con paciencia. Hasta entonces no podría volver a verla. A él también lo vigilaban y no le permitirían moverse con libertad.

«Pero ¿cómo podré vivir sin ti?», le decía ella. «¿Qué haré aquí sola?» Nada podía contestarle Lorenzo.

Al día siguiente, en plena noche, Lorenzo logró evadirse. El hermano tesorero aseguró luego que antes había sustraído unos cuantos escudos del cofre de Bilbatua, pero nunca se demostró. Sin hacer ruido, Lorenzo juntó unas tablas en el patio del monasterio, construyó una especie de andamio junto al muro y pudo así saltar al otro lado. Aquel lienzo de muro tenía una altura de más de cuatro metros. Al caer se lastimó el tobillo izquierdo y se alejó de allí cojeando.

Fue declarado «fugitivo», como informaron los alguaciles a Goya cuando el secuestro del retrato. Su evasión fue un acto de desobediencia flagrante e injustificable, por lo que decidieron quemarlo en efigie.

El auto de fe tuvo lugar en un rincón de la Plaza Mayor. Nada grandioso: varios soldados tocaban el tambor junto a un pequeño patíbulo al que se acercaron treinta o cuarenta curiosos. Dos dominicos, los mismos que fueron al taller de Goya, subieron el retrato sin marco al patíbulo. Uno de ellos desplegó un pergamino y dio lectura a un texto grandilocuente redactado en rancio castellano. «Así como la imagen de este hombre, mísero pecador, réprobo e impío, arderá y se convertirá en humo», rezaba el texto, «que así también su recuerdo se desvanezca y extinga para siempre jamás de la memoria de los hombres. Desde hoy, todo aquel que pronuncie su nombre o evoque su persona será condenado a las llamas eternas del infierno. Que Dios, que todo lo ve, lo persiga y castigue dondequiera que se encuentre.»

–*In nomine patris, et filii, et spiritus sancti.*

–Amén –dijeron los concurrentes.

El más joven de los dos frailes arrimó una antorcha al retrato. Las llamas tardaron unos segundos en prender.

El padre Gregorio no asistió. No quería que su presencia diera demasiado relieve al acto, que era puramente ordinario y no tenía mayor importancia. Lo esencial era no explicar por qué quemaban la imagen.

Quien sí estaba presente entre el público, envuelto en una capa oscura y tocado de un ancho sombrero, era Goya. Como siempre que salía a la calle, llevaba un cuaderno de dibujo.

Pero ese día no lo sacó del bolsillo. Se limitaba a contemplar cómo una de sus obras era pasto de las llamas, diciéndose: «Por lo menos me ahorré las manos».

De pronto sintió un punzante dolor en el oído derecho. Se llevó la mano a él, casi rompió a gritar. Pero el dolor pasó.

Sonaban los tambores, el cuadro ardía a la vista de todos, los dominicos pronunciaban algo en latín, seguramente un anatema, y todo concluyó en unos minutos. Lo último que se quemó fue el rostro de Lorenzo. Goya observó cómo ardía primero la barbilla, la boca, las mejillas, la nariz y, por último, los oscuros aunque vivísimos ojos, pensando cuántas pinceladas, dudas, retoques, esfuerzos no le había costado pintar todo aquello, ahora consumido por el fuego.

Concluyeron los frailes sus rezos y los curiosos empezaron a dispersarse, hablando ya de otras cosas. Goya aún siguió quieto un momento, viendo cómo los soldados limpiaban y desmontaban el patíbulo, y echó a andar luego despacio por la plaza, con la mano en el oído.

En ese mismo momento, lejos de Madrid, avanzaba Lorenzo por un camino vestido de labriego. Llevaba una bolsa a la espalda y se apoyaba en un grueso bastón, pues aún cojeaba. Parecía indiferente al viento frío. Se había vendado con un trapo el tobillo herido.

Iba camino de los Pirineos.

Segunda parte

10

El año 1793, que comenzó con la ejecución en enero del rey de Francia, había de ser decisivo en la suerte de Europa. Cercada, aislada, desgarrada por conflictos internos, la Francia revolucionaria parecía perdida. La muerte pública del rey destruyó de golpe la imagen sagrada de la realeza, la expulsó del cielo, donde tenía su origen. La guillotina partía el mundo en dos: el de antes y el de después. Un rey se convertía en un individuo como los demás, al que los representantes del pueblo podían juzgar y condenar, como a cualquier malhechor. Su cabeza rodaba y la vida seguía.

Extremando la lógica revolucionaria, que afirmaba el nacimiento de un mundo nuevo, el gobierno francés decidía abolir el antiguo calendario, fundado en la ficticia fecha del nacimiento de Cristo, y decretaba que la nueva era diera comienzo en 1792. Se cambió el nombre de los días y de los meses, la semana pasó a tener diez días y los franceses empezaron a contar a partir del «año I de la República».

La monarquía tradicional había pasado a la historia. Nacían nuevos tiempos.

Ante la amenaza de invasiones extranjeras, la Convención Nacional declaró ese año que «la patria estaba en peligro» y procedió a una leva masiva. En pocos meses se formó un ejército joven y popular, con un ímpetu renovado que las guerras del antiguo régimen, emprendidas por los príncipes para defender sus intereses, jamás conocieron. El ejército se proclamaba «patriótico», defendía por sí mismo la nación de sus mayores e inventaba himnos en los que se decía pronto para dar su sangre; en el campo de batalla lo demostraba.

Ese mismo año, no contenta con resistir a la coalición de los reyes europeos, Francia declaró la guerra a España con el propósito manifiesto de liberar a ese país hermano de una «tiranía» de siglos. Al abrigo de los Pirineos, España se defendió e incluso hizo varias incursiones en el país vecino. Sin embargo, esta guerra, que no pasó de contadas operaciones fronterizas, terminó en 1795 con la paz de Basilea. De hecho, ya desde los inicios de la Revolución francesa, Carlos IV, hombre profundamente pacífico, se había negado a salir en defensa de su primo Luis XVI, como si quisiera mantenerse al margen de Europa.

Los reclutamientos masivos, la persecución religiosa y la «quema» de iglesias, el mal trato del que eran víctimas los eclesiásticos llamados «refractarios» por negarse a suscribir la Constitución Civil del Clero –y que obligaba a muchos de ellos a vivir en la clandestinidad–, llevaron a sublevarse a varias provincias del oeste de Francia; estalló una verdadera guerra civil, conocida con el nombre de guerra de la Vendée.

Los observadores europeos creían que Francia, atacada desde el exterior y dividida en su interior, sin tiempo para reaccionar ni organizarse, sería pronto derrotada y desmantelada. A la vieja usanza bélica, en los pasillos se repartían ya sus despojos. Sin embargo, el valor de esos jóvenes generales que desafiaban las prácticas militares tradicionales, junto con el ardor de las tropas, la insólita exaltación patriótica que la idea de «nación» alentaba y unos gobernantes con un temple de hierro, permitieron a Francia resistir y aun salir victoriosa.

Entre las medidas que adoptó el Comité de Salvación Pública, el cual, en la crítica situación, se había arrogado plenos poderes, la más famosa fue la que oficialmente se llamó el Reinado del Terror, instituido en septiembre de 1793. Todo sospechoso podía ser arrestado, juzgado sumariamente y ajusticiado. La reina María Antonieta, hija de María Teresa de Austria, fue una de las víctimas.

Nueve meses duró el Terror. Aunque el número de muertos no fue excesivo (menos de tres mil), muy inferior al que, años más tarde, había de cobrarse la Contrarrevolución, este régimen oficial, institucional, dejó perpetua huella en el ánimo de las gentes. No tenía parangón en la historia. Diputados elegidos por el pueblo hacían del terror, es decir, de la violencia y la muerte, principio y método de gobierno, y no dudaban en tomarse la justicia por su mano. Tal despiadado autoritarismo amenazaba con deslegitimar para mucho tiempo el gobierno del pueblo por el pueblo, la democracia. En España, como en el resto de los países europeos y no sólo europeos, la guillotina –que algunos franceses llegaban a lucir en sus ojales, a modo de amenazante insignia– se convirtió en el temible símbolo de los nuevos tiempos. En lugar de la cruz de Cristo, y cual nuevo instrumento de tortura, la guillotina quedó identificada con la Revolución y pasó a ser ara y símbolo de ella.

Francia vivía en estado de alerta. Los diputados de la Convención Nacional, que también desarrollaban una intensa labor legislativa, tenían camas de campaña instaladas en los pasillos de la asamblea para descansar allí mismo, por unas horas y sin desvestirse, cuando el cansancio los vencía. Comisarios de la República recorrían infatigablemente las provincias combatiendo la reacción y arengando a las tropas del frente, y una nueva clase de fabricantes y hombres de negocios, a la que aún no se llamaba burguesa, se enriquecía abasteciendo al ejército y se acercaba poco a poco al poder.

A cambio, había que pagar un alto precio: despotismo, carestía, restricciones, inflación, delaciones, incesante vigilancia policial. Y llevada de un viento furioso e implacable, la Revolución devoraba a sus hijos y aun a sus jefes. Ese mismo año moría Marat en la bañera apuñalado por una joven, Charlotte Corday. Al año siguiente Danton, Camille Desmoulins, Hébert, caudillos de masas, fueron enviados a la guillotina que ellos mismos habían alimentado. Idéntica suerte corrieron en julio Robespierre, Saint-Just y otros tras el fallido intento, el mes anterior, de instaurar un culto al Ser Supremo con una ceremonia que pretendían grandiosa y resultó ridícula. Conjurada la amenaza exterior, Francia se deshacía de aquellos que la salvaron y aterrorizaron.

Con el advenimiento, en los años siguientes, del Directorio y la abolición del Terror, Francia pudo respirar y la vida recobró cierta calma y normalidad. Como sucede tras toda crisis grave, el mayor problema fue entonces reconciliar a los distintos sectores sociales que durante cinco años se habían enfrentado. La nobleza, en gran parte emigrada, aspiraba a repatriarse, reconquistar sus privilegios e incluso entronizar a un nuevo rey. Los que habían desempeñado algún papel en la Primera República, deseosos de salvaguardar las conquistas, siquiera legislativas, de la

Revolución, se negaban a dar un paso atrás. Los burgueses ricos, que se habían beneficiado de la desamortización eclesiástica llevada a cabo por las sucesivas asambleas, no estaban dispuestos a devolver lo adquirido: constituían una clase poderosa, bien organizada y defendida por los mejores juristas, y no aceptaría ya plegarse en silencio. Incluso el clero estaba dividido, y en su mayoría deseaba un acuerdo entre Estado e Iglesia, con concesiones recíprocas.

En cuanto al pueblo, tras años de guerras, desórdenes y sobresaltos, y como en todas partes, no quería sino vivir en paz.

Por aquellos años empezaba a brillar con luz propia un joven general corso de pelo largo y lacio, hijo de la Revolución, llamado Napoleón Bonaparte. En 1793, siendo simple capitán de artillería, se distinguió en la reconquista de la base naval de Tolón contra los ingleses. En 1794, con el grado de general de brigada, participó en una primera campaña en Italia. Después de un breve periodo de desgracia, reprimió duramente una insurrección monárquica en París. En 1796 fue nombrado general en jefe del ejército en Italia y en cuestión de semanas liberó este país de la ocupación austriaca.

Europa entera hablaba de él. En 1798 fue enviado a una expedición a Egipto (sin duda para alejarlo), pero su flota fue derrotada en la batalla del Nilo. Comprendió que sus victorias en Oriente no serían definitivas, y que sus hombres, cansados, no lo seguirían a Asia, adonde él soñaba con ir, más lejos aún que Alejandro.

Decidió regresar a Francia. Ya en París, participó en un golpe de Estado que dio el gobierno del país a un triunvirato del que fue miembro con el título de primer cónsul, cargo para el que fue luego reelegido con carácter vitalicio. Para el pueblo era un vencedor nato, un héroe ejemplar, un hijo del pueblo que había hecho carrera legalmente, y también el único hombre capaz de reconciliar a los franceses. Por último, y tras largas y difíciles negociaciones, firmó un concordato con el papa Pío VII que había de regir más de un siglo.

En esos primerísimos años del siglo XIX Francia volvía a ser una nación estable y alegre. El escritor Chateaubriand, a su retorno de Inglaterra en 1800, después de siete años de exilio, escribió que en lugar de las ruinas trágicas y ensangrentadas que temía encontrar, sólo veía jolgorio y bailes. Y mientras la gente se divertía, se abrían teatros eróticos y las mujeres vestían cada vez más escotadas, el romanticismo lúgubre, amante de la noche y las tormentas, se incubaba en el secreto de las fiestas.

Napoleón, maestre de este alborozo público, no tenía más que proclamarse emperador. El Senado no pudo por menos que otorgarle la dignidad imperial, con la que él mismo, en presencia del Papa, venido expresamente de Roma, se invistió en Notre Dame de París en mayo de 1804.

Entre la toma de la Bastilla y la coronación de Napoleón mediaron menos de quince años. Muy pocas veces se ha dado tal aceleración en la historia de los pueblos. Y también España experimentó las consecuencias de estos acontecimientos. La situación económica del país mejoraba lentamente, las provincias quedaban comunicadas por rutas aceptables, se inauguraba el Canal Imperial de Aragón, puertos como los de Barcelona y Cádiz –ciudad que había relevado a una Sevilla demasiado alejada del mar–

se ampliaban para dar cabida a un tráfico marítimo cada vez más denso y de mayor tonelaje. El rey, dada la fidelidad de la mayoría de los españoles y la ausencia de movimientos insurreccionales, no se decidía a salir de su apatía ni veía razón alguna para contemporizar con la Revolución o alterar el rígido orden de su monarquía.

Carlos IV se alió incluso con el gobierno francés del Directorio, lo que, *ipso facto*, convirtió a España en enemiga de Inglaterra, rival irreconciliable de Francia. El emperador Napoleón aprovecharía esta circunstancia para hacer entrar en guerra a España como aliada suya, en 1804, y reforzar el Bloqueo Continental, cuya finalidad era cerrar los puertos europeos al comercio inglés.

Sin embargo, la derrota infligida a la flota francoespañola por la armada inglesa al mando del almirante Nelson en la batalla de Trafalgar, en 1805, dio al traste con los planes napoleónicos en este sentido. Napoleón se propuso entonces castigar a Portugal por haberse negado a unirse al bloqueo, previendo el siguiente reparto del país: un tercio para Francia, un tercio para España –que recuperaría así territorios perdidos en el siglo XVII– y un tercio para el todopoderoso y riquísimo Manuel Godoy, que mandaba en España –y, por ende, en la pareja real desde 1792– y pasaría a ser, una vez dividido Portugal, príncipe de Algarve.

Ahora bien, como si de una novela «gótica» se tratara, género muy apetecido en la época (los revolucionarios franceses eran grandes lectores de esas obras), en la sombra se urdía una conspiración. La encabezaba el hijo del rey, Fernando, a la sazón de veintitrés años, persona obtusa y violenta. Instigado por los conservadores más intransigentes, planeó tomar el poder por la fuerza y asesinar a

153

Godoy, aunque para ello hubiera de acabar también con sus padres, recurriendo a ese regicida que es el veneno. La conspiración fue descubierta. Avisado, al parecer, por una misteriosa nota, Carlos IV se presentó por sorpresa en la residencia de su hijo en El Escorial y halló en ella papeles comprometedores. Enseguida escribió a Napoleón, que por entonces era su ídolo –lo llamaba *monsieur mon frère*–, y lo informó de la «horrible conjura» que acababa de descubrir.

Y mantuvo a su hijo bajo arresto en su habitación. El pueblo de Madrid, que se engañaba con respecto a él, empezaba a llamar a Fernando «el Deseado».

En virtud de los pasados acuerdos, tropas francesas, en verdad más numerosas de lo previsto, entraron en España para, en principio, y a las órdenes del general Murat, ganar Portugal; ocuparon las ciudades de Pamplona y Barcelona, sin manifestar la intención de abandonarlas algún día.

El rey y la reina, amedrentados, quisieron huir, vía Cádiz, a las Américas (sería la primera vez que un soberano español cruzaba el Atlántico). Godoy y su amante Josefa Tudó partirían también. Pero la aventura terminó, casi como una farsa, en Aranjuez. Parciales de Fernando se amotinaron y prendieron a Godoy, que trató de esconderse en una alfombra enrollada o bajo unas esteras, según las versiones. Carlos IV se apresuró a deponerlo. Era demasiado tarde: liberado por sus partidarios, Fernando obligó a su padre a abdicar en su favor y tomó el nombre de Fernando VII.

Esto ocurría el 19 de marzo de 1808. Carlos IV dejaba de ser rey de España.

Cuatro días después, Murat y su ejército entraban en

Madrid. Atento a la impresión que sus insólitos uniformes producían allí, el orgulloso mariscal confundió los sentimientos de los madrileños. Se creyó bienvenido y no lo era. En cambio, al que los habitantes de la villa sí recibieron con flores y tendiendo capas a sus pies fue al «Deseado» cuando entró a su vez en Madrid. No bien ocupó el trono, Fernando VII recibió una carta de Napoleón en la que éste le mostraba su interés por reunirse con él. Al final, se decidió que el encuentro tendría lugar en Bayona. Avistarse con Napoleón, entonces en el apogeo de su poder, era algo que no podía rechazar. Convencido por Murat y tranquilizado por emisarios franceses, Fernando desoyó a quienes le aconsejaban no ir, y pese a la oposición de los habitantes de Vitoria, que llegaron a cortar los arreos de su caballería, el 20 de abril cruzaba el Bidasoa camino de Bayona, con lo que no hacía sino meterse en la boca del lobo.

A todas estas, y por otro conducto, Napoleón había citado también al destronado rey Carlos IV y a la reina, así como al inseparable Godoy. En esos momentos, Carlos IV consideraba a Napoleón su amigo y aliado, y no sin razón. En efecto, en el curso de la entrevista Napoleón instó lacónica y perentoriamente a Fernando a que devolviera el trono de España a su padre, el rey legítimo, so pena de ser acusado y juzgado por traidor.

Fernando repuso que los españoles lo querían a él, no a su padre, y que así lo habían demostrado claramente días antes. La discusión subió de tono. Carlos y su hijo discutieron, Carlos llegó a dar un gustazo a Fernando –según dijeron algunos, pero es difícil darles crédito–, y la madre, al parecer, lo llamó bastardo. Napoleón hizo salir a Fernando y lo obligó bajo amenaza a firmar su abdicación.

Así las cosas, el emperador se propuso demostrar que él y sólo él podía salvar a España, cosa que le resultaba relativamente fácil, vista la condición de sus interlocutores. Explicó a Carlos IV que un reino de la importancia del español no podía ser confiado ni a Fernando, cuya cruel doblez había quedado patente, ni a él mismo, que abdicó por debilidad y no contaba ya con el apoyo del pueblo.

Por sorprendente que parezca, Carlos lo admitió y el día 5 de mayo firmaba el llamado Tratado de Bayona. España quedaba sin rey.

Ante este vacío de poder, propiciado deliberadamente por Napoleón, éste lanzó una proclamación que había de ser célebre y en la que, entre otras cosas, decía a los españoles: «Vuestra nación perecía: yo he visto vuestros males y les pondré remedio. Quiero que vuestros últimos nietos guarden memoria de mí y digan: "Fue el regenerador de nuestra patria"».

Y añadía, en atención a su propia gente, a sus generales, que al punto transmitían sus palabras, que la campaña sería un agradable paseo y ni siquiera tendrían que batirse; que los españoles aborrecían a sus soberanos –los cuales no eran ni españoles–, estaban deseando soltar las amarras y recibirían a las tropas francesas con los brazos abiertos, flores y rendidas mozas, como libertadores, como hermanos. Y quizá lo pensaba de verdad.

Por su parte, Fernando aparentó someterse.

Mientras, en Madrid, algo había pasado. El 1 de mayo, al salir de misa, el flamante Murat y su estado mayor fueron abucheados por la multitud. Los madrileños acababan de enterarse de que, por orden de Carlos IV –si bien a nadie se ocultaba que detrás estaba la mano apremiante de Napoleón, que cometía así su primer error fatal–, los dos hermanos y el tío de Fernando debían personarse también en Bayona, con lo que, conforme al deseo del emperador, no quedaría en la península ni un solo Borbón.

A raíz de ciertos incidentes poco claros, el 2 de mayo el pueblo madrileño se levantaba en armas contra el ocupante francés. Los enfrentamientos callejeros duraron todo el día y toda la noche. Al día siguiente Murat reaccionaba ordenando las tristemente consabidas represalias: juicios sumarísimos y ejecuciones. Todo español que hubiera tomado las armas, aunque fuera un simple cuchillo, debía ser fusilado. Más de cuatrocientos madrileños fueron ajusticiados en distintos puntos de la capital. Murat, que en el plano militar se consideraba vencedor, escribió con necio orgullo que esa jornada fatídica había «entregado España» al emperador.

Cuando las nuevas llegaron a Bayona, Carlos IV, siempre subyugado por Napoleón, montó en cólera y acusó a su hijo Fernando de las desgracias del país. Su hijo replicó, se inflamó: nueva disputa.

¿Qué hacer? Napoleón reflexionó. Se cree, sin embargo, que la decisión la tenía ya tomada, una decisión que había de pesarle más tarde, a juzgar por lo que, preso ya en Santa Elena, dijo de «aquella malhadada guerra de España», «verdadero flagelo» que marcó el principio de su fin. Y es que, como escribió Chateaubriand, Napoleón era entonces esclavo de su personalidad: «Sólo pensaba en sí mismo».

En Bayona anunció, así pues, que, de acuerdo con su declarado propósito de salvar a España, que era lo que ésta deseaba, y no pudiendo tomar él mismo las riendas del país –demasiadas ocupaciones, desplazamientos, guerras–, sería su hermano José, un año mayor que él y rey de Nápoles desde 1806, quien accedería al trono si el pueblo español así lo deseaba. Una delegación española, nada espontánea por cierto, llegó entretanto de Madrid asegurando que José sería bienvenido en el trono del emperador Carlos V.

Todo quedó rápidamente dispuesto. El 11 de mayo Napoleón escribió a su hermano diciéndole que lo esperaba una corona, y no de las menores (no se trataba sólo de España, sino también de todas las posesiones españolas en América). «Recibirás esta carta el 19», escribía. «Y partirás el 20.» José obedeció, aunque de mal grado. El 20 de mayo, el 21 según algunos, salió de Nápoles. Al entrar en España lo asaltaron «funestos presentimientos»; aquella corona inesperada le resultaba ya una carga.

El 20 de junio llegaba a Madrid con idea de establecer una Constitución de corte liberal y emprender reformas sociales. Nadie salió a recibirlo, las calles estaban desiertas. Una de las pocas cartas de felicitación que recibió fue del propio Fernando, que se humillaba ante los nuevos amos en espera de los acontecimientos.

Algunos españoles –afrancesados– acogieron a José como a un libertador; otros, más numerosos, como a un usurpador, un mero fantoche. Una asamblea de notables cuidadosamente escogidos votó la Constitución, pero el pueblo, tras los fusilamientos del 3 de mayo, no podía aceptar a un rey francés, por más que Napoleón, en su proclamación, lo denominara «su otro yo».

A decir verdad, José no era una opción tan mala. Bien parecido, de carácter serio y tranquilo, amante de las artes, se mostraba deseoso de hacerlo bien. Gustaba de pasearse por Madrid sin séquito, hablar con la gente... No obstante, sus enemigos no tardaron en vituperarlo dándole, sin fundamento alguno, el apodo de Pepe Botella. Tenía plena y lúcida conciencia de lo arbitrario y artificial de su situación, y escribió con desconsuelo a su hermano que, pese a las obsequiosas sonrisas de sus colaboradores, el «furibundo» pueblo español odiaba aquella ocupación militar y que, si de él dependiera, se volvería a toda prisa a Nápoles.

Unas semanas después estallaba la guerra de la Independencia.

Durante aquellos quince revueltos años, en los que Europa pareció fluctuar entre dos mundos, Goya sobrevivió. En el transcurso de un viaje por Andalucía ensordeció definitivamente; no percibía más que un vago y desagradable crepitar, sin comprender palabras ni aunque le gritaran. Su humor se resintió. Los sordos suelen decir que es peor verse privado de sonidos que de imágenes, y es posible que sea verdad. Vemos cómo se hablan, entienden y sonríen los demás, y uno queda al margen, fatalmente excluido.

Goya aprendió a leer en los labios de su mujer, Josefa, de su hijo Javier y de sus amigos, y empezó a instruirse en el lenguaje de los sordomudos. Un antiguo aprendiz y ya ayudante, llamado Anselmo, versado en ese lenguaje, solía acompañarlo y le traducía lo esencial de cuanto se hablaba. Otras veces, como a todos los sordos, le escribían frases cortas en pedazos de papel.

Tal profunda sordera no parece que perjudicara su obra. Hay quien afirma que incluso la benefició, al obligarlo a ahondar en su interior, en el silencio, donde vio cosas nunca vistas.

Su fama creció; pero, paralelamente a su actividad pública –obras de encargo, retratos–, emprendió un trabajo más personal e íntimo tanto en grabados como en pinturas, un trabajo que prefería no mostrar y que, en lo esencial, no fue conocido hasta mucho más tarde, después de su muerte.

Varias veces intentó saber algo de Inés, sin resultado. Tras la huida de Lorenzo, la Inquisición corrió un tupido velo sobre el caso y era imposible penetrar en sus dependencias ni aun para echar un vistazo. También Tomás Bilbatua trató por todos los medios de liberarla, sin conseguirlo. Oficialmente sólo se le dijo que había sido juzgada y declarada culpable, aunque, en virtud de su juventud, de la mala influencia que pudo sufrir y de su declarado propósito de enmienda, se le perdonaba la vida y el oprobio y dolor del auto de fe.

Esta clemencia significaba poco. Hacía mucho que no se condenaba a la hoguera a un reo y, además, tras la fuga de Lorenzo, el Tribunal de Corte había renunciado a recrudecer la lucha y vuelto a su blanda normalidad. Inés fue condenada a permanecer algún tiempo más en la cárcel hasta lavar definitivamente sus culpas.

¿Cuánto tiempo? Eso no se sabía. El necesario para que quedara sin mácula y la fe no corriera peligro.

Entonces sería puesta en libertad.

Tomás no cejó, pero fue inútil. Poco a poco se desvaneció su esperanza. Cuando le preguntaban por su hija, decía: «La he perdido». Su mujer, María Isabel, dejó de alimentarse y murió de inanición en 1796; los últimos meses de su vida, al decir de los criados, maldecía a Dios y todas las noches escupía sobre un crucifijo. Uno de los hijos, Álvaro, emigró a América y desapareció en un naufragio entre México y Filipinas, en la ruta de China; su cadáver nunca fue encontrado.

«He perdido a mi mujer, a mi hija y a un hijo», decía Tomás. Sólo le quedaba Ángel, su otro hijo, que hacía cuanto podía por asistirlo.

Tomás perdía peso. Su salud declinaba y tosía y expectoraba a menudo. Para caminar debía ayudarse de un bastón. A partir de 1798, falto de fuerzas, decaído el ánimo, escaso de iniciativa, vio cómo sus negocios languidecían. Pese a la recobrada calma de la sociedad francesa, la guerra permanente que, sobre todo por mar, enfrentaba a Inglaterra y Francia obstaculizaba el comercio. Las colonias españolas en América se sublevaban: también allí se hablaba de «nación», de independencia. Había que abrir nuevas rutas, sobornar a almirantes, negociar con jefes de Estado o gobernadores que nada garantizaba que siguieran en el poder al siguiente viaje, cosas todas de las que Tomás se sentía ya incapaz.

Para colmo, a sus sesenta y dos años, debilitado, perdía las ganas, el instinto y la pericia comercial. Una hija en prisión, un hijo desaparecido, viudo él mismo, ¿por qué, por quién seguir luchando?, se preguntaba a veces. El mundo nuevo le parecía inhóspito, extraño, incomprensible. Él, que tantas rutas nuevas había abierto, empezaba a hablar de los «viejos tiempos» y a sentirse desfasado.

De improviso, sus socios ingleses lo abandonaron. No se lo esperaba y le costó parte de su hacienda. Se vio desbancado por competidores más jóvenes, tanto en España como en Italia y Holanda, y poco a poco hubo de desprenderse de sus factorías, ceder a sus proveedores. En casa se paseaba cabizbajo por las estancias, sin mirar ya los cuadros que en otro tiempo fueron su orgullo y debía ir vendiendo para saldar deudas.

A veces mandaba parar al cochero frente a la iglesia de Santo Tomás, restaurada gracias a él, y entraba un momento. Veía su nombre grabado en la piedra a título de donante, se arrodillaba ante la imagen del apóstol que dudó de su maestro y también él se preguntaba cosas, sin orar jamás. Pero esas preguntas sin respuesta huían pronto de su mente. Una o dos veces se quedó dormido en el banco que le tenían reservado y el cochero hubo de entrar a despertarlo.

Volvió a ver a Goya varias veces. A solas, nunca hablaban del extraño día en que torturó al dominico. Dado que el rey, como de costumbre, había dejado correr el asunto, y Lorenzo ya no pertenecía a la Inquisición, Tomás no fue molestado. El caso del dominico que confesó ser un mono había sido ya olvidado en Madrid y ni siquiera los hacía reír.

Además, la sordera de Goya habría dificultado aún más abordar el tema, y como tampoco quería el pintor que Anselmo, su ayudante e intérprete, lo supiera, conversaban de otras cosas. A veces murmuraba Bilbatua que los fantasmas son los amos del mundo, y Goya, cuando lo comprendía, asentía cabeceando. Sí, los fantasmas son recurrentes y tenaces, y tanto más omnipresentes cuanto menos los vemos.

–¿Tú los ves? –le preguntó un día a Goya–. Seguro que sí, puesto que los pintas.

–No sé de dónde vienen –contestó Goya–, ni quiénes son. Mi mano los ve, sí, me aparecen de pronto entre los dedos y no hay manera de ahuyentarlos. Es como si esas jetas demoníacas, esas caras de ángel, estuvieran escondidas en mis manos y me salieran de vez en cuando.

Como suele ocurrir con los sordos, Goya era el que más hablaba. Le contaba a Tomás, por ejemplo, cómo conoció a la sin par María Cayetana, duquesa de Alba, la dama más principal de España y la más seductora.

Lo que no confesó a Tomás, ni a nadie, es que, a sus cincuenta años largos, también se enamoró de ella. La duquesa le encargó varios retratos, que él ejecutó con mano tierna y precisa; lo recibió en su palacio y lo invitó incluso a su propiedad de Sanlúcar de Barrameda, auténtico paraíso donde pasó una larga temporada. En uno de los retratos se la ve señalando con el dedo dos palabras escritas en el suelo: «Sólo Goya». ¿Tuvieron un trato aún más íntimo, como se rumoreaba? Él nunca dijo nada, y ella tampoco.

En 1799 Goya publicó *Los caprichos,* serie de ochenta grabados en los que mostraba, como él mismo escribió, que «el sueño de la razón produce monstruos». Encabeza el álbum un autorretrato en el que se dibujó, a sus cincuenta y tres años, con bezo, párpados un tanto caídos, pelo gris, barbilla voluminosa, tocado de un alto sombrero negro y con un aire entre desencantado e indiferente, como diciendo: así soy y así es el mundo que veo, qué le voy a hacer; y es un mundo poblado de majas, esas graciosas y elegantes mozuelas un tanto ligeras de cascos, finamente calzadas (siempre esos tacones que se ensanchan en la base) y con la punta de los pies hacia fuera, algunas alzando las faldas (prueba cierta de que son prostitutas); y poblado también de encorvadas celestinas, de frailes deformes y repulidos, de brujas, de pollos humanos desplumados, de espectros surcando los aires, de cabrones, de tribunales funestos, de muertos saliendo de sus tumbas.

Razón adormecida, paso a los caprichos.

Algunas de esas imágenes recordaban a las que, unos años antes, se pasaban de mano en mano los miembros del tribunal y Lorenzo defendía con ahínco. Imágenes que sorprendían y no pocas veces escandalizaban. Los espíritus religiosos no veían en ellas un solo asomo de piedad, más bien lo contrario, y los rostros de curas y frailes eran rostros de horror. Uno de los grabados mostraba a un hereje ante el tribunal de la Inquisición con una larga coroza en la cabeza, atributo de los reos; era una imagen inventada, tal vez soñada, pues Goya nunca presenció algo así.

No llevaba diario. Hablaba poco de su trabajo, de sus proyectos. Cuando le preguntaban, como hizo Bilbatua en dos o tres ocasiones, y no sólo a propósito de los fantasmas: «¿Y por qué lo haces? ¿De dónde sacas eso?», él se limitaba a esbozar un ademán vago, como diciendo «¿Qué sé yo?», y pasaba a hablar de otra cosa. A veces fingía no comprender la pregunta. O decía: «Yo lo vi», sin precisar dónde, ni si era visión de su mano o de sus ojos, ni qué mundo era aquél.

España entera estaba en esos «caprichos»: una naturaleza inexorable, un cielo oscuro del que nada puede esperarse pero al que no hay más remedio que rezar, una opresión antigua e intolerable y eternamente renovada, una resignación sorda y por momentos rabiosa, una costumbre de lo extraño, una familiaridad con la muerte, la certidumbre tranquila de que al mundo no lo rige la razón y aun de que la verdad suprema es eminentemente irracional, demonios sentados al amor de la lumbre, el paso repentino de una sonrisa de mujer al más negro de los sueños.

España entera, y mucho más.

Ganaba dinero, mucho dinero, merced sobre todo a los retratos, que le encargaban sin cesar. Toda la alta sociedad se apresuraba a desfilar ante sus ojos, la condesa de Villafranca, la marquesa de Santa Cruz, el ingeniero Pérez de Estala, actores, cantantes. El hijo de un modesto dorador aragonés se había convertido en el primer artista de España, dueño de una lujosa casa con patio en un barrio elegante. Compraba libros, joyas y cuadros, de Tiépolo, de Correggio.

Los acontecimientos políticos o militares no parecían afectarlo. Aislado en un profundo silencio, él se dedicaba a trabajar.

Cuando la duquesa de Alba murió, el 23 de julio de 1802, al parecer de una intoxicación alimentaria, cuentan que por un tiempo se vio a Goya deambulando solo por Madrid, sin hablar ni escuchar a nadie. Sin embargo, él nada anotó, nada dijo. También esta vez se guardó sus sentimientos.

A principios de mayo de 1808, cuando el pueblo se alzó contra los mamelucos de Murat, pagándolo caro al día siguiente, Goya estaba en Madrid. Tuvo noticias directas de la revuelta y de la represión, y si no pudo oír los ruidos, sí debió de ver imágenes. Y es seguro que aquello le causó una profunda impresión. Sin embargo, hasta seis años después no pintó los dos famosos cuadros *El dos de mayo* y *El tres de mayo*. Al poner lo acontecido por encima de sí mismo, lo grababa para siempre en la memoria de los hombres, aunque en un primer momento prefiriera no mostrar las obras.

Cuando Carlos IV, su protector, salió de España y fue destronado en Bayona, debió de sentir Goya cierta preocupación por su situación económica. En vista del cariz que tomaban los acontecimientos, ¿debía también él exiliarse?

Pero ¿adónde? Se quedó.

11

Napoleón no conocía España y menos aún a los españoles. ¿Creería que eran como los dos sujetos a los que trató en Bayona, Carlos IV y su hijo Fernando? Lo cierto es que se equivocó. Enardecido por sus victorias; manejando, como si de títeres se tratara, a los reyes de España –quienes, como dice Chateaubriand, a una orden suya «se habrían tirado por la ventana»–; creyendo que la fuerza de los pueblos allá se va con la de los ejércitos; hombre pronto en las decisiones y absorbido por mil negocios, entre ellos el de casarse con la hija del emperador de Austria, escogida entre varias princesas, hizo poco caso –y sin duda irritado– de las advertencias de su hermano, que veía fermentar en España un alzamiento general y deseaba cada vez más regresar a Nápoles.

Y es que, después de las ejecuciones del mes de mayo, España no estaba ganada, como anunció Murat, sino perdida. Todo el país, islas Baleares incluidas, se preparaba a resistir. El alcalde de Móstoles llegó incluso a declarar abiertamente la guerra a Napoleón. Algunos oficiales españoles, sospechosos de complicidad con los franceses, fueron ejecutados por sus hombres.

Zaragoza fue la primera ciudad en sublevarse, al mando de un gran jefe militar, el duque de Palafox, que conminó a los franceses con una fórmula famosa: «¡Guerra y cuchillo!». Las tropas francesas la sitiaron en dos ocasiones. Tras una enconada resistencia y ante el elevado número de bajas (en ambos bandos), levantó el primer sitio el propio José Bonaparte, que ordenó replegarse a la mayor parte de sus hombres. José I no quería aquella guerra y hacía todo lo posible por detenerla, por demostrar su inutilidad.

La ciudad vivió unos meses de tregua, que Goya aprovechó para visitarla. Era la ciudad de su juventud. La conocía bien, había pintado frescos en el techo de la basílica.

Quedó horrorizado por lo que vio (ruinas y muertos) y empezó a trabajar en los grabados de lo que andando el tiempo serían *Los desastres de la guerra,* el repertorio más crudo y fiel que nunca nadie haya concebido y realizado sobre la barbarie humana.

Abandonó la ciudad antes de que se reanudaran las hostilidades, visitó brevemente su pueblo natal, Fuendetodos, y regresó a Madrid.

El segundo sitio de Zaragoza, que duró dos meses, quedó indeleblemente grabado en la memoria de los españoles. Es un episodio imborrable en los anales de las resistencias heroicas. Los soldados franceses que, como Napoleón les había dicho, se creían libertadores, hubieron de batirse calle por calle, casa por casa, abrir fuego contra mujeres y niños. Una tal Agustina Zaragoza alcanzó fama inmortal. Se ocupaba en llevar víveres a los artilleros, y cuando cayeron los que servían cierto cañón (incluido, al parecer, su amante), ella misma cargó la pieza y disparó. El general Lannes escribió a Napoleón que jamás había visto a un pueblo resistir con semejante ira. A los enfermos y heridos de un hospital en llamas, se les vio saltar por las ventanas y acabar atravesados por las bayonetas francesas; locos escapados de los manicomios corrían cantando por las calles. Tras la capitulación, la ciudad quedó reducida a escombros y se contabilizaron cincuenta y cuatro mil muertos.

Palafox, herido, fue hecho prisionero y pasó cuatro años en la cárcel (Goya le hizo más tarde un retrato ecuestre en el que se ve a lo lejos una ciudad en llamas).

Después de la caída de Zaragoza, la guerra pareció entrar en un periodo de calma. Se enviaron varias comisiones secretas para solicitar ayuda a Inglaterra. Oficialmente Francia había vencido. El propio Napoleón viajó a Madrid para sellar la victoria, cual animal que marca su territorio.

No obstante, sólo permaneció un día, tiempo que sin duda le pareció suficiente.

Destacamentos franceses y grupos de resistencia españoles sostenían escaramuzas en distintas partes del país, también en Madrid. En nombre de la libertad de pensamiento, y con el aplauso de los ilustrados, la Inquisición fue abolida por decreto. Soldados franceses asaltaron el viejo monasterio. Uno de los oficiales entró a caballo en la capilla en mitad de un oficio y mató de un pistoletazo al dominico que leía el Evangelio y que, obedeciendo una discreta señal del padre Gregorio, no quiso interrumpirse. El inquisidor del Tribunal de Corte apenas tuvo tiempo de trazar la señal de la cruz sobre la cara del fraile, que expiraba al pie del altar.

Sin desmontar, el oficial preguntó al padre Gregorio si era el encargado del edificio. Éste, en voz baja y arrodillado junto al cadáver del fraile, contestó que el encargado de aquel edificio, como de cualquier otro santo lugar en la Tierra, era Dios.

El oficial le recordó entonces que, por orden del emperador Napoleón, y en virtud de la Declaración de los Derechos del Hombre, la Inquisición acababa de ser abolida en todo el territorio español y su patrimonio requisado para el pueblo. Ese mismo día los dominicos hallados en el monasterio fueron conducidos a pie a una prisión de Madrid, donde permanecerían en espera de juicio. No llevaban consigo más que un hato con alguna ropa, navajas de afeitar, sandalias; no se les permitió coger libros piadosos ni exhibir signo religioso alguno. Todos los objetos de culto, salvo los que los frailes tuvieron la precaución de esconder en los sótanos, fueron requisados.

Los soldados amontonaron los libros en el claustro –religiosos y profanos– y trataron de quemarlos. Pero como el fuego prendía mal y no podían perder el tiempo, allí los dejaron medio chamuscados, retorcidos, humeantes.

Los presos de la Inquisición, que esperaban juicio o cumplían penitencia, fueron liberados; no eran muchos, unos quince. Fuera los aguardaban padres y amigos con mantas, ropa de abrigo, medias, zuecos, guantes, vasijas con agua y leche.

Inés salió entre los últimos. Habían transcurrido más de quince años desde el día en que un fraile se presentara en su casa con una orden de comparecencia.

Nadie la esperaba. Sola, con aire estúpido, deslumbrada por la luz como el resto de los prisioneros, que ya se alejaban con sus deudos y amigos, echó a andar despacio, sin rumbo. No comprendía quiénes eran aquellos soldados, a qué se debían los disparos que retumbaban a lo lejos, por qué pasaban caballos a galope, por qué gritaban aquellos hombres armados. Tenía la boca torcida, la piel picada de viruelas y ajada, los ojos velados, le faltaban dientes. El cabello le colgaba lacio y blanco. Olía a mugre. Sus piernas flacas, sucias, desnudas de rodilla para abajo, estaban amoratadas. Era imposible saber qué edad tenía.

Una de las mujeres que esperaban a los presos –cuya liberación había anunciado aquella misma mañana un pregonero– le preguntó por el hombre al que buscaba. Inés no pareció comprender ni aun oír la pregunta, y tras mirarla un instante siguió adelante, con paso lento, arrastrando los pies. La mujer la tomó por una loca, lo que quizás era, y no insistió.

Algo más allá, viéndola perdida, dos soldados franceses le preguntaron si quería que la llevaran a Madrid. Hablaban en francés y ella no pudo entenderlos. Sin embargo, en silencio, como un autómata, se dejó llevar hasta un carro cargado de objetos piadosos –custodias, cálices, candelabros– y entre ellos se acomodó como pudo, mientras unos soldados cubrían el botín con raídas alfombras que acababan de encontrar en la biblioteca.

Regresaba a Madrid a la par que la columna de dominicos y la media docena de jinetes que los escoltaban.

Cerca de la villa se hallaron ante el escenario de lo que parecía una reciente y furiosa batalla. Unos soldados irrumpían en una casa desde la que habían abierto fuego, y degollaban y defenestraban a sus moradores. Sobre los cadáveres que se estrellaban contra el suelo de piedra, espantando errantes aves de corral, se precipitaban al punto los vagabundos para registrarlos y quitarles el calzado, sobre todo si eran botas. Unos niños jugaban a la guerra en medio de la guerra y, fingiéndose mortalmente heridos, lanzaban un grito y se desplomaban junto a los verdaderos muertos. Cerdos y perros buscaban alimento y no hacían ascos a la carne humana. A ratos pasaba un escuadrón de caballería francés enarbolando los sables; los vivos despejaban entonces la calle en un santiamén y no salían hasta que los soldados habían desaparecido.

Inés miraba todo aquel caos con indiferencia, como si estuviera en otro mundo. O más bien no miraba, no parecía ver nada. Ni los disparos ni los ladridos de los perros la sobresaltaban. Cuando el carro entró en Madrid, se deslizó al suelo y lentamente, pues le costaba mover las piernas, agarrotadas tras el largo cautiverio, y con los ojos entornados, como si su cuerpo supiera el camino, anduvo por las calles. Nadie se fijó en ella. Parecía una mendiga idiota o un muerto viviente.

Media hora después llegaba a casa de sus padres. Su cuerpo había recordado el camino. Franqueó el desfondado portón y entró en el patio, donde, como en un campo de batalla, no quedaban más que restos: cascos de loza, un burro muerto, una piel de cocodrilo hecha trizas, piedras, paja. Lo atravesó paso a paso, entró en la casa, empezó a subir la escalera, perdida la mirada, la boca entreabierta. Creía recordar vagamente los tapices y cuadros que un tiempo ornaron las paredes; no quedaba ni rastro. Se lo habían llevado todo. El suelo estaba cubierto de trozos de madera y yeso.

Como en la peor de las pesadillas, lentamente llegó al primer piso. Apenas reconocía aquella casa otrora espléndida en la que nació y creció rodeada de riquezas, en la que vivió querida y mimada, regalada y servida. Su razón misma, ofuscada por años de soledad y tribulación, era incapaz de relacionar la dicha de antaño con la destrucción presente; quizá ni siquiera podía admitir la realidad del desastre.

Un hada mala, la peor de todas, la guerra, había pasado por allí días antes en forma de enfrentamiento entre milicias españolas y francesas, circunstancia frecuente pese a la paz oficial y los esfuerzos del rey José. Nunca se supo la identidad exacta de los autores del pillaje. Unos y otros se acusaron mutuamente.

Todo fue saqueado: maquetas de barcos, lámparas, muebles, relojes de pared, cacharros de cocina, hasta los azulejos sevillanos a cuatro colores y los entarimados franceses al estilo, como se decía entonces, de Versalles.

Cuando Inés entró en el comedor, en el que únicamente quedaba, sin duda por ser de difícil transporte, la gran mesa, vio en el suelo piernas y pies sin zapatos. Se acercó rodeando la mesa y pudo así verles la cara a los muertos. Tomás Bilbatua y su hijo Ángel habían sido abatidos a sablazos o puñaladas. Sin duda se defendieron. Ya no se movían. Los cadáveres tenían sangre coagulada en el pecho y la garganta y los ojos aún abiertos.

Inés los contempló un momento, inmóvil. No es seguro que los reconociera al primer vistazo.

No lejos de su nueva casa, Goya ha conservado uno de sus antiguos talleres, donde trabaja por las noches, cuando lleva retraso o necesita soledad y discreción. Sus ayudantes se han ido. Está solo, de pie, y se mantiene bien erguido, pues lleva en la cabeza un objeto singular: un sombrero normal y corriente, pero con seis velas encendidas colocadas en el ala y en torno a la copa, lo que le permite trabajar hasta tarde sin necesidad de que un ayudante lo alumbre con un candil.

Acostado en un saco duerme un perro.

Goya soporta bien el trabajo. En sus años mozos corrió por los riscosos montes de su pueblo natal, jugó a la pelota, toreó de capa (se cuenta que incluso formó parte de la cuadrilla de un matador) y durante mucho tiempo ha cazado a pie o a caballo. A sus sesenta y tres años, y pese a la sordera y al inevitable entorpecimiento de su cuerpo, todavía es un hombre fuerte, recio, capaz de permanecer horas y horas de pie ante el caballete.

Como todo el mundo, sabe que Madrid se halla nuevamente en guerra. Hace un momento ha visto un resplandor por la ventana, y aunque nada ha oído, sin dejar paleta ni pinceles se ha asomado a la calle. Todo parecía en calma. Una explosión lejana, sin duda. Uno se acostumbra.

Lo visto en Zaragoza lo persigue. Ha trabajado en un grabado de Agustina Zaragoza. Y en cuadernos u hojas sueltas ha dibujado cientos de esbozos. Quizás algún día haga algo con ellos, con esos «desastres» que no olvida. Pero ¿a quién enseñarlos? ¿A los vencidos o a los vencedores? Por ahora ningún estampero los querría. Es demasiado arriesgado, por ambas partes. Hace poco se han puesto en contacto con él, discretamente: ¿aceptaría retratar al rey José? Aún no ha contestado, aunque ve difícil rehusar. Deja que pase el tiempo.

¿Salir de España? Pero ¿para ir adónde? ¿A América? ¿A Inglaterra? Sabe que en el extranjero no es muy conocido. Tendría que cargar con el material, llevarse algunos cuadros de muestra, cruzar fronteras vigiladas, volver a hacerse un nombre en otra parte. Se siente demasiado viejo para esos trotes. Y con su sordera, ¿cómo va a aprender otro idioma?

El perro se incorpora y abre y cierra la boca. Goya ha percibido el movimiento. Aunque no oye los ladridos, ve que el animal se dirige a la puerta. Si es alguien que vocea o golpea la puerta, él no lo oye. Llama al perro; el animal vuelve, se acuesta, pero de nuevo se levanta y se acerca ladrando a la puerta. Goya abre entonces un cajón, saca una pistola y la amartilla, se dirige a su vez a la puerta y con la mano izquierda la entreabre. Al otro lado hay una figura humana a la que no distingue bien. Inclina la cabeza y, a la claridad de las velas, ve que es una mujer mal vestida. No sabe si le dice algo porque no puede oírla.

Sin cerrar la puerta, se aleja unos pasos, coge una moneda de una cajita de hierro, vuelve y se la ofrece a la que toma por una mendiga y no es sino Inés, que ha acudido allí porque es el taller donde posó en el pasado.

Inés mira la moneda sin comprender. Dice algo, no le responden.

Goya, que no la ha reconocido, le coge la mano, le planta en ella la moneda y cierra la puerta.

Vuelve al trabajo y al pasar calma al perro. Pero, lejos de calmarse, otra vez el animal se va derecho a la puerta y ladra. Goya, irritado, le ordena que se calle, pero en vano. Va él también a la puerta y la abre. Inés sigue ahí, en la penumbra. De palabra y con gestos, él le dice que se vaya. Ya le ha dado algo, ¿qué más quiere?

Como ella no se mueve, Goya alza la voz: ¡que se vaya! Entonces ella se lleva la mano al pecho y le dice que es Inés, Inés Bilbatua, varias veces. Él ve moverse los labios y grita:

–¡No oigo nada! ¡Soy sordo! ¡Vete!

También ella grita, grita que es Inés, Inés Bilbatua, y, al ver que no la entiende, articula el nombre lo mejor que puede con su deformada boca. Él le pide que repita al tiempo que se inclina para alumbrarle la cara.

Lee los labios y por fin comprende.

—¿Inés? —pregunta.

—Sí —dice ella asintiendo—, yo, Inés.

Goya le retira un mechón de pelo que le tapa parte de la cara, la observa con detenimiento y la reconoce.

Se aparta para dejarla pasar. Ella entra y con palabras incoherentes dice que su padre ha muerto, que su hermano ha muerto, que tiene miedo, que está sola. Goya no entiende una sola palabra. Inés menciona también a una hija suya recién nacida, pregunta dónde está. El perro sigue ladrando. Goya cierra por fin la puerta y calma al animal, que se acuesta a regañadientes.

Goya pregunta a Inés si lo oye, si comprende lo que dice. No hace falta que hable, sólo que mueva la cabeza. Ella así lo hace.

Goya le repite entonces que es inútil que hable, que es sordo desde hace años, que tendrá que escribirlo todo, y le da papel y lápiz.

—Toma, escribe.

Goya despeja una mesa y ella se sienta, pone el papel delante, junto a una vela, y coge el lápiz con la diestra... ¿Escribir? Eso querría. Pero tiene las manos anquilosadas, sin fuerza. Lleva mucho tiempo sin escribir.

—Tómate el tiempo que haga falta —le dice Goya—. Escribe lo que quieras decirme, otra cosa no podemos hacer, yo no oigo nada.

Con pulso tembloroso empieza ella a garabatear unas letras y, mientras, él le pregunta si tiene hambre, sed. Ella deja de escribir, alza los ojos y lo mira. Goya repite la pregunta. Sí, contesta ella, tiene hambre, y cabecea asintiendo.

Goya tiene siempre algo a mano, queso, aceitunas, algún que otro zoquete de pan. Le trae la comida y un vaso de vino. Inés lleva más de quince años sin probar el vino. Pero lo primero que devora es el queso.

–Despacio –le dice Goya–, come despacio.

Pero ella no hace caso. Se bebe medio vaso de vino y sigue escribiendo, ahora más fluidamente. Le pasa la hoja a Goya y éste lee en voz alta:

–«Mi padre ha muerto, mi hermano ha muerto, ¿dónde está mi madre? ¿Y mi hija?»

–¿Su padre ha muerto? –pregunta él.

Ella asiente. Goya se queda sorprendido, apenado. No se atreve a decirle que también su madre murió, que Álvaro desapareció en el mar. ¿Y qué preguntarle? ¿Que de dónde viene? ¿Que cómo han muerto su padre y su hermano? ¡La ve tan débil, agotada, confusa! Inés escribe unas palabras, se interrumpe, come un poco, apura el vino, sigue escribiendo, pide agua; Goya tiene la impresión de que engulliría lo que fuera.

Y le aconseja que no se coma el jamón, las aceitunas, tan rápido. Lee lo que acaba de escribir: «Me torturaron tres veces, confesé, me dijeron que era una hereje...».

Inés lo mira y le pregunta (pero él no oye) qué es una hereje. Goya le hace varias preguntas más, ella no contesta. De pronto le arrebata el papel y escribe: «¿Y mi hija?».

–¿Qué hija? –le pregunta él.

–Mi hija –contesta ella dándose unos golpecitos en el vientre.

–¿Has tenido un hijo?

–Es una niña.

–Tranquila, Inés, tranquila. ¿Cómo una hija? ¿Has tenido una hija en prisión?

–¡Sí! ¿Dónde está? ¡Quiero ver a mi niña! ¿Dónde está?

El pintor está confundido. Su sordera lo irrita. Aquella mujer habla y actúa con desvarío; hambrienta, devora la comida, escupe al suelo los huesos de aceituna, habla y habla de su hija, repite cien veces la palabra. ¿Quién es el padre?, le pregunta Goya. Ella le contesta que un fraile. ¿Qué fraile? Un fraile, nunca supo su nombre. Él piensa en Lorenzo, pero éste lleva quince años desaparecido y no puede tratarse de él.

Goya abre una de las ventanas del taller y se asoma.

–¡Dolores! ¡Dolores! –vocea.

Al momento aparece abajo, en la calle, una mujer de unos cuarenta años, de pelo gris, que se limpia las manos en el mandil. Levanta la vista y pregunta al pintor, gesticulando, qué quiere a esas horas.

Goya le pide que suba corriendo, que la necesita. Ella le contesta que no puede, que está preparando la cena. Él no oye, insiste, que suba, que suba aprisa, que la necesita. Que está cocinando, le repite la otra. Goya cierra la ventana.

La mujer entra en la casa refunfuñando. Vive en la planta baja, en un cuarto y una reducida cocina, con su marido, que vende dulces por las calles, y sus dos hijos. Goya les da un dinerillo tres veces al año para que le cuiden el taller cuando él no está. Dolores pasa la escoba de cuando en cuando. Son viejos conocidos.

Goya vuelve junto a Inés, que sigue garabateando. Le pregunta qué ha pasado con la niña.

–Me la quitaron enseguida, enseguida –dice ella–, se me la llevaron, no sé qué hicieron con ella... Ayúdeme, ayúdeme.

Inés se agarra a él, le suplica, el perro ladra, Goya no oye; a su niña, insiste Inés, quiere a su niña, a su niña, y apura otro vaso de vino, y se levanta, se sienta...

–¡Tiene que ayudarme a encontrar a mi niña! –grita.

En eso entra Dolores –la puerta quedó abierta– y Goya le pide que le eche una mano, que hay que lavarle la cara, el cuerpo a aquella mujer, que traiga toallas, jabón, agua caliente, ella sabrá, que es mujer. Y ropa de abrigo, lo que sea.

Pero quién es, pregunta Dolores, enternecida.

–¡Y qué mal huele la pobre! ¿Es una mendiga? ¿Una loca? ¿O es que la han violado los franceses, como a las mujeres de medio Madrid? ¿Qué le ha pasado para estar así?

Goya no oye, no contesta.

–Deprisa, deprisa –dice–. Es una conocida mía, hija de un amigo muerto. No vaya a coger frío y a morírsenos. Y un médico también haría falta. ¿Hay alguno en el barrio?

Inés sigue preguntando a Goya por su hijita, que se la han quitado, que quiere verla, es lo único que la preocupa; su cuerpo come y bebe por sí solo; ella no se queja, nada quiere para sí. Ah, eso: una hereje, pregunta, ¿qué es una hereje? ¿Y dónde está su hija? ¿Por qué se la han quitado? ¿Adónde se han llevado a su hijita? Dolores, antes de salir a por lo que le han pedido, pregunta a Goya qué hija es ésa. ¿No será suya?

Goya no oye la pregunta; habrá que prepararle a Inés una cama, dice a Dolores, buscarle un sitio donde dormir, un sofá, un jergón, sábanas, una manta. Dolores, buena mujer y la mar de servicial, está hecha un lío. ¡A ver qué hace! Con la cena al fuego que se le va a quemar, un marido que menuda pieza, que venderá golosinas pero él de dulce no tiene nada, y uno de los hijos con diarrea...

Aunque no la oye, Goya la ve agobiada. Toma dos o tres monedas y se las da. Eso lo arregla todo.

–Sí, sí, se hará lo que sea menester, no nos apuremos –dice Dolores más tranquila, y sale a toda prisa.

Goya pregunta a Inés si es verdad todo lo que acaba de decirle.

–Sí –contesta ella moviendo la cabeza repetidas veces–, sí, es verdad.

–¿Lo juras? ¿Juras por Dios que es verdad?

Ella lo jura.

12

Tiempos inciertos, confusos. Los amotinamientos, breves, aislados, eran frecuentes. En Sevilla se instauraba un gobierno español. El rey José, coronado Bonaparte y llamado por sus adversarios «el rey intruso», salía de Madrid cuando Wellington, que había desembarcado en Portugal con tropas inglesas, se acercaba, y regresaba a la villa cuando el inglés, temiendo el invierno, la abandonaba. Rumores de distinta índole se enfrentaban como soldados. La suerte de Europa entera pendía del destino personal de Napoleón, ese prodigio. Nadie sabía dónde amanecerían la justicia, la legitimidad, el orden, el poder. En España, después de Zaragoza, los generales franceses habían tomado Córdoba y Granada, pero era imposible trazar claramente las fronteras que separaban las regiones sumisas de las rebeldes. Los ilustrados tenían motivos tanto para el regocijo como para el desaliento, a veces en una misma semana. Las familias se dividían, los amigos se peleaban. Unos celebraban el fin de la Inquisición, otros multiplicaban las procesiones a tal o cual Virgen.

El Palacio Real de Madrid variaba de dueño y de decoración. Un día sacaban unos retratos y al siguiente metían otros. Bajaban muebles a los sótanos, retiraban los crucifijos y demás objetos religiosos, cambiaban las cortinas y el tapizado de los muebles. ¿Había que sustituir las águilas españolas por las de Napoleón? Era tema de debate. «¿Para qué?», decían algunos. «¡Todos los reyes se creen águilas!» «Sí», contestaban otros, «pero no todos lo son.» Y las águilas también luchan, sí, sobre todo las águilas.

El día en que, pese a sus persistentes temores, José accedió finalmente al trono, un enjambre de solicitantes y pedigüeños se presentó en palacio ya de mañana, reclamando quién una pensión perdida, quién unas tierras ocupadas. Los franceses habían acaparado los empleos y confiscado edificios en virtud del «derecho de conquista». Títulos nobiliarios con doce siglos de antigüedad quedaban conculcados por arbitrio de un simple alguacil, cuerpos de personas asesinadas desaparecían en fosas comunes. A veces no se sabía quién seguía vivo o había muerto.

Una mañana, Goya detuvo el coche no lejos de la entrada principal de palacio y él y Anselmo, el antiguo aprendiz que ahora le hacía de intérprete, se apearon. Contenida por soldados franceses, una multitud se agolpaba ante la verja.

Inés se quedó en el coche. Asistida por Dolores y Josefa, la mujer de Goya, a la que éste refirió el caso, en quince días había recobrado algunas fuerzas. Correctamente vestida, aseada, peinada y bien alimentada, estaba más presentable, a sus treinta y cinco años, si bien su comportamiento seguía siendo extraño y obsesivo. Para solventar el asunto de su hija, sobre el que ella insistía hasta resultar insoportable, Goya había decidido consultar a algún archivero o secretario de palacio sobre el paradero de aquel padre desconocido y culpable que quizá confesara dónde escondía a la niña.

Si eso no daba resultado, lo intentaría con alguien de la Inquisición.

Pero tenía la sensación de dar palos de ciego. Una cosa era segura: pese al tiempo transcurrido, aún se sentía culpable, no de la detención de Inés, sino de haber llevado un día a Lorenzo a casa de Bilbatua. ¿Y si el humillado dominico, antes de que lo expulsaran del Santo Oficio, se hubiera vengado en la persona de Inés, hallando el medio de sepultarla quince años en el olvido antes de huir?

Al llegar a palacio y ver la aglomeración y el tumulto que allí había, pidió a Inés que esperase en el coche y él y su ayudante, rodeando el edificio, se dirigieron a la entrada lateral que un día utilizara para las sesiones de pose. La custodiaba el mismo suboficial de entonces, un español que conocía bien a Goya. Tanto en España como fuera de ella, Napoleón estaba escaso de franceses para ocupar todos los puestos, y ésa fue siempre su queja, cual caprichoso falto de amor, vino o droga.

El suboficial saludó a Goya y sin más dilación los dejó pasar. Se encaminaron a una antesala que al pintor le era familiar, y en la cual hallaron, sentado a una mesa rebosante de memoriales y obsequios (botellas de vino sobre todo), al chambelán que Goya conocía desde sus comienzos, aunque tenía ya el pelo blanco y vestía otro uniforme. Hacía tiempo –desde que no había rey al que retratar– que no se veían.

–¿En qué puedo servirle? –le preguntó el anciano–. ¡Dígamelo pronto, que lo mismo ya no estoy mañana!

Goya tuvo que informarlo primero de su sordera, lo que el chambelán pareció sentir mucho. ¿Cómo era eso? Goya contestó que no tenía tiempo de explicárselo y, yendo al grano, dijo que quería ver a alguien del Santo Oficio.

–¡Pero si los han arrestado! –contestó el chambelán.

–Lo sé –dijo Goya, cuando su ayudante le hubo rápidamente traducido por señas la respuesta.

–¡Incluso han matado a algunos! –exclamó el anciano, casi con deleite.

–Imagino que no a todos, ¿no? –preguntó Goya, previa traducción.

–No, algunos se han librado. Dos de ellos hasta se han disfrazado de mujer y han huido. Los demás esperan juicio a la sombra, eso les sentará bien. Espero que el Altísimo escuche sus oraciones, aunque lo dudo.

Sostener la conversación fue laborioso, pues Goya debía volverse a cada momento hacia Anselmo para que éste le tradujera las palabras del chambelán. Por fin consultó el anciano unos papeles y les indicó en qué prisión estaban confinados los inquisidores bajo autoridad francesa.

–Ahora todo pasa por los franceses, ¿sabe? ¡No hay más remedio! Pero a ver, explíquemelo, ¿qué son los franceses? Hace cuatro o cinco años decían que iban a acabar con todos los tiranos, ¡menuda tarea, dicho sea entre nosotros!, y todo era dar vivas a la República y querer imponérsela a medio mundo... ¡Si hasta a las Antillas mandaban guillotinas!... Y mírelos hoy... Todo para el dichoso corso... ¡Ah, y ése no se duerme! Ayer teníamos un rey que no hacía nada y hoy un emperador que lo hace todo... ¡Si hasta les cambia el nombre a las calles!

Como a la mayoría de los sordos, a Goya lo impacientaba aquel parloteo, del que nada comprendía y que su ayudante, por lo rápido que el chambelán hablaba, no podía traducirle.

Le hizo señas de que hablara más despacio y aun se callara, y le preguntó un par de cosas más. Lo informó el chambelán de que el jefecillo corso, que en todo metía cuchara, había nombrado a un nuevo comisario, o encargado de negocios, no sabía muy bien, el cual acababa de llegar de Francia y cuyo cometido, según tenía entendido, era ocuparse precisamente de los asuntos que al pintor interesaban. Todos los documentos relativos a la Inquisición estarían en su poder.

–¿Y puedo verlo? –preguntó Goya.

–Eso no me lo pregunte a mí.

–¿Dónde está?

–En el Palacio de Justicia, claro. Y puede que en este momento estén ya en pleno juicio.

Dio Goya las gracias al anciano, que debía de lamentar no haber pillado por banda esa mañana más que a un sordo, y salió. Volvió al coche, donde esperaba Inés, y ordenó al cochero ir al Palacio de Justicia lo más deprisa posible.

Otro día de trabajo perdido, se lamentaba Goya, y dos retratos retrasados.

Veinte minutos después llegaban al Palacio de Justicia. Largo rato hubo de negociar Goya para que les permitieran pasar a él y a Anselmo. Su fama le fue útil, como su bolsa. También en esta ocasión se quedó Inés en el coche. Goya le prometió que hablaría con los dominicos, que les preguntaría por su hija, alguno le daría razón. Pero eso llevaría tiempo, quizás una o dos horas.

En realidad no sabía qué hacer. Procuraba tranquilizar a Inés, que se aferraba a él y no tenía a nadie más en el mundo, pero temía que le fuera imposible hablar con los frailes, que en aquel mismo momento, prisioneros y depuestos, estaban siendo juzgados. Pero aunque pudiera hacerlo, ¿qué les diría? ¿Que dónde estaba aquella niña? ¿Y si no eran más que imaginaciones de Inés?

Para entrar en la sala vino en su ayuda un hecho nuevo: los juicios se celebraban ahora a puerta abierta, y la gente de a pie podía asistir a ellos como espectadores. Ese día, como los procesados habían ocupado altos cargos en la Inquisición, la sala estaba repleta, y el público, entre el que seguramente había espías, parecía compuesto en su mayoría por ilustrados y afrancesados que habían ido a ver caer un poder inquisitorial tanto tiempo intocable. Los francmasones madrileños, que por fin podían salir a la luz, lucían sus insignias triangulares, la regla, la llana, el ojo abierto sobre los secretos del mundo, y se saludaban con gestos singulares y aire gravísimo.

Prendidos de paredes y colgaduras, símbolos varios se oponían: águilas españolas contra abejas imperiales, vestigios monárquicos contra imágenes republicanas recién llegadas de Francia, gorros frigios y fasces de lictores, estas últimas en memoria de la Antigüedad, pues los historiadores sabían que España fue romanizada antes que Francia e incluso algunos emperadores romanos mundialmente famosos, como Trajano, era íberos, como entonces se denominaba a los españoles.

Por último, y a mayor abundamiento emblemático, un retrato de Napoleón en uniforme presidía la sala, rodeado de banderas tricolores, justo debajo de una alegoría de la Justicia en mármol blanco, con la balanza y los ojos vendados.

Custodiados por soldados franceses –o quizás españoles, pero con uniforme francés–, los veinticinco religiosos que fueron conducidos a la villa a pie esperaban veredicto sentados en un banco. El padre Gregorio, que parecía hallarse muy débil –quizá fue víctima de alguna agresión–, estaba echado en una camilla de madera, con los ojos entornados y la boca cerrada.

Ante ellos, debajo de una banderola en la que en caracteres tricolores se leían las tres palabras mágicas de los tiempos nuevos, LIBERTAD, IGUALDAD, FRATERNIDAD, se sentaban seis jueces, el mayor de los cuales no tendría cuarenta años. Tres eran franceses, los otros tres españoles, escogidos todos por sus ideas modernas y liberales. Al contrario que los acusados, los seis magistrados se mostraban enérgicos, resueltos, despiertos, seguros de sí mismos.

Por el espacio que mediaba entre jueces y acusados iba y venía el que hacía las veces de fiscal, el plenipotenciario comisionado recién llegado de Francia, y que no era otro que Lorenzo.

Cuando Goya, precedido por Anselmo, que le abría camino entre la multitud, entró en la sala y estuvo lo bastante cerca para distinguir las caras, lo reconoció enseguida. Por un momento se quedó quieto, acometido de una especie de estupor, de incredulidad. Sí, pese a las arrugas que surcaban su rostro, pese al pelo largo que le caía por los hombros, pese a sus ropas lujosas –faja tricolor, calzones blancos, botas lustrosas de cuero nuevo que resonaban al pasearse ante los acusados–, pese a la espada, en fin, que golpeaba contra su muslo, era sin duda Lorenzo. Todo aquel aparato no podía engañar a Goya, cuyos adiestrados ojos reconocían la mirada oscura y penetrante, los anchos hombros, las manos rústicas del antiguo inquisidor auxiliar Casamares; tendría cuarenta y ocho o cuarenta y nueve años.

Lorenzo se movía con desenvoltura y hablaba. Su cuerpo parecía más sólido y erguido. Aunque Goya no podía oír lo que decía, sí veía que se expresaba en voz alta y clara. Demasiado sorprendido para preguntar a su ayudante, inmóvil entre el inquieto público, clavaba su mirada en él, en aquel rostro que un día retratara y que el fuego consumió en un auto de fe.

Hablaba Lorenzo de las ideas de la Revolución francesa, con vehemencia.

–Esas ideas me han abierto los ojos –decía–, como deberían abrir los de todo el mundo, ciegos incluidos. ¿Por qué? En primer lugar porque son humanas. No vienen de leyendas ni de autoridades brumosas, no las ha dictado ningún concilio sectario. Vienen del pueblo, por medio de los representantes del pueblo, que las han concebido y han votado las leyes de ellas derivadas.

Goya se inclinó y, señalando al orador, dijo algo a Anselmo. Éste observó más atentamente a Lorenzo y lo reconoció también. No menos asombrado, se volvió hacia Goya y asintió con la cabeza.

Lorenzo hablaba en español, intercalando alguna que otra palabra en francés, y recibía como lo más natural del mundo el aplauso que a ratos le tributaban el público y los jóvenes jueces.

Anselmo trató de traducir a Goya algunas de las frases, pero era un discurso abstracto, difícil de reproducir con gestos, y Goya le dijo en voz baja que no se molestara.

–Esas leyes –decía Lorenzo–, plasmadas, gracias a Napoleón Bonaparte, en el *Code civil* –lo dijo en francés y luego lo tradujo al español–, y sin las cuales toda vida social será en adelante inconcebible, tienen una doble virtud: son irresistibles y universales. Irresistibles, porque las han establecido los hombres por y para los hombres; universales, porque son lógicas y justas. –Aplausos–. Deben, pues, imponerse por sí mismas a todos los hombres. Claro está, se oponen a múltiples intereses, a egoísmos antiguos, a brutales costumbres de dominación que no pueden destruirse con un decreto, por legítimo que sea. Por lo pronto deben difundirlas y sostenerlas las fuerzas armadas de la Revolución, cuyo brazo victorioso es Napoleón Bonaparte. Pero llegará el día en que triunfen sin esfuerzo alguno sobre la faz de la Tierra, sin necesidad de cañones ni sables. Serán la evidencia del mundo. Todos los hombres, estén donde estén, nacen libres y poseen los mismos derechos naturales. La libertad es el primero de los derechos –y señaló la banderola que colgaba sobre los jueces– y la Revolución no tendrá clemencia con quienes pretendan destruirla. Como proclamó Saint-Just, cuyas ideas pagó con la vida, no habrá libertad para los enemigos de la libertad. He dicho.

Nuevos aplausos y exclamaciones de aprobación resonaron en la sala. Hasta los jueces batían palmas. Goya preguntó en voz baja a su ayudante qué decía Lorenzo para provocar tal reacción. Anselmo, hombre rechoncho y de corta estatura que casi nunca llamaba la atención, hizo una mueca y se encogió de hombros, como diciendo: «Bah, nada de particular».

Lorenzo se adelantó unos pasos hacia el inquisidor. Tumbado en la camilla, ya muy viejo, caídos los pesados párpados, el padre Gregorio Altatorre daba la impresión de no atender al debate, de esperar con resignación su suerte, como si hubiera pasado ya a mejor vida.

Lorenzo, que naturalmente estaba al tanto de la abolición del Santo Oficio, se detuvo ante él, lo miró un instante en silencio y le dijo, recalcando no sin cierta ironía la palabra «padre»:

–Padre Gregorio, personalmente nada tengo contra usted, créame.

El padre Gregorio alzó los párpados muy despacio, como si eso le costara un esfuerzo intenso y continuado; la delgada ranura así abierta dejó ver el clarísimo azul de sus ojos, que se posaron en Lorenzo con una expresión serena que éste recordaba bien. Los dos hombres se miraron un momento en silencio y luego el nuevo fiscal prosiguió:

–Sin embargo, debe comprender que usted encarna a nuestros ojos el más negro y funesto de los oscurantismos, que es usted un apóstol incansable del sectarismo fanático. En tanto inquisidor del Tribunal de la Corte de Madrid, durante mucho tiempo ha sido usted el instrumento de la más severa de las opresiones, a la vez cadena del cuerpo y dictadura del espíritu. Para mí es usted de lo peor que hay en España, y juntamente con sus cómplices será juzgado como merece y según sus actos. –Tomó una hoja de papel de encima de una mesa y leyó–: «Arrestos y encarcelamientos arbitrarios, interrogatorios fraudulentos, sonsacamiento de confesiones mediante tortura, largas reclusiones en condiciones infrahumanas, causantes de numerosas muertes...» –Dejó el papel y preguntó al anciano–: ¿Tiene algo que alegar en su defensa?

El padre Gregorio esperó unos segundos y luego cabeceó débilmente: no, nada tenía que decir.

Y a continuación cerró los ojos.

Lorenzo se volvió hacia los seis jueces y les indicó que podían proceder a la votación. Les fueron distribuidos unos papeles con los nombres de los reos, al lado de cada uno de los cuales debían escribir su veredicto.

Eso llevó más de una hora. Los jueces se levantaban cada dos por tres para cambiar impresiones con sus colegas. Lorenzo se había sentado y consultaba unos pliegos. Se notaba que quería parecer ajeno a la votación, si bien todos los presentes se preguntaban qué habría aconsejado a los jueces, en los pasillos, antes de comenzar la sesión.

Goya pidió a su ayudante que saliera un momento a hablar con Inés. Era de prever que aquello se alargaría e Inés debía ser paciente. De improviso concurría una circunstancia nueva que podía cambiarlo todo.

Un joven reconoció a Goya y pidió que le dejaran un sitio donde sentarse, como se hizo. El pintor no había traído ningún cuaderno y lo lamentó.

De pronto uno de los frailes de más edad sufrió una indisposición y hubo que sacarlo de la sala. Volvió al cabo de diez minutos, muy pálido y con una mano temblando.

Por fin los seis jueces intercambiaron sus respectivas papeletas; uno de ellos las juntó, hizo el escrutinio y comunicó el resultado a los otros cinco. Todos se mostraron conformes. Las sentencias fueron transmitidas a un escribano que, «en nombre de la Declaración de los Derechos del Hombre y del Ciudadano», las leyó en voz alta.

Dos de los frailes de más edad (uno era el de la indisposición) fueron absueltos; que acabaran sus días como y donde quisieran. Seis más, que, como bien sabía Lorenzo (nadie mejor para saberlo), representaban la tendencia menos estricta, más «ilustrada» del Santo Oficio, fueron condenados a penas de cárcel menores. Otros, más conservadores, a penas mayores. Los cinco restantes fueron sentenciados a muerte. El padre Gregorio era uno de ellos.

El público aplaudió y los jueces se retiraron. Algunos jóvenes españoles se apresuraron a felicitar a Lorenzo. La sentencia les parecía ejemplar.

Cuatro soldados cargaron con la camilla en que yacía el padre Gregorio y lo sacaron de la sala pidiendo paso. Algunos le escupieron a la cara, sin que el inquisidor abriera los ojos, pero la mayoría guardó silencio. El resto de los frailes, tanto los condenados a muerte como los otros, lo seguían callados, cabizbajos, rezando.

El público desalojaba la sala. Goya vio venir a Anselmo, que le hacía señas de que todo iba bien, de que Inés seguía en el coche y se había dormido. Mejor, se dijo Goya.

Pensó seguir a los frailes condenados, quizá tuviera ocasión de preguntarle a alguno de ellos sobre Inés y su hija. ¿O sería mejor dirigirse directamente a Lorenzo? Aunque ¿qué podía saber éste, si había estado tanto tiempo fuera de España?

La sala estaba ya casi vacía. Cuando Lorenzo, con unos pliegos bajo el brazo y acompañado de un secretario, abandonaba la sala, Goya se deslizó del banco en el que se había sentado.

–¡Goya! –exclamó Lorenzo al verlo.

Y pasándole los papeles al secretario, se fue derecho a él con los brazos abiertos.

Cuando salió de España, en 1793, Lorenzo no llevaba consigo prácticamente nada. La idea de volver a su pueblo, con su familia, le resultaba insoportable. Partía con un peculio –quizás en parte robado, nunca se supo– que le permitiría subsistir unas semanas, y con un convencimiento vago e inseguro de que Francia era el único lugar al que podía ir.

Allí se encaminó. Marchaba casi siempre a pie, a veces incluso de noche; vivía de la caridad de los hospicios y no pocas veces dormía entre ovejas y cabras. Cruzó los Pirineos de noche, por senderos que le indicaron, y se dirigió hacia París. Volviendo a sus raíces, a veces se detenía unos días en algún sitio y ayudaba en las faenas del campo a cambio de un plato de sopa y unos cuartos. Prestaba atención a lo que oía, empezaba a entender francés e incluso a hablarlo, pues su mente seguía siendo ágil y, sobre todo, curiosa.

Al llegar a París, dos meses antes del comienzo del Terror, le sonrió la buena suerte. Los sirvientes de un palacete del Faubourg Saint-Germain abandonado por los propietarios, nobles que emigraron bajo la Revolución, viéndose en la calle, habían abierto en él un restaurante el año anterior. Se trataba de una moda nueva, nacida de la necesidad. Eran los criados hombres y mujeres del pueblo que utilizaban los altos techos del noble edificio, las arañas, las cocinas y hasta algunos muebles finos (buena parte de los cuales vendieron a unos holandeses a fin de comprar platos y cubiertos) para atraer a esa nueva clientela de vendedores de armas y comerciantes de toda laya que, gracias a la inflación, la guerra y el caos del comercio, asentaban sus reales como amos del mañana y escogían los revestimientos de madera y los dorados del aristocrático edificio como escenario para sus comidas de negocios.

Por delante de este edificio pasaba casualmente Lorenzo un día de gran ajetreo: preparaban un almuerzo improvisado para cincuenta personas y faltaban manos. Un *maître d'hôtel* le salió al encuentro en plena calle y le ofreció trabajo. Lorenzo tenía hambre y aceptó. Lo pusieron a pelar y trocear verduras en la cocina, algo que él sabía hacer desde niño, y degolló y destripó conejos. Luego comió y pasó la noche en una buhardilla.

Al día siguiente los dueños del local, un hombre y una mujer, satisfechos con él, le propusieron que se quedara unos días más. Lorenzo aceptó, pero sin revelarles su identidad, y diciéndoles simplemente que había tenido que huir de España por motivos políticos, lo que le granjeó la estimación de sus patrones. Por cama y comida no pidió nada. Le proporcionaron traje, zapatos y medias, y dos días después estaba sirviendo mesas. No desperdiciaba ocasión de aprender palabras en francés, y las anotaba en papeles que pegaba luego en las paredes de su cuarto para tenerlas siempre a la vista. Una tarde osó terciar en una conversación sobre religión y sobre esos malditos curas que atizaban la guerra en Vendée (aunque la guerra siempre beneficiaba a los proveedores), diciendo que él venía de una tierra donde las autoridades religiosas tenían tales privilegios que el país mismo sufría las consecuencias y se hallaba casi abandonado.

Sus palabras fueron bien acogidas, le ofrecieron un vaso de vino de Champagne, que esa tarde probó por primera vez, y al día siguiente percibía su primera paga.

En las semanas siguientes, con su claro entendimiento y su pasión por saber, que conservaba intactos, fue familiarizándose con la Revolución francesa. Conviviendo con gentes del servicio en las cocinas y a veces en los figones vecinos, adonde iba a echar un trago en sus pocos ratos libres, aprendió a conocer al pueblo, vio su entusiasmo, sus esperanzas, sus dudas, su temor a volver al pasado; habló con ellos, los escuchó, comprendió la fuerza latente de los humildes. Vio que formas de vida antes impensables se abrían ante ellos, vio lo orgullosos que se sentían del derecho a elegir a sus representantes, a pedirles cuentas, a asistir a reuniones, a escribir a los periódicos.

Empezó a leer folletos revolucionarios, compendios de las obras de Rousseau, de Voltaire, y se pasaba noches enteras devorándolos. Ideas que en España, en Madrid, apenas si alcanzaba a concebir secretamente, ahora lo impresionaban y enardecían. Conocía de pronto la fuerza del espíritu humano autónomo, independiente, una fuerza que jamás volvería a plegarse a otra autoridad que la suya propia, ni a tradiciones impuestas, ni a religiones ni creencias de ninguna clase; comprendió cuán fuerte era la razón individual y cuántas promesas encerraba. Hojeó una colección de *L'Ami du Peuple*, el periódico de Marat, que uno de sus colegas del restaurante coleccionaba celosamente. Su espíritu se abrió al instante. Vio brillar una luz que en Madrid ni vislumbraba. Incluso la decapitación del rey, que antes lo había horrorizado, le parecía ahora un accidente ínfimo en el gran movimiento popular que, como a otros, lo arrastraba.

Uno de los *maîtres d'hôtel* lo llevó un día al Club des Cordeliers, sito en un antiguo monasterio franciscano próximo a París, donde pudo escuchar a Camille Desmoulins y a Danton, cuya fisonomía y palabra, encendidas e imponentes, lo impresionaron sobremanera; y, como los demás, caminó sobre las estatuas de santos que cubrían el suelo. Vio también con sorpresa que la gente participaba de manera directa con gritos, cantos, puños en alto, protestas; que el pueblo, en fin, se manifestaba abiertamente y trataba de igual a igual a los paladines del momento, algo inimaginable en España y menos aún en las jerarquías del Santo Oficio.

Una mañana, al alba, después de una noche en vela, perdió la fe. Ocurrió de repente, fue como una revelación. Comprendió que había estado viviendo entre tinieblas informes, cuyo origen, utilidad, artificio y vanidad se le hacían de pronto patentes. Discernió de golpe lo mítico de lo racional, y supo que en realidad el ser humano venía de la nada e iba a la nada, que todo su destino, su dignidad, su fuerza dependían de lo que viera e hiciera en ese breve tránsito, y no de la ilusión, grandiosa pero falsa, de una vida eterna.

Era en este mundo, pues, donde había que actuar, donde había que realizar la salvación y la dicha.

A partir del mes de octubre, como su francés mejoraba rápidamente y el Terror, que al principio le pareció necesario, iba extendiendo sus tentáculos por todo el país, empezó a enviar a los periódicos artículos que firmaba «El campesino», «El murciano» o «Un inquisidor arrepentido». En casi todos ellos se presentaba como un pobre labriego español que, en su oscuro y oprimido terruño, soñaba con la Revolución. Y cuando firmaba como ex inquisidor, se remontaba a consideraciones de orden religioso o teológico, dominio en el que sobresalía, y con ingenio y erudición echaba por tierra las pirámides de la fe.

Un día de diciembre se decidió a tomar la palabra en el Club des Cordeliers y habló enérgicamente de cosas que conocía: la triste situación de la monarquía española, un imperio colonial que se deshacía, el empobrecimiento irreversible del país, y los métodos de la Inquisición, que él mismo había endurecido, aunque esto se guardó bien de decirlo.

Fue aplaudido. Tres días después volvió a hablar, esta vez de los pueblos conquistados y sometidos a los que se obligaba a profesar el cristianismo bajo amenaza de exterminio. Fouché, que se hallaba presente, reparó en él y pidió verlo. Lorenzo le contó su vida, quién era y por qué a raíz de los recientes acontecimientos se sentía hacía meses un hombre nuevo, deseoso de trabajar por el progreso del mundo. Dijo que lo habían expulsado de la Inquisición, lo cual redundaba en su favor, pero no explicó por qué; sólo habló de una discrepancia profunda e irreconciliable con un tribunal del Santo Oficio. Por esta ruptura lo felicitaron.

Fouché, que lo apreciaba, le aconsejó ser prudente, y Lorenzo pudo pasar así sin inquietud los primeros meses del año 1794, los más duros y peligrosos del Terror. Como muchos otros, de enero a julio se dejó ver poco, viajó por provincias, se enroló incluso en una compañía de granaderos, combatió tres meses en La Lorena, fue herido en el brazo y volvió a París en un carro.

Cuando estalló la guerra con España se hallaba casi restablecido; salió del hospital con credenciales de republicano y se hizo pasar por muerto. No quería verse envuelto en aquella guerra ni aun de lejos.

Fouché le encontró un empleo modesto, aunque bien remunerado, como secretario de asuntos exteriores. Lorenzo dejó el restaurante –al que como cliente había de volver años después muchas veces– y pasó discretamente y sin tropiezos la época de las ejecuciones de Danton, Robespierre y demás. En el año que llevaba en París no llegó a relacionarse con ellos, de modo que nadie lo molestó.

Conoció al abate Grégoire, que en ese momento elaboraba el proyecto de ley merced al cual por primera vez en la historia la esclavitud sería oficialmente abolida... aunque por poco tiempo, puesto que Napoleón no tardó en restablecerla en las Antillas. Los dos hombres, afines por formación religiosa, simpatizaron. Era el abate Grégoire gran admirador de Bartolomé de Las Casas, en cuyo *Elo-*

gio trabajaba. Lorenzo lo aprobaba y le facilitó detalles sobre las particularidades de los dominicos españoles.

Durante el periodo del Directorio se acercó poco a poco al verdadero poder. Aunque aún hablaba francés con acento español, lo escribía correctamente. Contrató incluso preceptores y jóvenes estudiantes que lo ayudaron a penetrar las sutilezas del idioma. Copió páginas enteras de Diderot y de Rousseau. En los tiempos difíciles –que los tuvo, como en 1794–, daba clases de español, traducía novelas picarescas y obras de Lope de Vega, a las que imprimía un carácter y un tono revolucionarios.

Bajo el Directorio, y pese a la caída de los extremistas, siguió defendiendo vigorosamente en la prensa las mismas ideas revolucionarias. Cierto que la Revolución había cometido excesos deplorables, decía, pero los errores y la ambición de unos cuantos no invalidaban los inmutables principios que muy, muy pronto harían felices a los pueblos. Debía reconocerse que las situaciones críticas requerían medidas excepcionales, y que depositar la confianza en el pueblo y sólo en el pueblo, por excelente que éste fuera, tenía también sus riesgos.

Vio con agrado que Francia y España firmaban un tratado de paz tras una guerra inútil.

Fouché lo recomendó a Barras, uno de los promotores del golpe de Estado del 18 Brumario que puso al general Bonaparte en camino de hacerse con el poder absoluto. Lorenzo se entrevistó brevemente con el primer cónsul, el cual, informado de su pasado inquisitorial, lo nombró «consejero para asuntos religiosos» durante las negociaciones previas a la firma del Concordato. También tuvo ocasión de entrevistarse con el Papa, aunque éste sólo le dirigió unas palabras; no le dijo Lorenzo que fue miembro del Santo Oficio español, pero era evidente que el Santo Padre lo sabía.

Por entonces, y a instancias de Barras, que pensaba que uno de los mayores errores de Robespierre fue haberse quedado soltero y aun no haber conocido hembra en su vida, Lorenzo se casó con la hija de un burgués de Reims, tratante en tejidos que proveía de polainas a la infantería de campaña. Rubia, un tanto insípida pero graciosa, de dentadura irregular, la joven le aportó una bonita dote y le enseñó buenos modales. Barras no le dijo que la joven, como tantas otras, había sido amante suya; Lorenzo lo sospechó, pero no le importaba.

La pareja se instaló en un apartamento próximo a las Tullerías y contrató a tres sirvientes. Lorenzo sabía disimular su carácter autoritario y se mostraba transigente, en ocasiones incluso benévolo; organizó recepciones, trabó amistades y adquirió fama de persona brillante, cultivada y afable, aunque algo ruda y a veces irónica, que supo salir de una infancia pobre en España y de otras situaciones difíciles y convertirse en un hombre de los nuevos tiempos, que gozaba de lo que se llamaba «una posición envidiable».

Así, en el curso de los primeros años del Imperio, consolidó su reputación, trabajó sin descanso y desempeñó con talento dos misiones oficiosas cerca del Vaticano que le valieron felicitaciones por escrito del mismo Napoleón.

Por mediación de un mercader de Toulouse pudo enviar dinero a su familia en Murcia, aunque ocultando cuidadosamente sus señas. Por lo general se hacía llamar Laurent.

Cuando en 1808 la situación en España se complicó, con la consiguiente entrevista en Bayona y la entronización de José, fue consultado en numerosas ocasiones. Al principio, en los años 1795 y 1796, al término de la guerra con

Francia, había esperado que en España se estableciera una república hermana y el poder, previas elecciones, recayera en los ilustrados. Al mismo tiempo, tampoco se le ocultaban los obstáculos que se oponían a esa república súbita y artificial en un país aún oscuro y retrógrado. Por eso acabó convenciéndose de que, al igual que otros países europeos, y al menos de momento, España debía seguir siendo una monarquía, y arrinconó sus ideales republicanos, aunque sin dejar por ello de serles fiel en su fuero interno.

No estaba ciego: veía claramente que Napoleón, el nuevo hombre fuerte, pese a sus orígenes revolucionarios no pensaba sino en un sistema político fundado en su único y exclusivo poder personal, como corroboró el hecho de proclamarse emperador en 1804.

Con admiración y estupor, como todo el mundo, asistió al fulminante albor del nuevo Imperio. En Bayona formó parte del séquito de Napoleón y dio su parecer cuando se lo solicitaron. Conoció por separado a Carlos IV y a su hijo Fernando, y ambos, que no lo conocían, quedaron impresionados por su excelente dominio del español y su conocimiento de la cocina y las costumbres de la península, diciendo –la frase anduvo de boca en boca– que el emperador sabía muy bien de quién se rodeaba.

Cuando se barajó la posibilidad de nombrar a José Bonaparte rey de España, le pidieron su parecer. Dadas las circunstancias y la evidente debilidad de los dos pretendientes españoles, padre e hijo, cuyo recíproco aborrecimiento era del dominio público, contestó, elegir tanto al uno como al otro acarrearía una guerra civil larga y cruenta que obligaría a Francia a una intervención masiva.

Por lo tanto, añadió, optar por un hombre como José Bonaparte, que tenía experiencia del poder real y, por no pertenecer a facción alguna, sería sin duda imparcial, le parecía una feliz idea.

Y se brindó incluso a ayudar al nuevo soberano si llegara el caso.

Como tenía dotes de persuasión, fue escuchado, esta vez por el propio emperador y sus principales consejeros, que lo recibieron en audiencia durante más de una hora. Acabada la entrevista, lo retuvo Napoleón unos minutos más y, ya a solas, quiso saber con exactitud qué tormentos se infligían, en qué casos podían considerarse creíbles las confesiones, qué influencia seguía ejerciendo la Inquisición en España, qué relaciones mantenía el Santo Oficio con la corona y la Santa Sede, por qué conductos se comunicaban...

Lorenzo contestó lo mejor que pudo. Napoleón, que dijo haberlo reconocido aunque sólo lo vio un momento cuando las negociaciones del Concordato, le dio las gracias y al despedirlo le puso la mano en el hombro. Para el humilde campesino murciano y antiguo camarero de un restaurante parisino, eso fue una experiencia inolvidable, que seguramente le recordó aquel otro encuentro colectivo en Roma de hacía más de veinte años, en el que el Papa lo llamó «soldado de Cristo».

Unos meses después, sin haberlo solicitado, Lorenzo Casamares se hallaba en Madrid con el impreciso título de «consejero especial para asuntos españoles», cuantiosos honorarios y unos poderes cuyo alcance ni él mismo conocía.

13

Lorenzo y Goya caminan por un pasillo del Palacio de Justicia. Anselmo, el ayudante-intérprete, trata de meterse entre los dos para no perder el contacto.

Lorenzo parece alegrarse sinceramente de ver a Goya y lo tutea. El pintor está contándole cómo ensordeció quince años antes en Cádiz, que oía ruidos, que sufría jaquecas y alucinaciones, que ha vivido los últimos quince años sumido en un perfecto silencio. Y le habla también –poco– de su trabajo. A su vez, Lorenzo le cuenta que conoció al pintor David en París, aunque a él no pudo encargarle un retrato, por no tener –ni mucho menos– dinero suficiente. Goya ha oído hablar de David, que como él ha pasado tranquilamente de un régimen a otro, pero apenas lo conoce, como apenas conoce a otros pintores famosos, vivos o muertos.

Los cuadros originales viajaban poco. Goya no vio de cerca más que los de algunos pintores italianos en su juventud. De Rembrandt, por ejemplo, o de Poussin, sólo podía formarse una idea por grabados de sus obras que a menudo dejaban mucho que desear.

–Han cambiado tantas cosas en nuestras vidas, y en tan poco tiempo –le dice Lorenzo invitándolo a entrar en una vasta pieza que le sirve de despacho–. ¡Qué extraña es la vida, cuántas vueltas da el mundo!... Siéntate,

Francisco... ¿Quién iba a decirme que algún día volvería a mi tierra para defender los principios de la Revolución francesa?

Goya se sienta en la butaca que le indica. Mira alternativamente a Lorenzo y a su ayudante, que permanece de pie. Lorenzo se explaya transmitiéndole su antigua admiración, que no ha decaído, y su amistad. Es, le dice, el artista español más grande después de Velázquez, aserto que Goya rechaza agitando las manos. Sí, sí, el más grande, insiste Lorenzo, sin disputa. Y no solamente el más grande: el único.

–¿Y sabes que te debo dinero? –le dice de pronto.

–¿A mí? –pregunta Goya tras mirar al ayudante.

–A ti.

–¿Y por qué?

–No te pagué el retrato.

–Lo quemaron –dice Goya.

–Sí, ya me enteré. Pero eso da igual, te lo debo.

Goya se niega agitando de nuevo las manos. No se hable más.

–Aunque –dice Lorenzo sonriendo– no sé dónde podría colgarlo ahora.

También Goya hace un esfuerzo por sonreír. Porque a ese hombre de mirada oscura que tiene delante y que tan cómodo parece en su nuevo atavío, que ha cruzado las piernas y puesto la mano izquierda sobre unos pliegos, y a ratos sacude su luengo pelo, lo tiene él calado: sabe que es cautivador y persuasivo, pero peligroso.

–¿Has venido al juicio por curiosidad? –le pregunta el nuevo consejero para asuntos españoles.

–No –contesta Goya moviendo la cabeza.

–¿Sabías que estaba yo?

–No. Yo ya no me entero de nada, vivo aparte, hablo con poca gente.

–¿Querías algo?

–Sí –dice Goya.

–¿Algo de mí?

–Quizá.

La conversación discurre con bastante lentitud. Las frases tardan en ir y venir.

–Tú dirás. Comprenderás que no me sobra el tiempo, pero me alegro mucho de verte y haré lo que pueda por ti, te lo prometo. Dime.

Goya se arma de valor y decide revelarle a Lorenzo el motivo de su visita: busca a alguien.

–¿A quién?

–¿Recuerdas a aquel rico comerciante que nos invitó un día a cenar en su casa y te obligó a confesar..., lo recuerdas?

–¿Cómo iba a olvidarme? –contesta Lorenzo sin dejar de sonreír–. Fuiste tú quien me llevó, y te la tuve jurada mucho tiempo. ¿Cómo se llamaba?

–Bilbatua, Tomás Bilbatua.

–Eso, sí, un vasco... Que tenía un montón de cuadros... ¿Y bien? ¿Qué es de él?

–Murió.

–No lo creerás, Francisco, pero lo lamento de veras. ¿Y hace mucho de eso?

–Unas semanas. Tenía una hija.

–Una hija, claro –dice Lorenzo, sin perder el dominio de sí mismo–, una hija joven y muy bonita, la recuerdo. La pobre estaba presa... Por eso quería verme su padre, ¿no?

–Sí.

—¿Y bien?

—Está sola y necesita ayuda.

—Pues que venga cuando quiera.

—Está ahí —dice Goya.

—¿Dónde?

—En mi coche, en la calle. Yo la recogí cuando la liberaron.

—¿Y cuándo fue eso?

—No hace mucho.

—¿Y ha estado encerrada hasta ahora?

—Sí.

—¡Qué vergüenza! ¡Vamos, ve ahora mismo a buscarla!

No esperaba Goya arranque tan generoso y apremiante, al parecer sincero, y dice a Anselmo que vaya por Inés. El ayudante sale. El diálogo se vuelve entonces más difícil. Lorenzo empieza a decirle algo a Goya en voz muy alta, pero éste alza la mano y lo interrumpe:

—No, no, no grites, que no oigo —le dice—. Mírame a la cara y habla despacio, vocalizando.

—¿Así? —pregunta Lorenzo mirando al pintor, que observa sus labios.

—Sí, así, muy bien.

—Todo se lo debo a ese hombre.

—¿A quién?

—A ese vasco, a ese comerciante... Todo.

—¿A él?

—Sí, a él. Por él me echaron de la orden, por él huí, por él me fui a Francia, por él lo vi todo claro.

Y en pocas palabras le cuenta dieciséis años de su vida, lo que vio e hizo, cómo perdió un día la fe que lo había impulsado desde niño, cómo comprendió lo equivocado que hasta entonces había estado. Se remanga y le enseña la cicatriz del brazo:

—Mira —dice—, incluso he vertido mi sangre por la Revolución. ¡He sido bautizado por segunda vez! ¡Y me he casado! ¡Sí, yo, que hice voto de celibato, me he casado, y con una francesa! ¡Tengo que presentártela! Tres hijos tenemos, los espero de un día a otro, ya los conocerás. Tengo una idea: nos harás un retrato, un bonito retrato de familia, ¿qué me dices? Y esta vez tendrás que pintar diez manos, contando las mías, ¡diez! Puedo permitírmelo, te lo aseguro.

Y sigue hablando. Dice que ha conocido a Napoleón y que su mirada es de las que no se olvidan (eso comentan en media Europa, incluso los que nunca han cruzado sus miradas con la de él); que su hermano José es un hombre de gran valía, leal, honrado, amante del arte (piensa crear un gran museo público en Madrid, a imagen del Louvre), una persona sencilla con quien da gusto trabajar y al que la pobre España debería acoger con júbilo y agradecimiento, en lugar de volverle la espalda.

Pero ya llegará, en eso confía. No hay más que ver cinco minutos a Fernando, ese hombre de medio pelo, para comprender que únicamente traerá desgracias, ignorancia, crueldad y la penuria de siempre; a ese reyezuelo, a ese tirano nato, a ese engendro de la naturaleza, habría que borrarlo definitivamente del mapa, como a tantos otros; pisotearlo, aplastarlo como a un gusano o insecto ponzoñoso. La oportunidad de ser libres no se presenta así como así y hay que aprovecharla, dice Lorenzo, que se sabe al dedillo mil frases por el estilo.

Pero no hablan del juicio que acaba de celebrarse, de ese tribunal sin duda improvisado y ese fallo previsto de antemano, del anciano al que han condenado a muerte. Como de costumbre, Goya se muestra muy prudente en este tipo de cosas. Nunca se sabe.

Llaman a la puerta.

–¡Adelante! –vocea Lorenzo.

Es el ayudante, que vuelve en compañía de Inés. Está pálida y débil, lleva el pelo limpio y peinado, y un vestido de Josefa que le está holgado y con el que no parece a gusto. Ver a Lorenzo, reconocerlo y, rígida y muda, quedarse mirándolo fijamente, es todo uno. En cambio, Lorenzo la mira a ella con amable interés, aunque no parece reconocerla. Con ademán afable se inclina ligeramente, se presenta y dice sentir mucho la muerte de Tomás Bilbatua, de la que acaba de enterarse; él lo conoció en otro tiempo, añade.

–¿En qué puedo servirla? –pregunta.

Inés, que ha permanecido inmóvil, se abalanza hacia Lorenzo y, salvando en dos zancadas los cuatro o cinco metros que de él la separan, se arroja a sus pies, le toma las manos y empieza a besárselas.

Desconcertado, él trata de desasirse y le dice que basta, que se calme. Pero ella, que le tiene las manos firmemente cogidas, sigue besándolas.

–Por favor –dice él–, por favor... ¿Qué le ocurre? Dígame, ¿qué puedo hacer por usted?

–¿Dónde está nuestra hija? –le pregunta Inés.

Lorenzo le pide que repita, ella vuelve a preguntar:

–Nuestra hijita, ¿dónde está?

Lorenzo mira a Goya como pidiéndole ayuda, una explicación.

–Desde que está conmigo no hace más que hablar de una hija –dice Goya.

–¿Una hija?

–Sí, una niña que al parecer le quitaron.

–¿Cuándo?

–No lo sé.

Lorenzo se vuelve a Inés y con voz dulce le pregunta cuánto tiempo ha pasado en los calabozos del Santo Oficio. No lo sabe, contesta ella tras un silencio, mucho, sí, eso es, mucho tiempo. Y siempre estaba a oscuras, salvo cuando iba a misa, una vez por semana, o con buen tiempo paseaba en silencio por el claustro.

–¿Y dice usted que tuvo una hija en prisión?

–Una niña, sí.

–¿En prisión?

–Y se me la llevaron. Y quiero saber dónde está mi hijita..., nuestra hijita.

–¿Nuestra hijita?

–Sí, una niña pequeña.

Goya, que no puede seguir la conversación, pide explicaciones a Anselmo. Éste, con unos cuantos y claros gestos y moviendo los labios, le da a entender que, según Inés, Lorenzo es el padre.

–¿Cree usted que yo soy el padre de su hija? –es precisamente lo que Lorenzo pregunta a Inés.

–Sí –dice ella con energía–, sí, tú.

–¿Y qué le hace creer eso?

–Eres el único hombre al que he conocido.

Lorenzo cabecea lentamente y una repentina tristeza nubla su rostro. En silencio, se queda mirando largo rato a Inés, que, frente a él, respira aceleradamente. Luego le dice, con voz opaca y sin intención de herirla:

–Hace dieciséis años que salí de España, ¿cómo voy a ser el padre de una niña?

—Es nuestra hija –repite ella–, nuestra niñita, tuya y mía.

—Sí, sí, claro... –murmura él, acariciándole suavemente el pelo.

—Dime, ¿dónde está nuestra niña?

—Tranquila, Inés, tranquila; ahora mismo me ocupo de eso.

Se dirige a una puerta, la abre y hace una seña. El secretario se presenta casi en el acto. Lorenzo le dice algo que nadie oye y el otro se retira. Se queda un instante junto a la puerta entreabierta y, desde ahí, sonríe a Inés.

—Asunto arreglado. Un momento –le dice.

Inés lo mira como hipnotizada, y su mirada fija, y sus manos juntas, la asemejan a una de esas santas en éxtasis de los cuadros antiguos. ¡Qué milagro es volver a verlo!, parece decir. Ahora todo irá bien. Y ríe. Se acabaron los años oscuros, míseros y solitarios, los años durísimos.

¿Cuántos, exactamente? No lo sabe, no ha podido contarlos; muchos. Pero por fin lo ha encontrado, está ahí, con otra ropa, con el pelo más largo, pero es él, él.

En eso aparecen, precedidos por el secretario, dos hombres de uniforme y armados. Lorenzo les dice algo en voz baja, se dirige a su mesa, en un papel escribe unas líneas, firma y se lo entrega al secretario; y todo eso bajo la atenta mirada de Inés, que no le quita ojo.

Lorenzo se vuelve hacia ella, sonriendo a medias, y en actitud tranquilizadora le dice:

—Siga usted a estos dos hombres, ellos la ayudarán a encontrar a su niña. ¿Me entiende? Ellos la ayudarán. Vaya con ellos, haga lo que le digan y todo irá bien...

—Sí, todo irá bien –dice Inés.

—Todo irá muy bien, ya verá. Vaya, confíe en ellos.

–Sí.

Ella hace ademán de cogerle la mano y besársela, pero él la retira rápidamente.

Inés se dirige entonces hacia los dos hombres armados, que aguardan. El secretario les dice unas palabras y ellos, cada uno por un brazo, cogen a Inés y la conducen hacia la puerta sin que ella se resista. Antes de salir, Inés se vuelve hacia Lorenzo y le sonríe: está radiante. Se la llevan.

El secretario cierra la puerta. Lorenzo se sienta en su butaca, frente a Goya. Parece abatido, consternado.

–¡Qué lástima! –dice.

–¿Qué? –pregunta Goya.

–Digo que qué lastima. Francisco, ¡qué bárbaros éramos! No hay otra palabra, bárbaros. ¡Cómo tratamos a esa mujer! A ella y a los demás. Y ahora ahí están: locos.

–¿Cómo? –pregunta Goya.

–Digo que por culpa nuestra han acabado locos. Era la única alternativa que les quedaba, el único modo de aguantar, de sobrevivir: perder la razón. ¿Te das cuenta?

–¿De verdad crees que Inés está loca? –le pregunta Goya.

–Es obvio –contesta Lorenzo–. Ese disparate de que en prisión ha tenido una niña conmigo, que llevo en Francia no sé cuánto tiempo, y esa mirada alucinada, ese besuquearme las manos... Me he visto como era antes, Francisco, incluso me he sentido culpable.

–¿Se lo ha inventado? –pregunta Goya.

–Inventado no es la palabra... No sabría cómo decirlo. Se le ha metido en la cabeza, no me preguntes por qué. El caso es que está convencida. ¿Por qué una hija? ¿Y por qué conmigo? ¡No sabría qué contestar! En otro

210

tiempo te habría dicho: muy simple, el diablo. Pero ahora el diablo ha muerto y ya no sabemos nada.

–¿Puedo decir algo? –pregunta Anselmo, el intérprete.

–Desde luego.

–Quizá no esté loca, loca de verdad. Supe de un caso parecido, un tintorero de Segovia. Una vez se cayó del caballo y fue como si su vida se detuviera ese día.

–¿Qué quieres decir?

–Que para él no pasaba el tiempo, parecía vivir siempre en aquel día.

–¿Cómo que para él no pasaba el tiempo? ¿Que no le salían arrugas ni canas?

–Sí, claro que le salían, como a todos. Pero él no se daba cuenta. Todos los días eran para él el mismo día. Sin embargo, en todo lo demás era normal.

–¿Y qué tiene eso que ver con esta pobre mujer? –pregunta Lorenzo.

–Supongamos que le quitaran a la hija –contesta Anselmo–, no sé cómo, pero bueno, supongámoslo. Pues ese día su vida se detuvo. Quizá fue hace mucho, pero ella sigue buscando a su niña.

Lorenzo mira a Goya, que con un gesto indica no haber comprendido bien. Sea como sea, observa aquél tras una pausa reflexiva, esos casos deben de ser muy raros.

–Muy raros, sí –dice Anselmo–, pero se dan. La prueba es que yo conocí uno.

–Estoy casi seguro de que son imaginaciones de esa mujer –dice Lorenzo poniéndose en pie. Da así a entender que lo aguardan asuntos serios y que ya ha perdido bastante tiempo con ese caso que bien podrían haberle ahorrado.

Acompaña a la puerta a Goya y a su ayudante y pide al primero que le deje sus señas. En cuanto tenga un momento se pasará a verlo, le promete, y concertarán lo del retrato de familia. Su mujer está al caer. Un retrato con los hijos, Goya pinta divinamente a los niños.

Al despedirlo, le dice que se quede tranquilo y no se preocupe por Inés. La tratarán muy bien, le da su palabra.

En espera de que los ejecutaran, el padre Gregorio y los demás condenados a muerte fueron confinados en una prisión situada debajo del antiguo Palacio Real, no lejos de la Plaza Mayor. En ese mismo edificio estuvo también preso Francisco I, rey de Francia, en el siglo XVI, aunque él en los pisos superiores, lujosa y confortablemente amueblados. Al ex inquisidor Gregorio Altatorre y al resto de los frailes los relegaron a los sótanos, infestados de pulgas y ratas, donde esperaban la muerte en fecha aún no precisada.

No habían pasado diez días desde su encuentro con Inés cuando allí se presentó Lorenzo, sin decir nada a nadie y valiéndose de un pase que él mismo había extendido y firmado. Se hizo conducir a la celda del padre Gregorio, quien yacía sobre un jergón en el suelo, con los ojos cerrados y envuelto en su hábito dominico hecho jirones. A una señal de Lorenzo, el carcelero cerró la puerta y los dos hombres quedaron solos. Lorenzo se acercó a aquel anciano que parecía olvidado del tiempo. Abrió éste los párpados, y el visitante volvió a sentir clavados en él aquellos palidísimos ojos azules. Así transcurrieron en silencio unos segundos, tras los cuales el padre Gregorio entreabrió los labios y preguntó:

–¿Ya?

–No –contestó lacónicamente Lorenzo.

Entonces, ¿a qué ha venido?, parecía ser la pregunta siguiente. Pero el anciano fraile no la formuló. No era preciso, la respuesta vendría por sí sola.

Y aguardó en silencio. Curiosamente, era el poderoso Lorenzo quien parecía turbado. Varios días le costó decidirse a dar aquel paso, y ahora, frente a su antiguo maestro enfermo y paralizado, frente a aquella mirada que parecía contemplar las miserias del mundo como meros accidentes en el orden eterno, no sabía qué decir. Aunque días antes hubiera condenado fríamente a aquel anciano a una nada en la que, según decía y enseñaba en otros tiempos, lo esperaba otra vida radiante y perdurable, algo quedaba del afecto e intimidad que antaño hubo entre ellos.

No venía a título oficial, dijo finalmente a Gregorio. Éste cerró un instante los párpados; eso ya lo había comprendido.

–Querría hablarle de un asunto personal.

–¿Cuál? –preguntó el anciano.

Lorenzo, que no sabía muy bien cómo empezar, arrimó una banqueta al jergón y se sentó. Tampoco tenía mayor importancia, dijo, era un asunto como cualquier otro.

–En tal caso –dijo el padre Gregorio–, ¿por qué consultarme?

Si tan poca importancia tenía, parecía decir, ¿por qué se molestaba, por qué perdía su tiempo en ir a verle? Y tenía razón, claro.

Lorenzo conocía su torpeza y se avergonzaba. ¡Cuántas veces no le habría dado aquel hombre que no podía moverse y pronto iba a morir ejemplo de inteligencia, rigor y claro juicio! ¿Acaso no habría podido el anciano fraile echarle en cara mil cosas, llamarlo asesino, maldecirlo, guardar un silencio desdeñoso?

Pero no: afectaba indiferencia y una fría ecuanimidad.

—Contésteme si puede —dijo Lorenzo, decidido a franquearse—, usted debe de conocer la respuesta.

—Para usted esa respuesta es importante, ¿verdad?

—Sí.

—¿Se trata de su hija? —preguntó Gregorio.

—Dígame qué ocurrió —dijo Lorenzo.

El anciano ladeó con esfuerzo la cabeza y lo miró a los ojos.

—Si se lo digo —preguntó—, ¿salvará lo que me queda de vida?

Es lo que Lorenzo había esperado que le pidiera, aunque no supiese de qué talante encontraría a su antiguo maestro: dignidad ofendida, inamovible frialdad o, por el contrario, flaca voluntad de última hora, como parecía ser el caso. Dejó pasar unos segundos y contestó:

—Sí.

—¿Me lo promete?

—Se lo prometo.

Una sonrisa pareció retozar un instante en los labios del fraile.

—¿Puedo fiarme... de un mono?

Al oír esa cruel impertinencia Lorenzo creyó haber caído en una trampa, una trampa que el anciano le había tendido para vengarse y en la que reconocía la sutil dialéctica de antaño, que también a él le habían enseñado y tan útil le había sido en su carrera política. Pero aunque sólo fuera un juego, un simple duelo verbal, se reconoció perdedor y a punto estuvo de levantarse y marcharse.

No lo hizo. Resolvió quedarse y hasta correspondió a aquella esbozada sonrisa con otra de oreja a oreja.

–Sí, puede –contestó.

–Ayer lo habría jurado por la cruz –dijo el padre Gregorio–. ¿Por qué puede jurarlo hoy?

–Por nada –contestó Lorenzo–, quiero decir: por nada que a usted convenza. Solamente puedo darle mi palabra, hacerle una promesa.

–¿Qué es para usted sagrado ahora?

–¿Sagrado?

–Sí, sagrado, intocable, indiscutible...

Lorenzo reflexionó un instante y contestó:

–La libertad de los hombres.

–¿Y eso qué quiere decir?

–La libertad para adoptar ideas y creencias, para disponer de la vida y el cuerpo propios.

–¿Jura por esos valores? ¿Los toma por garantes de su palabra?

–Sin dudarlo.

El anciano volvió la cabeza a su posición original y preguntó:

–Ese hijo, ya no lo recuerdo, ¿era niño o niña?

–Niña.

–En ese caso –dijo el padre Gregorio cerrando los ojos–, seguramente la enviamos al convento de Santa Lucía.

–¿Al convento que hay cerca de Cáceres?

–No conozco otro.

Hasta cuatro semanas después no pudo Lorenzo tomarse unos días de asueto. En Madrid todos parecían necesitarlo. A caballo entre el pasado y el presente, a la vez español y francés, gentil y severo, locuaz y reservado, era el hombre fuerte del momento. Veía a menudo a su apreciado rey José, y lo animaba a seguir adelante pese a las frecuentes y no pocas veces cruentas refriegas que en provincias se producían entre milicias de uno y otro bando.

Cuando se puso sobre el tapete la idea de fundar un museo en Madrid, José Bonaparte le pidió que lo acompañara a las galerías reales para elegir los cuadros. Y como asimismo parecía conveniente que hubiera un retrato oficial del nuevo rey, Lorenzo recomendó sin vacilar a Goya, cuya obra, sin embargo, con ser gran entendido y tener buen gusto en materia de pintura, José sólo conocía de oídas.

Pero la visita a las colecciones reales tenía también otro objeto: el de llevar a Francia una serie de obras con las que crear allí un segundo museo. Después de todo, decían los cortesanos más fiados en la nueva dinastía, España debía mucho a Napoleón y a Francia, que la liberaron de la tiranía a costa de la sangre de sus soldados. ¿No era lógico, pues, corresponder con algunas piezas de aquel tesoro artístico al que nadie tenía acceso? ¡Que también las disfrutara el pueblo... francés!

Es lo mismo que ya hiciera Napoleón en Italia, cuando sólo era general, y en otras partes. Los libertadores de los países oprimidos son también sus saqueadores: aquí os traigo los derechos del hombre, pero me llevo vuestro patrimonio.

Cuarenta cuadros tomaron del Escorial, quince de Aranjuez, y todos fueron colgados provisionalmente y a buen recaudo en distintas salas del Palacio Real de Madrid, entre las obras ya existentes.

Se procedió entonces a la real revista, en la que, además de José y de Lorenzo, participaron varios ministros, dos historiadores de arte afrancesados y unos cuantos privilegiados amigos. Ante las obras menores pasaron de largo, se detuvieron delante de varios cuadros de Velázquez, al que José dijo admirar, si bien calificándolo con una sonrisa de «pintor de enanos», y sucesivamente contemplaron obras del Greco, de Ribera y de Murillo. Permanecieron largo rato ante *El jardín de las delicias* de Hieronymus Bosch, El Bosco para los españoles. José Bonaparte, que no conocía el cuadro, pareció sorprendido ante aquel abigarramiento de colores.

–¿Qué es esto? –preguntó.

Lorenzo tuvo a mucha honra contestar. Más de dos siglos llevaba aquel cuadro en España, junto con otras obras del mismo autor. A Felipe II le placía en extremo y le compró más de veinte cuadros.

–¿Al mismo pintor?

–Sí, majestad.

–¿Y éste qué representa?

–Se trata de una obra de la imaginación –contestó Lorenzo– y no es fácil de interpretar. Reconozco que es bastante extraña. Pero El Bosco era flamenco, y todos los pintores flamencos son un poco raros.

–Es verdad –dijo José examinando de cerca el cuadro–. Está muy bien pintado, lo confieso, pero ¿qué es? ¿Una alucinación? Desde luego, no son las delicias que yo prefiero. ¿Es una alegoría? ¿Demonios que han invadido el paraíso? ¿La obra de un loco? ¿Una galería de monstruos?

–Un poco de todo eso, sin duda –dijo Lorenzo con prudencia.

Tras ellos, un ministro se inclinaba y le susurraba al vecino:

–Bastantes monstruos tenemos ya en casa para cargar encima con ésos.

Y el vecino se mostraba de acuerdo.

No, no era el tipo de pintura que le gustaba, declaró el rey José. ¡Qué montón de personajes! ¡Qué paisaje tan extraño! ¡Qué inexplicables posturas! ¡Era como un sueño compuesto de mil detalles! No, la pintura no estaba hecha para ser descifrada como un enigma o un proverbio. Sí, claro, el infierno, pero el infierno lo habían mostrado todos los pintores, bastaba con ser un poco cruel.

–Y no creo que a mi hermano le agrade –añadió.

Pues deseaba que su hermano estuviera presente en la inauguración del museo madrileño, dentro de cuatro o cinco años, y contaba con convencerlo. En unas semanas estarían listas las primeras maquetas del edificio, el emplazamiento ya había sido elegido, sólo faltaba empezar las obras... y que, a cambio, los españoles aceptaran que una parte de aquellas pinturas saliera para París.

La posesión exclusiva de obras de arte es también un privilegio, decía el rey José, y un privilegio que, como todo privilegio, debía ser derogado. No podía seguir permitiendo que tan exquisitas obras maestras sólo puedan admirarlas cuatro monarcas degenerados, sus familias de imbéciles y unos cuantos cortesanos ignorantes. Que el pueblo, de cuyo seno han nacido, las disfrutara como le viniera en gana.

Dejaron atrás el cuadro del Bosco, que permanecería en España, y llegaron a los de Goya.

–Ah –dijo José–, éste es.

–Sí, majestad –contestó Lorenzo.

El nuevo rey contempló primero un retrato de cuerpo entero del antiguo monarca, Carlos IV, en traje de caza, y a continuación el retrato ecuestre de la reina María Luisa; a ambos los reconoció enseguida, y preguntó de qué hechizos se valió la reina, con aquella cara, para tener tantos amantes. Uno de los ministros le contestó que el número de tales amantes había sido ciertamente exagerado. La calumnia cunde, sobre todo tratándose de reinas. Lo mismo decían de la de Francia, María Antonieta, y también que era seguidora del culto a Safo, y una libertina redomada, y que organizaba orgías en Versalles. Chismes, todo eso no eran más que chismes.

—Pero ¿y Godoy?

—Godoy sí, sin duda —dijo uno de los ministros—, pero él tenía buenas razones.

—Y buenas tragaderas, supongo —dijo José, tomando un vaso de vino de la bandeja que un sirviente tenía en todo momento al alcance de su mano.

Pasaron al retrato de grupo, en el que se veía a la familia real posando al completo, y en una esquina al propio Goya, discreto homenaje a Velázquez, que también se representó en *Las meninas,* cuadro que Goya ensalzaba por encima de todos, o de casi todos.

—Todos igualitos —dijo José—, una caterva de zopencos, como dice mi hermano. Carne muerta, pura barriga y mucho perifollo... Ah, y ése es Fernando... Sí, qué duda cabe... Esas cejas pobladas, esa expresión cerril... Y corto de vista... Hace poco me dio la enhorabuena, pero a mí no me engaña... Este tipejo sería capaz de matar a su madre.

—Parece ser que lo intentó —dijo uno de los ministros.

José señaló a uno de los personajes del gran cuadro, una joven con la cara vuelta hacia el fondo y por tanto invisible.

—¿Y ésta quién es? —preguntó.

–La esposa de Fernando.

–¿Y por qué no se le ve la cara?

–Porque cuando Goya pintó el cuadro, hace ya casi diez años –contestó Lorenzo–, aún no se sabía con qué princesa iba a casarse el joven Fernando. Por eso sólo representó la figura de una mujer; la cara vendría después.

–Hizo bien –dijo José–. En esos ambientes uno no se casa con una cara.

José retrocedió, se aproximó, examinó detenidamente la técnica, las manos, los tejidos. Todo parecía convenientemente ejecutado.

–Sin embargo –observó–, no parece el pintor muy indulgente con sus modelos.

–Él pinta lo que ve –le dijo Lorenzo.

–No perdona ni una: verrugas, grietas en la piel... Mirad esas ojeras, esas mollas... ¿Y tú quieres que pinte mi retrato oficial, el que todos verán y del que se enviarán copias a medio mundo?

–Majestad –le dijo uno de los ministros–, siendo como sois rey de España, hemos considerado que lo normal y más conveniente es que os lo haga un pintor español.

–Y en España se lo considera el mejor –dijo Lorenzo.

–Era pintor de cámara, ¿no?

–Así es, majestad.

–Y después de haber pintado tanto a esta gente, ¿creéis que aceptará retratarme a mí?

La pregunta puso en un brete a los ministros, que, sin saber qué responder, se miraban indecisos.

–No querría tener que ordenárselo –dijo José–, porque podría desquitarse y asesinarme con los pinceles.

–Si me permitís... –dijo Lorenzo–. Yo lo conozco un poco y sé cómo es. Y creo poder deciros que aceptará.

−¿Por dinero?

−Por dinero sin duda, siempre anda necesitado; pero también porque vuestro rostro le interesará, estoy seguro.

−¿Mi rostro le interesará?

−Podría jurarlo −dijo Lorenzo.

−¿Le interesará como el de todos estos cretinos? ¿Completaré yo su galería de borregos?

−No me refería a eso, majestad, os ruego me perdonéis... Quería decir que para él será una oportunidad única el poder pintar a un Bonaparte, y que la idea lo entusiasmará. Con la venia de su majestad, podría planteárselo, sondearlo...

−Sí, hazlo, y luego dime algo.

Siguieron un rato más recorriendo las distintas salas. Vieron obras de Rubens, Tiépolo, Rafael, Giordano, algunos cuadros de apóstoles del Greco que José, aunque extrañado, estimó interesantísimos, así como obras de renacentistas italianos que él mismo se trajo de Nápoles, su antiguo reino. Ante una inmensa *Degollación de san Juan Bautista,* obra de un pintor polaco llamado Strobel, se detuvieron largo tiempo; José estaba como prendado de la figura de Salomé.

Reparó también el rey en otro pintor flamenco, llamado Patinir, del que nunca había oído hablar, y escogió varias de sus obras, la mayoría de temática profana, pidiendo que las colgaran en su despacho y demás habitaciones privadas hasta que las trasladaran al museo.

En determinado momento, uno de los ministros observó que se hacía tarde y los esperaban asuntos urgentes e importantes.

−¿Crees que la pintura no es importante? −replicó el soberano.

El ministro agachó el lomo y se retiró. Volvieron luego a las obras de Goya y el rey las contempló de nuevo con expresión severa.

–En fin –suspiró–, si no hay más remedio... posaré para Goya. ¿Cuántas sesiones serán necesarias?

A eso no podía contestar Lorenzo.

–A veces –dijo–, ve enseguida lo que busca, pero otras caras se le resisten.

Se marchaba ya el grupo cuando Lorenzo se acercó al rey y, en voz baja, le preguntó si podría disponer de unos días libres.

–¿Para qué? –quiso saber José.

–Me gustaría visitar a mi familia en Murcia, hará veinte años que no los veo.

–Concedido –dijo el rey–. Pero no te demores mucho, que te necesito aquí.

14

Antes de dejar Madrid, Lorenzo fue a ver a Goya y le expuso el proyecto del retrato real. El pintor no se sorprendió; no era la primera vez que se lo comentaban; pero se hizo de rogar y pidió una elevada suma. Sin duda, no tenía mucha confianza en aquel rey corso venido de Nápoles, cuyo reinado auguraban poco duradero los amigos con los que hablaba de ello, sobre todo considerando lo levantisco del campo español.

Ahora bien, tampoco faltaban en la historia ejemplos de largas dinastías, de emperadores romanos, otomanos o de otros pueblos, nacidas de un general rebelde o un primer ministro asesino. De hecho, se decían, imbuidos, quizá sin saberlo, de las ideas francesas, ¿no tenían todas las monarquías su origen en los desmanes de algún usurpador? ¿Quién podía prever, en aquellas fechas, que la caída del águila era inminente? Napoleón dominaba Europa desde el Atlántico hasta el Vístula, había subido a miembros de su familia a todos los tronos disponibles, cual hermandad de insectos; por sus manos pasaban todos los recursos, todas las informaciones, todas las decisiones. Cuando veía a Alejandro, el zar de Rusia, lo abrazaba y lo llamaba hermano; y, como viejos amigos, se cogían del brazo. Los ministros de las viejas monarquías hacían antesala a su puerta. El único país que se le resistía y siempre lo vencía por mar, desde hacía ocho años, era Inglaterra, mas solo, ¿cómo podía disputarle Europa?

Goya aprovechó la visita de Lorenzo para preguntarle por Inés.

–Está bien –le contestó éste–, la tengo en un lugar donde unos amigos la cuidan bien. Me aseguran que ya se encuentra mejor.

Con manifiesta ingenuidad, como si, sordo e ignorante, quisiera penetrar los secretos del mundo, Goya le preguntó también cómo se podía ser republicano convencido y al mismo tiempo servir dócilmente a un emperador.

–Cierto –contestó Lorenzo, disponiéndose a repetir su lección de otra manera–, Napoleón es un emperador, pero un emperador salido del pueblo, que no se ha encumbrado por la fuerza, la astucia, la traición ni el asesinato, y al que los franceses han elegido y entronizado. Pero además no mira sólo por Francia: ha devuelto a Polonia su soberanía, está liberando a España de tres siglos de opresora tiranía y todos los pueblos lo acogen con entusiasmo. ¿Qué puede objetársele? Es, ni más ni menos, el fruto natural, el hijo de la Revolución, cuyas ideas ha elevado a la categoría de leyes universales.

Y nada, añadía Lorenzo, volviendo a su obsesión favorita, nada era más importante que las leyes, leyes concebidas por los representantes del pueblo y defendidas por la espada de un gran soldado.

Goya, que pese a la gesticulación del intérprete y los esfuerzos por vocalizar del visitante sólo comprendía a medias el discurso, decía:

–Sí, popular sí es, o al menos eso parece, porque se sabe que aquí en Madrid, como seguramente en otras ciudades, pagó a gente para que lo aclamara el único día que se presentó en público. Pero ¿y si en realidad es un tirano, un nuevo tirano que se hace pasar por republicano?

–Sí, también yo lo he pensado –respondía Lorenzo–, lo he pensado y sigo pensándolo. Se divorció, ha vuelto a casarse, desea tener un hijo, es evidente que aspira a fundar una dinastía. Nadie duda de que es ambicioso. Pero hay que elegir: o el reseco erial del pasado, con soberanos que se transmiten de padres a hijos coronas demasiado pesadas para sus débiles cerebros y se olvidan de sus súbditos, o el soplo vivificante de los nuevos tiempos, que todo lo mueve y abre de par en par el porvenir de los pueblos... Sí, reconozco que el riesgo es el despotismo, pero un despotismo pasajero, del que el pueblo podrá deshacerse cuando quiera, como ha hecho con los tiranos hereditarios.

»Y eso es lo que importa –añadió Lorenzo, no sin imprudencia, pues no estaban solos y sus palabras podían llegar a oídos del rey–. Lo que importa es que el pueblo sepa que es fuerte, más fuerte que sus amos; y para que, si fuera necesario, pueda afirmar y manifestar esa fuerza, hay que dotarlo de leyes que nada pueda echar por tierra.

Goya rezongaba escéptico, decía que sí, que no, que quién sabía... Y se aguantaba las ganas de soltarle a Lorenzo: «Crees que has cambiado, pero sigues siendo el de siempre y sólo has pasado de un extremo al otro».

Y eso de proclamarse emperador ante el Papa, ¿era republicano? Sus motivos tendría el pontífice para querer estar presente, contestaba Lorenzo, motivos de orden político, evidentemente: que el poder terrenal no se impusiera por sí solo sin el concurso de la Iglesia. Además, en el último momento Napoleón arrebató al Papa la corona imperial y se la ciñó él mismo.

–Un gesto perfectamente claro –replicaba Lorenzo–,

un gesto que significaba: «No es Dios quien me corona ni yo soy hijo de mi padre, sino del pueblo. El pueblo me ha traído hasta aquí por razón de mis solos méritos. Para ceñirla a mi cabeza tomo con mis manos la corona, pero estas manos son en realidad del pueblo».

A Goya, la verdad sea dicha, le agradaban poco estas conversaciones, ya fueran con Lorenzo o con otros. Vivía sumido en un silencio en el que las palabras eran meros ecos, incomprensibles, vagos, sospechosos. Prefería sus lápices, sus buriles, más agudos, más precisos. Lo suyo era mirar, dibujar, grabar, pintar y mostrar lo que veía; que otros discutieran lo que convenía hacer.

Y Europa entera discutía, interminablemente. Pero cuando se habla, no se mira. Los charlatanes nunca ven nada. Todo el mundo emitía dictámenes y hacía predicciones. Sin embargo el futuro, como siempre, había de ser una sorpresa.

De Madrid a Cáceres había cuatro jornadas a caballo, cinco en diligencia, siempre que hubiera buena posta. Lorenzo, aun no siendo buen jinete, optó por lo primero, medio más veloz y menos llamativo. Sólo que, como en Portugal habían desembarcado tropas inglesas y la región de Cáceres era poco segura, le convenía llevar escolta.

Esa escolta, sin embargo, no debía ser oficial: Lorenzo no quería revelar el verdadero objeto del viaje ni que lo acompañaran soldados franceses de uniforme, para pasar lo más inadvertido posible. Así que buscó de incógnito por varias tabernas de la ciudad a los agentes del Tribunal de Corte que en otro tiempo le sirvieron de espías, y que, aunque ya ancianos y canosos, podrían serle igualmente útiles en su nuevo cometido. En Francia había aprendido que los seres que viven en la sombra soportan fácilmente los cambios de régimen. Reemplazará la luz revolucionaria las tinieblas tiránicas, pero la sombra, siempre sombra se queda. A veces, incluso, se vuelve aún más densa. El poder subsiste en lo oculto, en lo invisible. Todo nuevo gobierno precisa de un servicio secreto, que a veces se multiplica por dos, por tres, por cuatro, según uno vigila sucesivamente a otro. Los hombres y mujeres que lo integran tienen sus tácticas, sus hábitos, sus fuentes de información, sus locales, que –como Danton le dijo– sería absurdo dejar de utilizar sólo porque haya rodado la cabeza de un rey.

Encargó, pues, a estos canosos veteranos –quienes en ningún momento dieron señales de haberlo reconocido– que reclutaran a unos diez hombres discretos, oscuros y capaces para acompañarlo a Cáceres en viaje no oficial y protegerlo si fuera necesario. Costear semejante escolta, pertrecharla de armas y de uniformes españoles que lo mismo parecieran de un bando como del otro (dado que parte del ejército había tenido que pasarse al servicio del nuevo rey sin tiempo de mudar de uniforme), resultaba caro en época turbulenta. Lorenzo tuvo que recurrir a los fondos secretos que tenía a su disposición, extendiendo y firmando un documento falso.

El viaje fue rápido: tres días y medio. En dos ocasiones se encontraron con gente armada, cuya composición no supieron determinar, y tuvieron que dar un rodeo. Pernoctaban en ventas y posadas, se levantaban antes del alba, comían montados.

Cuando llegaron al convento de Santa Lucía, a media hora de Cáceres, en el que tres semanas antes había hecho estragos un destacamento francés, con robo de objetos sagrados y probable violación de monjas, Lorenzo mandó a sus hombres que esperaran y entró solo.

Allí se presentó como enviado oficial del nuevo rey de España y pidió hablar con la madre superiora. Ésta se mostró al principio muy recelosa y Lorenzo tuvo que alzar la voz y aun proferir algunas amenazas para que accediera a su demanda. Lo favoreció el hecho de ser español y el haber tenido la astuta idea de santiguarse al entrar en el convento e hincar la rodilla ante el altar: lo vieron a escondidas unas monjas que informaron del hecho a la hasta ese momento reticente madre superiora. Más convencida por la genuflexión que por las amenazas, ésta lo recibió.

La demanda era simple: buscaba a una muchacha y quería ver a todas las que, expósitas o huérfanas, hubieran recogido en el convento en los últimos quince o dieciséis años, así como saber sus nombres. La priora le preguntó por qué, pero él se negó a dar explicaciones y le recordó que venía en misión confidencial de parte del rey, prometiéndole, eso sí, que nada malo le ocurriría a la joven, si allí estaba.

La superiora, mujer de unos sesenta años, recia constitución y voz ronca, asintió y se dispuso a obedecer.

Sólo preguntó, antes de salir, qué pensaba Lorenzo de la situación actual, y si creía que saquearían y clausurarían todos los conventos de España, como se decía por doquier.

Lorenzo la tranquilizó como pudo. No, le dijo, ni iglesias ni conventos serían clausurados, ni en España ni fuera de España. Los tiempos del terror antirreligioso habían pasado. El emperador Napoleón había firmado un concordato con el Papa y de momento lo respetaba; él decía siempre que el pueblo necesita de la religión.

—Y tiene mucha razón —dijo la superiora—. Sin religión, todos estaríamos perdidos.

Lorenzo prefirió callarse.

Una hora después se hallaba en el despacho de la superiora frente a unas diez muchachas de distintas edades, la mayoría novicias, a juzgar por sus hábitos. Sentada a una gran mesa ante cuatro libros registro que sólo ella parecía capaz de manejar, había una monja con lentes.

A dos de las más jovencitas, que apenas tendrían diez años, Lorenzo las descartó de entrada, pues ninguna de ellas podía ser. En cambio, a otra la observó más rato y le preguntó la edad. La novicia no lo sabía.

Lorenzo se volvió hacia la superiora, que preguntó a la archivera:

—¿En qué año nos encomendaron a Encarnación?

La monja de los lentes pasó unas cuantas gruesas páginas, buscó con el dedo y dijo:

—Encarnación... Tendrá unos doce años, puede que trece...

—No —dijo sin más Lorenzo, moviendo la cabeza.

—Si consintiese en decirnos por qué la busca —le dijo entonces la superiora—, seguramente sería más fácil.

—No puedo decírselo —contestó Lorenzo— porque lo ignoro. Le repito que vengo comisionado y lo único que sé es que debo encontrar a una persona, una niña que ha de estar aquí y es seguro que nació en 1793 en Madrid.

—Tengo aquí una tal Rosario —dijo la archivera, posado el dedo sobre una página del registro—, bien lo recuerdo... ¡Vaya historia!

—¿Qué historia? —preguntó Lorenzo acercándose a la mesa.

—La encontraron en una playa agarrada a un perrazo.

Al parecer toda su familia murió en el naufragio. Tendría siete u ocho años. Creemos que venía de África.

–No –repitió Lorenzo–, no es ésa. La niña que yo busco debieron de traerla de Madrid y nació hacia 1793... ¿No tienen a ninguna así?

Deseaba tal vez que no la encontraran y empezaba quizás a sentirse más tranquilo, cuando de pronto la monja archivera, que acababa de pasar página, exclamó señalando con el dedo:

–¡Ah, sí! ¡Hay una que podría ser!

–¿Cuál? –preguntó la superiora.

–Año de 1793, Madrid... Enviada por el Santo Oficio...

Levantó la cara, miró a Lorenzo por encima de los lentes y preguntó:

–¿Puede ser que la enviara el Santo Oficio?

–Sí –contestó Lorenzo–, puede ser.

La priora se acercó a la mesa de los registros y preguntó a la monja:

–¿Quién es?

–Sólo tenía ocho o nueve días, lo recuerdo; estaba muy débil y respiraba con ahogo. Su madre era una hereje. Es lo que entonces nos dijeron, aquí lo pone.

–¿Y está en el convento? –preguntó Lorenzo.

–No –dijo la archivera–. Se escapó a los once años, aquí lo dice también, mire. Huyó por el campo un día de procesión y no hubo manera de atraparla.

–¿Y dónde está ahora?

–Ah, eso sólo Dios lo sabe. Ella no volvió a dar señales de vida.

–Sí, la recuerdo –dijo la superiora–, era de la piel del diablo...

–Descanso que dejó –murmuró la archivera.

Lorenzo preguntó si se sabía quién era el padre. La superiora apartó la mirada, vaciló en responder. No exactamente, dijo a media voz. ¿Qué quería decir?, insistió Lorenzo.

–Verá usted –le dijo la superiora–, no es más que un rumor...

–¿Y qué dice ese rumor? No tema nada, hable claro.

–Pues que... –Dudó de nuevo, se volvió hacia la archivera, que no levantó la cara del registro, y persignándose con un amplio ademán concluyó–: Que el padre era alguien muy importante en el Santo Oficio...

–¿De Madrid?

–Sí.

–¿Y cómo se llamaba?

Las dos monjas se miraron un momento, tras lo cual la superiora, con su cascada voz y tosiendo un poco, contestó:

–Eso no se sabe, no.

–Vea usted que aquí vivimos alejadas de todo –confirmó la archivera–, y de lo que se cuenta en Madrid no nos llegan más que ecos. El nombre de ese señor, por ejemplo, nunca lo supimos, y parece ser un misterio para todos.

–¿La bautizaron? –preguntó Lorenzo.

–Ah, sí –contestó la superiora–, en cuanto llegó. Era tan pequeña... Recién nacida... A esa edad muy pocas criaturas sobreviven...

–Pero ésa –dijo la archivera– se conoce que no quería morirse... Parece que la estoy viendo enganchada a los pezones de la nodriza... ¡Valiente sanguijuela!

–¿Qué nombre le pusieron? –preguntó Lorenzo.

La archivera consultó el libro y contestó que, si era la que buscaba, se llamaba Alicia.

—Eso si no se ha cambiado el nombre –dijo la superiora–. ¡Capaz sería!

Pese a los motines, las emboscadas y las represalias, pese a la incertidumbre general sobre la situación política, muchos madrileños, entre ellos majas y hombres interesados en ellas, seguían yendo hacia media tarde a pasear por los jardines públicos de Madrid. Cerca de la calle de Alcalá, en los jardines del Retiro, que Carlos III había ampliado y reformado, como los del Pardo, a partir de las cinco o las seis de la tarde, lenta, casi indolentemente, empezaban a llegar calesas ocupadas por hombres que miraban por las portezuelas en busca de figuras ya conocidas o que desearan conocer.

Las majas llegaban también por separado o en grupitos, elegantemente vestidas, acompañadas casi todas de su celestina, y caminaban como si fueran de paseo, con capa en invierno, chal en primavera, abanico en verano y mantilla en otoño. Pese a la guerra, pese a los sitios de Zaragoza y demás batallas, la moda parisina hacía furor en España. Las mujeres llevaban vestidos de talle alto y muy despechugados, y se recogían el pelo detrás, dejándose la frente despejada, si bien seguían usando accesorios españoles, como si en eso sí resistieran inexpugnablemente.

No bien llegaban las muchachas, daba inicio el complejo juego de miradas, insinuaciones, arrimos, coloquios que parecían de lo más natural e inocente. Las que se conocían se saludaban de lejos, se besaban al volver de un paseo, presumían de tal o cual detalle o abalorio de su atuendo y conversaban entre risas.

Pero aun riendo, no dejaban de otear furtivamente

por si cruzaban una mirada o captaban una señal. Cuando alguna tenía esa suerte, se separaba del grupo descuidadamente, como diciendo: «Perdonad, que ahora mismo vuelvo», y se acercaba sin prisas a la portezuela de una calesa. Su celestina, que por lo general estaba sentada en un banco con el bastón entre las piernas, se levantaba y a paso corto y presuroso la acompañaba y la ayudaba en los tratos. Unas veces la portezuela se abría, la maja subía y se iba; otras regresaba al corro y seguía charlando.

Y, en ambos casos, la celestina volvía a sentarse a su banco.

Otras chicas se paseaban sin hablar ni mirar a nadie, con los ojos bajos, como almas en pena; todo su ser parecía estar pidiendo a gritos consuelo o por lo menos compañía, a alguien con quien compartir sus cuitas siquiera un momento. Otras, en fin, caminaban a paso ligero, como si llevaran prisa, como si fueran a algún sitio y llegaran tarde, como si hubieran atajado por allí y no tuvieran tiempo que perder, pero al rato se las veía pasar en sentido contrario, y así hacían toda la tarde, hasta que algún hombre les saliera al paso e interrumpiera su ir y venir.

De vez en cuando, alguna maja se detenía y, posando un pie en un banco, se levantaba la falda y se estiraba una media. Aparecía entonces una pierna fina y torneada en torno a la cual se deslizaba una mano blanca, una pierna que era un reclamo y al momento volvía a desaparecer bajo la falda.

Viejo ardid, lenguaje mudo.

Los días de lluvia las majas llevaban paraguas, uno de los últimos adminículos de moda, y en verano, cuando el sol pegaba fuerte, sombrilla. Se cruzaban, deteniéndose a

233

veces, con aguadores y vendedores de melones, uva, frutos secos; con mendigos, tullidos, militares de permiso y hasta con polizontes que hacían la vista gorda.

Para no ser reconocidos, la mayoría de los hombres acudían en calesa; otros, solteros sin duda, se paseaban a caballo o a pie, hablando de negocios, de la familia, sobre todo de la situación del país: un pasado demasiado largo y un futuro demasiado corto, decían a menudo.

Y saludaban a oficiales franceses que iban sólo a curiosear.

No todos los que visitaban los jardines eran majas y posibles clientes. Había también ancianas señoras que iban a tomar el fresco y darle a la lengua; guitarristas que pedían limosna tocando sus últimas canciones; señores de aire grave que, sentados en los bancos cara a cara, ajenos al ir y venir de las gentes, jugaban a las cartas o al dominó; gitanas que entre los árboles abordaban a los extranjeros para echarles la buena ventura, y a las que los avisados agentes expulsaban al momento; hombres interesados por la actualidad que leían el periódico desplegándolo mucho; niños que jugaban a la pelota o al aro bajo la vigilante mirada de sus amas; toreros que pasaban en compañía de varias mujeres y de sus peones, con sombreros de ala ancha y por todos mirados.

También Goya iba, al menos dos o tres veces por semana, con sus cuadernos de dibujo. Hacía cuarenta años que conocía aquel mundo, pero no se cansaba. Se sentaba y seguía con la vista a este o aquel personaje, abocetaba una figura, rompía la hoja, volvía a empezar. Así, en aquellos cuarenta años, había hecho miles de apuntes que a veces utilizaba en composiciones mayores pero casi siempre arrinconaba y nunca más volvía a mirar.

Prisionero de su sordera, no oía ni el traquetear de los coches, ni las risas de las majas, ni el relincho de los caballos, ni el ladrido de los perros, ni el tronar de la tormenta, y dejaba que su ojo y su mano trabajaran libremente. Con sus sesenta y cinco años ya no dudaba de que había nacido para eso.

Un día del otoño de 1811 vio algo que lo paralizó, tan honda fue la impresión que le había causado. Observaba a una maja que, en compañía de su celestina, se dirigía a un coche que parecía estar esperándola, pues era común que majas y clientes se dieran cita la víspera o incluso varios días antes.

Era la maja joven y se cubría la cara con el abanico. Al llegar al coche se abrió la portezuela y el ocupante sacó la mano: todo de lo más normal. Pero entonces la moza retiró el abanico y se volvió hacia la celestina para decirle algo, y Goya, que se hallaba a cuatro o cinco metros de distancia, se quedó sin aliento: en aquella joven estaba viendo a Inés Bilbatua. Allí mismo, a unos pasos de él, reconocía Goya no a la Inés Bilbatua de rostro pálido y marchito que unos meses antes se presentara una tarde en su taller, sino a la Inés Bilbatua joven, risueña y radiante de la cara de ángel.

Y era ella, no cabía duda. Últimamente, Goya empezaba a acostumbrarse a ver reaparecer fantasmas del pasado: primero el de aquella Inés exánime que, recién excarcelada y con el ánimo deshecho, acudía a él como única esperanza; luego el de un Lorenzo metamorfoseado en un ser activo, autoritario y seguro de sí mismo, tan real como lo conoció en otro tiempo. Y ahora su ángel favorito volvía a cruzarse en su camino, con su paso vivo y su aire garboso, en una alameda de aquel parque.

Se repuso de la impresión y, soltando cuaderno y lápices, echó a correr hacia el coche. Pero ya era demasiado tarde: en ese momento la mano del hombre depositaba una bolsa en la de la celestina, se cerraba la portezuela, el cochero arreaba el caballo y la calesa arrancaba a escape. Y era inútil llamar o vocear, pues nada oiría aunque le contestaran.

Se acercó a la celestina y señalando el carruaje preguntó quién era la maja. La vieja contestó algo que él no oyó. Siempre era lo mismo: debía explicar a cada nuevo interlocutor que estaba sordo, sordo como una tapia, y que debía hablarle vocalizando y mirándolo a la cara. Pero la vieja no tenía dientes y sus labios eran incapaces de articular las palabras.

–La joven, ¿quién es? –repitió Goya indicando la ya lejana calesa.

La vieja lo miraba sin fiarse. Podía tratarse de un cliente, pero también de un pariente, un padre desdichado, un policía de paisano, cualquiera sabía.

Creyéndolo, al fin, un cliente, la alcahueta farfulló el nombre de la moza y aseguró que era muy dulce y complaciente, que gustaba del amor (lo que no se ve todos los días, añadió) y, lo mejor de todo, que era una principiante llena de inocencia, lozanía y candor, nada que ver con las otras.

Goya no entendió una sola palabra y repitió gritando:
–¿Quién es? ¿Cómo se llama?

La celestina repitió el nombre, que Goya no oyó ni, pronunciado por aquella desdentada boca, logró comprender.

Recogió un lápiz y el cuaderno y se los dio a la vieja.
–Escríbeme el nombre –dijo.

Pero la vieja no sabía escribir y así se lo dijo, sin que él lo entendiera. Goya gritaba y gesticulaba ante la vieja desdentada, y los paseantes y las majas que pasaban se detenían o volvían. De pronto creyó leer un nombre en los labios de la vieja.

–¿Emilia? –preguntó.

La vieja negó moviendo la cabeza y repitió el nombre.

–¿Alicia? –preguntó él.

Acertó. Alicia, sí, asintió la alcahueta. ¿Y volvería?, quiso saber Goya.

–No, hoy no –contestó ella–. Hoy ya no.

–¿Mañana? –preguntó Goya, que comprendió la respuesta.

Ella asintió. Sí, mañana, allí estaría mañana de fijo.

–Mañana será suya –añadió la vieja, aunque él no la entendió.

Goya volvió al día siguiente y al otro, pero no la encontró. La celestina le dijo que aquellos días estaba muy ocupada. Ah, decía, ésa no da problemas, todos la quieren y acuden a ella como moscas.

Goya estaba convencido de que aquella Alicia, cuyo parecido con Inés tanto lo había impresionado, era sin lugar a dudas la hija que ésta buscaba. Supo por el chambelán de palacio la dirección de Lorenzo y un domingo por la tarde fue a verlo, suponiendo que lo encontraría en casa.

Así fue, en efecto. Lorenzo ocupaba un apartamento de dos pisos frente al Palacio Real, con su mujer Henriette y sus tres hijos, que se habían reunido con él en Madrid. Acababa de comer cuando Goya se hizo anunciar y lo recibió al momento.

Lorenzo abrazó a Goya como cuando se vieron el día del juicio a los inquisidores, y le presentó a su mujer, Henriette, rubia rolliza y risueña que frisaba los cuarenta, y a sus tres hijos, dos niñas y un niño, que no parecían muy contentos de vivir en Madrid.

Goya cubrió las formas, cumplimentó a madre e hijos, a los que ya miraba como a posibles modelos futuros, tomó café y aceptó un puro, todo sin atreverse a hablar de Inés ni de Alicia. Durante diez minutos, la conversación, que la sordera de Goya volvía lenta y difícil, giró en torno al proyectado museo. Goya era miembro del comité encargado de seleccionar los cuadros que debían enviarse a Francia, y Lorenzo, que en eso seguía siendo muy español y se oponía a la mayoría de los cortesanos, le aconsejó que eligiera obras menores para no despojar a España de las grandes imágenes de su pasado, *Las meninas*, *La rendición de Breda*... Goya prometió que así lo haría.

Preguntó luego el pintor por los inquisidores. Las penas habían sido cumplidas, le contestó Lorenzo. La mayoría estaban en cárceles de provincias y los condenados a muerte habían sido ejecutados.

–¿El viejo también? –preguntó Goya–. ¿El inquisidor Altatorre?

–No, él no –contestó Lorenzo–, es decir, aún no. Al parecer se encuentra demasiado débil para sostenerse erguido y así no puede dársele garrote.

La verdad era que Lorenzo, merced a ocultos manejos y a cambio sin duda de otros servicios, consiguió que la ejecución del padre Gregorio se aplazara *sine die*. Cumplía así su palabra de salvarle la vida, claro está que con el mayor secreto. Si como fiscal había condenado públicamente al antiguo inquisidor del Santo Oficio presentándolo como la encarnación del mal, no podía ahora revelar que bajo cuerda le había salvado la vida.

Por otra parte, y dado el decaimiento general del anciano, esperaba que éste muriera pronto, lo que zanjaría de una vez para siempre el enojoso asunto.

Aprovechando un momento en que Henriette salió a dar instrucciones a los cocineros, Goya dijo a Lorenzo que le traía noticias sorprendentes.

–¿Que me conciernen?

–Sí, quizá; pero... –dijo Goya señalando con un ademán la puerta de la cocina y a los niños sentados a la mesa.

–Descuida –le dijo Lorenzo–, todavía no hablan castellano.

–Es sobre Inés –prosiguió Goya.

–Ven. –Dijo a sus hijos que volvía enseguida y condujo al pintor a un cuarto contiguo, un despacho–. Y bien, ¿qué pasa con Inés? –preguntó sin sentarse.

–He visto a su hija.

–¿A la pequeña?

–No tan pequeña. Debe de tener diecisiete o dieciocho años. La he visto.

–¿Has hablado con ella? ¿Te ha dicho que es hija suya?

Goya se hizo repetir la pregunta, que no había entendido bien, y contestó:

–No, no, no hemos hablado, pero la he reconocido. Es clavada a su madre cuando tenía la misma edad. La he reconocido, estoy seguro, es su vivo retrato.

Henriette, la mujer de Lorenzo, abrió en ese momento la puerta y preguntó qué tramaban allí.

–Nada –dijo Lorenzo en francés–. Es por lo del museo del que te hablé, la lista de los cuadros. Tenemos que terminarla hoy.

Y tomó a Goya por testigo de lo que decía. El pintor,

que no había entendido una palabra, asintió mirando a Henriette.

–Pero no tardéis –dijo ella–, el café está servido y os esperamos.

–Ahora vamos –replicó Lorenzo.

Ella se retiró cerrando la puerta.

–¿Estás seguro de lo que dices? –preguntó Lorenzo de inmediato.

–Si alguien puede estar seguro soy yo. Mi memoria para los rostros nunca me ha engañado. Anoche estuve buscando los dibujos que le hice a Inés de joven, mira.

Sacó un viejo cuaderno del bolsillo y se lo enseñó a Lorenzo: eran bocetos rápidos y dibujos preparatorios del retrato que le hizo a la joven, de cara y de perfil. En dos o tres de ellos se la veía con alas de ángel y sonriendo con bondad, como si desde lo alto contemplara el lamentable espectáculo que ofrecía el mundo.

Lorenzo miró los dibujos –unos veinte como mínimo– distraída y rápidamente. Sin duda, también él la reconocía.

Su ayudante tenía seguramente razón, añadió Goya. Inés hablaba de un recién nacido porque su vida se detuvo el día en que se lo quitaron en prisión, hacía años, a poco de dar a luz. Ella no concebía que aquella hija hubiera crecido y ya fuera una persona mayor.

Y señalando con un lápiz sus viejos dibujos, explicó que arcos superciliares, pómulos, nariz y barbilla era exactamente iguales en ambas mujeres. Del color de los ojos no estaba seguro, quizá los de la hija fueran más oscuros que los de la madre, que él recordaba claros. Y en cuanto al pelo, aunque la hija lo llevaba recogido bajo un sombrero y no pudo vérselo, le pareció moreno.

–¿Y dónde has visto a esa joven? –preguntó Lorenzo.

-¿Dónde la he visto?

-Sí.

-Aquí, en Madrid.

-En Madrid, pero ¿dónde?

-En El Retiro.

-¿Y qué hacía en El Retiro?

-Lo que las otras.

Lorenzo guardó silencio unos momentos. Poco le costaba comprender a qué se refería Goya. La joven iba, pues, al Retiro, donde cualquiera podía verla, hablar con ella, escogerla. En los jardines del Retiro: era carne pública. Como las otras. De pronto le acudió a la memoria el recuerdo de cierto atardecer allá en Zaragoza, de cierta moza que lo abordó a la vera del río, de ciertos olores... De eso hacía ya mucho tiempo, quizá veinte años.

Henriette llamó a la puerta y anunció que el café se enfriaba.

-¡Sí, sí, ya vamos! -dijo Lorenzo alzando la voz. Se inclinó hacia Goya y le preguntó, simulando desinterés-: ¿Y por casualidad sabes cómo se llama?

-¿Cómo se llama?

Goya ignoraba que Lorenzo había estado en el convento de Santa Lucía, que había hablado con las monjas, hecho averiguaciones. Lorenzo no se lo había contado: misión secreta.

-Se llama Alicia, creo. Se lo pregunté a la celestina y eso es lo que me dijo.

-¿Alicia?

-Sí, eso creo.

Lorenzo calló unos instantes. Miraba a Goya pensando en otra cosa. Al cabo preguntó:

-¿Y qué quieres que haga?

–Que me digas dónde está Inés.

–¿Para qué?

–Quisiera encontrar a su hija y devolvérsela. Es lo único que pide, lo único que puede consolarla.

Lorenzo dijo que lo comprendía, que no se preocupara, que todo corría de su cuenta, que lo primero era dar con la muchacha. ¡Qué suerte hemos tenido!, murmuró. Ninguno de los dos mencionó el hecho de que Lorenzo pudiera ser el padre de Alicia, como Inés afirmó al verlo. Pero ambos se lo preguntaban. Por tácito acuerdo preferían pasarlo en silencio.

–Vamos –dijo Lorenzo–, tomemos el café.

15

Lorenzo volvió a ver a Goya dos días después. Le preguntó en qué paseo del parque había visto a la presunta hija de Inés, a aquella Alicia cuyo nombre coincidía (aunque esto no lo dijo) con el que dieciocho años antes pusieron en el convento de Santa Lucía a cierta criatura enviada de Madrid por orden del Santo Oficio, hija, según se rumoreaba, de un alto dignatario del tribunal.

Aquel desliz de antaño, cuyas consecuencias ahora veía, ocupaba por entero su pensamiento. Recordaba la dulzura, las heridas, la angustia, la soledad de Inés, y aquella celda fría y oscura en la que fueron intimando a fuerza de orar juntos, y cómo cierto día se le sentó ella en las rodillas, cubiertas por su hábito, buscando amparo, y él la tomó sin que ella se resistiera y torpemente la desfloró.

Y aunque ninguna experiencia tenía de esas cosas, recordaba también cómo lo rodeaba ella fuertemente con sus brazos y decía que ya nunca querría separarse de él, que aquel dolor no era nada comparado con los otros, que incluso le gustaba y lo deseaba; cómo se echaba en sus brazos no bien entraba en la celda y al instante se le ofrecía, y le pedía que no la dejara sola, y que la tarde siguiente volviera pronto, muy pronto, para volver a rezar. Aquello duró meses, hasta el día ignominioso en que acudió a casa de Bilbatua, hasta la condena y la fuga. Y cuando huyó no la olvidó, sino que quiso llevársela consigo, aunque ¿para ir adónde? ¿Para vivir cómo?

Desde el día en que volvió a verla y ella se arrojó a sus pies diciendo que era el único hombre que había conocido (él no dudaba que fuera cierto), Lorenzo se sentía muy abatido. Apiadado, deseaba de todo corazón hacer algo por ella, socorrerla, devolverle una parte, siquiera mínima, de lo que por su culpa había perdido.

Y se repetía que, en efecto, era por su culpa. Ciertamente, él no la detuvo ni la interrogó –ya se ocuparon otros de eso–, pero entonces él era el responsable de aquella nueva cruzada emprendida por el Santo Oficio, de haber incrementado la vigilancia hasta extremos obsesivos, de haber creído que muchos podrían salvarse por el rigor inquisitorial. ¡Necia creencia!, se decía ahora que veía claramente la barbarie de aquellos métodos. ¡Cuán equivocado, cuán ciego estuvo! ¡Él, que se retiró cierto invierno a un monasterio de montaña pensando que Dios se dignaría iluminarlo, no hizo en realidad sino caer en el error y en la más cruel de las injusticias! Pero ¡qué seguro de sí mismo se mostraba entonces, qué arrogante, implacable y persuasivo, con la mente sumida siempre en divagaciones!

A veces, cuando estaba solo, se golpeaba la cabeza con las manos y se decía: «¿Cómo pude equivocarme hasta ese punto, cómo fui tan obstinado que no me rendí ante la evidencia? ¿Cómo pude creer en Dios, en su virginal madre, en ese nefasto mito del pecado original y la redención, cómo pude prosternarme ante una imagen y rezar? Y, sobre todo, ¿cómo pude, en el seno de una religión que predica la caridad y el amor al prójimo, conducirme como un policía obtuso y brutal, creer que puede persuadirse a las almas por la fuerza?».

Por otro lado, ahora era un hombre público e influyente del que dependía en parte el futuro de su país, y no podía permitirse destruir todo eso por una historia de amores clandestinos e hijos no reconocidos, máxime teniendo en cuenta que cuando dejó a Inés no sabía que estuviera embarazada. Y así el hombre nuevo luchaba en su alma con el antiguo, del cual renegaba y abominaba. Pero ambos eran en realidad el mismo hombre. Con la misma habilidad, con el mismo denodado celo que ayer ponía en defender la indefectible pureza de la fe, hoy defendía las conquistas de la Revolución, su nuevo y único credo. Y por tanto también se defendía a sí mismo, y era a la vez su propio acusador y abogado.

Y en esa lucha íntima que en su ser se libraba, la posición social que por mérito propio había alcanzado, su rango, su familia, sus relaciones con el nuevo rey, los diez minutos pasados a solas con el emperador, sus proyectos, la importancia que los demás le conferían, su porvenir, que se anunciaba lisonjero (¿no se comentaba en su entorno que podía ser nombrado primer ministro del nuevo rey de España?), todo, en fin, lo persuadía de la conveniencia de sacrificar a Inés y, si fuera necesario, de deshacerse discretamente de aquella hija que Goya decía haber reconocido.

Porque aunque estuviera dispuesto a admitir, si bien lo menos públicamente posible, que en otro tiempo y bajo malas influencias había tenido trato carnal con una prisionera de la Inquisición, de ninguna manera podía reconocer ser padre de una prostituta, de una hija que se prostituyó por su culpa. Eran trapos sucios que no convenía airear.

Un día, pues, sin decírselo a nadie, ni siquiera a Goya, tomó un coche de punto y hacia las seis de la tarde se llegó a los jardines del Retiro. A petición suya dio el cochero tres o cuatro vueltas por las alamedas, mientras él, retirando un poco la cortina de la portezuela, miraba fuera sin ser visto. Hasta que, no en el paseo que Goya le dijo, sino en otro, la vio.

La vio y, como Goya, enseguida la reconoció. Tras ejecutar varias complicadas maniobras, y dirigido desde dentro por Lorenzo, el cochero detuvo la calesa cerca de la joven. El ocupante sacó entonces una bolsa por la ventanilla, como había visto hacer a otros, en dirección a ella. La celestina fue la primera en verla y avisó a la joven, la cual, sonriendo y tapándose a medias la cara con el abanico, se aproximó a la calesa, cogió la bolsa, la sopesó y cambió una mirada con la vieja. El peso debió de parecerle suficiente, pues le dio la bolsa a la celestina, que se había acercado a pasitos, y subió al coche, cuya portezuela Lorenzo tenía ya abierta.

La joven se sentó enfrente de él. Lorenzo dio orden al cochero de recorrer el parque al paso y se quedó mirándola fijamente. Era, en efecto, muy parecida a Inés de joven, si bien la hija sonreía con insolencia y sus ojos, más oscuros, brillaban con una especie de alegría viciosa, como si con aquel oficio en el que tanto éxito empezaba a cosechar se desquitara de las virtuosas autoridades que casi la dejaron morir al nacer.

Un tanto azorada por la mirada de Lorenzo, que parecía devorar los menores detalles de su rostro, de su tocado que oscilaba con el traqueteo, de su escote cubierto de encaje negro, la joven se reclinó en el asiento y quedó sumida en la penumbra.

–No, no –le dijo Lorenzo–, quédate como estabas, que te vea bien a la luz.

246

Ella obedeció y se enderezó.

–¿Te llamas Alicia? –le preguntó Lorenzo tras observarla otro rato.

–Sí –dijo ella–. Pero si no le gusta, llámeme como quiera, a mí me da igual.

–Sí me gusta, sí..., Alicia, ya lo creo. ¿De dónde eres, Alicia?

–Es usted el primero que me lo pregunta. ¿Qué más le da?

–Me gustaría saberlo.

–No sé de dónde soy. De aquí, creo, de Madrid.

–¿Dónde naciste?

–En un hospicio –dijo ella.

Lorenzo se echó a reír, lo que pareció sorprenderla.

–¿He dicho algo gracioso? –preguntó Alicia.

–Digamos que sí.

–¿Qué? ¿Qué he dicho?

–Los niños no nacen en los hospicios. Allí los llevan cuando no se les conoce padres, o éstos han muerto, o los han abandonado, pero siempre cuando ya han nacido. ¿No conociste a tus padres?

–No –dijo ella.

–Pero ¿sabes quiénes eran?

–Sí. Mi padre era cardenal –dijo con acento seguro, casi orgulloso, mirando a Lorenzo a los ojos.

–¿Un cardenal?

–¡Sí!

–¿Y quién te ha dicho eso?

–Lo decían las monjas, y mis compañeras, las tontas aquellas.

–¿Era de monjas el hospicio?

–Pues claro.

–¿No sería más bien un convento?

–Puede –dijo ella mirando fuera y dando claro a entender que empezaba a aburrirse, que perdía el tiempo–. Pero ¿a usted qué le va ni le viene?

–¿Hasta qué edad estuviste allí?

–Hasta que me dijeron que me fuera. ¿Por qué?

Viendo que la joven empezaba a mentir, Lorenzo decidió abreviar el interrogatorio. Aun así, preguntó:

–¿Y a tu madre la conociste?

–No.

–¿Sabes quién era?

–Sí, una hereje.

–¿Te lo dijeron también las monjas?

Ella no contestó. Echó un vistazo por la ventanilla, como si no hubiera oído, como si lamentara haber subido al coche.

–¿Sabes lo que es una hereje? –preguntó Lorenzo.

–No, pero está prohibido y castigado.

–Ya no.

–Ah, ¿no? –Con un brusco ademán corrió completamente la cortina, que Lorenzo había dejado algo abierta para que pasara una rendija de luz, y le espetó–: Bueno ¿qué? ¿Lo hacemos aquí en el coche? A mí no me importa. Incluso en marcha, me da igual. –Y rápidamente empezó a subirse la falda.

–No –le dijo Lorenzo.

–No ¿qué? ¿Aquí no? ¿Dónde, entonces?

–En ningún sitio. Sólo quiero que hablemos un poco.

–¿De qué?

–De ti.

–¿Qué quiere saber? –preguntó ella, recelosa.

–Cuando saliste del hospicio, ¿qué hiciste?

—Trabajé en una granja dos años. Dos hombres me violaron y me fui.

—¿Y luego?

Ella le apuntó con el dedo y le dijo:

—El dinero no se devuelve, ¿está claro?

—Sí, lo sé; sólo quiero hablar contigo.

—Quiere que le cuente alguna cochinada, ¿eh?, de esas cochinadas que se callan... Pues si quiere, puedo.

—No, no, nada de eso.

«Mi hija», se decía Lorenzo, «esta joven sentada enfrente y toda maquillada, que vende su cuerpo y es capaz de contar obscenidades, que se escapó de un convento a los once años y fue violada por unos labriegos a los trece o catorce, es sin duda mi hija.» Pero no se sentía ni avergonzado ni molesto, sino más bien intrigado, incluso fascinado; era como hallarse en otra vida, en otro tiempo, ante una Inés que repentinamente hubiera mudado de edad y de carácter. ¿No se sentía él mismo desde que era joven un hombre doble, un ser complejo y desconcertante al que no lograba controlar ni aun conocer? Pues allí tenía también la otra cara de una misma mujer: aquella hija que lo miraba como a un extraño.

—¿No será usted un oficial de justicia? —le preguntó ella en actitud temerosa y bajándose le falda.

—No.

—¿Seguro?

—Seguro.

—Porque maldita la gracia que me hacen. Y así me va. A uno lo arañé un día y aún lleva la cicatriz, aquí, justo debajo del ojo. En cuanto me pilla me encierra.

Él le dio su palabra de que no lo era.

—Entonces, ¿qué quiere? ¿Qué esperamos aquí?

–Quiero proponerte algo.

–¿Sí? ¿Qué?

–Que salgas de España.

Aquello trocó la máscara de su indiferencia en asombro e inquietud reales.

–¿Lo dice en serio? –preguntó.

–Completamente.

–¿Para ir adónde?

–A donde tú quieras, a Francia, a Italia... Aunque lo mejor sería América.

–¿Por qué?

–Porque está más lejos.

–¿Conque quiere que me marche de España?

–Sí.

–¿Con usted?

–No.

Cada vez más inquieta, la joven preguntó si acaso estaba en peligro sin saberlo, si alguien la odiaba tanto que quería deshacerse de ella, como a veces ocurre. Él le dijo que no era eso.

–¿Y por qué quiere que me vaya? Dígame eso por lo menos.

–No, no puedo. Pero si aceptas, y es lo único que estoy autorizado a decirte, dispondrás del suficiente dinero para vivir sin hacer nada hasta el fin de tus días.

–¿Y podría casarme?

–Vivirás como te plazca. Serás completamente libre, libre y rica. Podrás casarte y tener hijos. Pero para eso tienes que salir de España cuanto antes.

–¿Es por mi padre, el cardenal? –preguntó ella de pronto.

Lorenzo reflexionó unos segundos y contestó:

—No lo creo. Para serte sincero, no sé los motivos. Soy un simple mandado.

—¿Y quién lo manda?

—No puedo decírtelo.

De pronto ella asió el picaporte e intentó abrir la portezuela, pero Lorenzo la agarró del brazo y se lo impidió. Rompió ella a gritar que quería bajarse allí, ahora mismo. Trataba él de calmarla asegurando que nada debía temer, pero la joven se negaba a escucharlo, a oír nada.

—¡No me toque! ¡Déjeme salir! ¡No quiero acabar en un mísero burdel comiendo maíz como los monos! ¡Déjeme le digo, déjeme salir!

Y con toda la fuerza de sus jóvenes dientes le dio un mordisco en la mano. Lorenzo reprimió un quejido. Ella logró abrir un poco y gritar. Se acercaron unos paseantes, otras majas, la celestina: lo que Lorenzo más había temido que ocurriera.

La soltó; al apearse, la joven se trabó un pie en la falda y cayó de rodillas, sin parar de gritar, de pedir socorro. Lorenzo ordenó al cochero que partiera a toda prisa y se alejó de allí oyendo los improperios y voces de Alicia, que alborotaban el parque.

La mano le sangraba. Se la limpió con un pañuelo.

Los negocios de Francia se torcían. Por razones mil veces explicadas y nunca comprendidas, Napoleón decidió invadir Rusia. Reunió al efecto lo que se dio en llamar la Grande Armée, un gran ejército que parecía invencible, y eligió Polonia como base de operaciones. Después de librar duras batallas entró en Moscú y se instaló en el Kremlin, aunque por poco tiempo. Los resistentes rusos incendiaron la ciudad, entonces construida de madera, y hostigaron día y noche al invasor. Los franceses tuvieron que batirse en retirada ante un enemigo combativo, más patriota de lo que el emperador había creído, y auxiliado por un general desconocido y particularmente temible, llamado Invierno.

En España, por las mismas fechas, la guerra contra los franceses se recrudecía y extendía, avivada por la activa presencia de tropas inglesas en Portugal. Incluso tomaba otro nombre, que había de perdurar: guerrilla. Como numerosos testigos escribieron, era el país todo, la tierra, los árboles, el que parecía combatir, con cuchillos, horcas, palos. «Guerra y cuchillo», como anunció Palafox.

Esta resistencia espontánea y popular marcaba el inminente fin de las ordenadas batallas de antaño, en las que quien quedaba en pie se declaraba oficialmente vencedor e imponía sus condiciones de paz. Ya no era así. Los estudios de estrategia y táctica militar seguidos en las academias militares de nada servían ya. En vano buscaban las tropas regulares y organizadas al enemigo: éste se escabullía sin cesar, se fundía con los habitantes de pueblos y ciudades y reaparecía en partidas que atacaban por detrás, por los flancos, muy a menudo de noche, y a cuchillada limpia.

Exasperadas, las tropas de ocupación reaccionaban a la triste usanza de siempre, tomando rehenes y procediendo a ejecuciones sumarias, a menudo precedidas de torturas. Fusilamientos, amputaciones, degollamientos, empalamientos, violaciones, quema de casas y pueblos: desastres que Goya podía ver en sus viajes de Madrid a Zaragoza o que le contaban, y que dibujaba sin parar, aunque no pudiera o no se atreviera a publicarlo. A excepción de algunos íntimos, nadie había de conocer aquellas imágenes hasta mucho después de su muerte.

Por entonces, esa España desolada sufría por añadidura una durísima hambruna. Los indigentes comían sapos, gusanos, insectos, y bebían cocimientos de hojas y hierbas, como en las antiguas fábulas. El rey José hizo cuanto estaba en su mano por remediar tanta penuria, pero sin mucho éxito. Ordenó que se repartiera pan, visitó personalmente los barrios más afectados. En vano. Su popularidad, que la tuvo, disminuía mes tras mes. Los espectadores ya no se levantaban para saludarlo cuando iba al teatro. Su proyecto de museo se frustró. Cada vez asistían menos personajes ilustres a sus recepciones palaciegas.

Lorenzo, como la mayor parte de los afrancesados, advertía sin duda que corrían malos vientos; pero la estrella de Napoleón seguía brillando con tan milagroso fulgor que nadie barruntaba su inminente caída. Como otros, pensaba Lorenzo que el emperador, reputado invencible por tierra, enviaría a España cuando quisiera una expedición fulminante que pondría las cosas en su sitio; a buen seguro tenía planes secretos, contingentes de reserva: un hombre como él todo lo prevé.

Por eso, pese a sus preocupaciones más íntimas, seguía trabajando quince o dieciséis horas diarias, asistía al monarca en todas sus acciones y juntas, organizaba reuniones y debates, pedía opiniones y ayuda, redactaba declaraciones, proponía un par de decretos al día. Su vago cargo de «consejero para asuntos españoles» le permitía intervenir más o menos oficialmente en todos los dominios. Sabiendo que era español, muchas personas se apiñaban a su puerta para solicitar todo tipo de favores. Hacía cuanto podía. El ejemplo del emperador, del que decían que sólo dormía tres horas –una leyenda entre otras–, lo obsesionaba y quería ser digno de él.

La situación española le recordaba a la de Francia en 1793, cuando las esperanzas de vencer a la Europa aliada parecían truncadas. Y aunque veía cómo el pueblo español se aferraba al pasado empeñándose en una guerra absurda contra Francia, no dudaba de que también sus compatriotas acabarían abriendo los ojos y la razón moderna triunfaría. Nada podía quebrantar su firme y clara convicción de que ése era el buen camino para conseguir un bien público al que se consagraba en cuerpo y alma, y así la defendía acérrima, a veces cruelmente. El recurso a la fuerza y la violencia, o a lo que él llamaba a veces «rigor», era inherente a todo progreso, a toda marcha hacia ese futuro mejor que entreveía y describía en sus escritos y discursos.

Este futuro descansaba en tres principios que en París solía llamar, no sin humor, «la santa trinidad republicana»: en primer lugar, la libertad, que para él era Dios padre, principio fundador no sólo de todo acto humano sino de la responsabilidad misma de dicho acto. Curiosamente –aunque sin mayor sorpresa–, en este principio veía una evocación del dogma cristiano del libre albedrío, dogma que los jansenistas impugnaban y él había defendido en otro tiempo con ardor.

Esta libertad republicana existía desde siempre, decía. Es el fundamento mismo de la iniciativa, pero también de la culpabilidad. Explica el progreso, ya que siempre podemos elegir lo mejor en lugar de repetir formas pasadas, y a la vez permite reconocer al culpable y castigarlo en caso necesario. Mucho podía extenderse sobre esto.

El segundo principio, la igualdad, era el hijo de Dios,

Jesús, que se hizo igual al hombre: igualdad a la vez de condiciones y de derechos, pues también Jesús comía, como cualquier ser humano, tenía hambre y miedo, fue juzgado, torturado y ejecutado; mas también igualdad de oportunidades, no oportunidades de salvación eterna, como afirmaban las antiguallas de los catecismos, que ponían en el más allá el cumplimiento de nuestros deseos, sino oportunidades de vida, bienestar e incluso felicidad en esta vida, que es la única que existe.

El tercer y último principio, la fraternidad, «emanaba» de los otros dos como el Espíritu Santo del Padre y del Hijo. Pues ¿cómo concebir una libertad real contemplada por la ley, y una igualdad verdadera de derechos y oportunidades garantizada por esa misma ley, sin ver al punto todos los agujeros, todas las brechas que no dejarían de abrirse en el edificio ideal? Esas brechas eran la desigualdad de virtudes y defectos, la corrupción, la ambición, los vicios, el deseo de dominio y la necesidad de sufrir. Sería iluso creer que tales brechas no existen, y por eso, como decía años antes, la fraternidad no es otra cosa que un lúcido esfuerzo por no caer en quimeras. Y es también nuestro último recurso: cuando Padre e Hijo nada han podido hacer por nosotros, nos queda el Espíritu Santo.

Muy ocupado ese año que presentía decisivo, Lorenzo hizo saber a Goya que de momento no tenía tiempo para posar en el retrato familiar, y le propuso que empezara por Henriette y sus tres hijos. Goya, sin embargo, contestó que prefería esperar, pues necesitaba que posaran todos juntos al menos una vez, a fin de decidir la composición. Así que esperaron. Y Goya siguió entretanto pintando otros retratos, casi sin interrupción: el de una actriz famosa, Antonia Zárate, o el del torero José Romero.

En febrero de 1812 volvió a ver a Lorenzo en su despacho y le preguntó de nuevo dónde estaba Inés. Lorenzo le dijo que había visto a aquella joven, Alicia, y que en efecto tenía un aire con Inés, aunque de ahí a decir que era su hija...

–¡Lo es! –exclamó Goya–. ¡Estoy seguro! ¡La naturaleza no puede crear por azar dos criaturas tan semejantes! ¡Imposible! ¡Eso no puede venir más que de la sangre! Me he pasado la vida observando rostros, hombres, mujeres, niños, ¡y sé lo que me digo! ¡Es hija de Inés!

–¿Y qué? –dijo Lorenzo sin dejar de firmar papeles, leer notas, pedir a su secretario que hiciera esperar a los pretendientes.

–¿Cómo que «y qué»? –repuso Goya, que había ido con su intérprete.

–¿De verdad quieres que se conozcan?

–¿Y por qué no?

–¿De verdad quieres presentar a esa joven a su madre y decirle: aquí está, he encontrado a tu hija y es una puta? ¿Es eso lo que quieres?

–¡Es carne de su carne, sangre de su sangre!

–¿Y qué? ¿Es razón ésa?

Discutieron un rato. Ninguno de los dos quería entender los motivos del otro. Goya deseaba ante todo encontrar a Inés, saber dónde estaba. Lorenzo, impaciente, apremiado por otros asuntos, acabó confesándole que lo que temía se había confirmado: Inés estaba loca.

–Pero ¿dónde está? –preguntaba Goya.

–En buenas manos, no te preocupes.

–Pero ¿dónde, dónde? ¡Tengo que hablar con ella!

–¿Para qué?

–¿Para qué? ¿Has dicho para qué?

–Sí.

Lorenzo empezó a subir el tono. Llevaba un tiempo con ganas de decirle a Goya cuatro verdades. ¿Qué importaba que en aquella joven, en aquella Alicia, reconociera Goya a la Inés del pasado? ¿Por qué insistir tanto en ese parecido? ¿No veía que estaba completamente obsesionado? Y en un arrebato de ira llegó a decirle:

–¿Ha sido tu amante o qué?

–¿Quién?

–Esa joven, esa putilla, ¿te has acostado con ella? ¿Te la has tirado?

–¿A ella?

–¡Sí, a ella! ¿La ves habitualmente? ¿Qué te hace? ¿Qué te dice? ¡Di! ¿O es que te has enamorado?

–No.

Los ánimos se calmaron. Goya se sentó en una silla y, aunque nunca hablaba de su trabajo, de su inspiración, por una vez se permitió algunas confidencias. Recordando aquella conversación en la que Lorenzo, que entonces era fraile y un perfecto creyente, le hizo extrañas preguntas sobre la relación entre el pintor y el modelo a propósito del retrato de Inés, pidió a Lorenzo que dejara un momento lo que estaba haciendo y lo escuchara.

Lorenzo se avino. Despidió secamente a su secretario, que le traía un fajo de correspondencia urgente, y tomando una silla se sentó frente a Goya.

–Escúchame –le dijo éste–. Entre Inés y yo, entre su hija y yo, no hay nada carnal, ¿comprendes? Nada sexual. Ni lo hay ni lo hubo, nunca. Mi obsesión, como tú dices, nada tiene que ver con eso. No van por ahí los tiros. Es otra cosa, más difícil de explicar.

–¿Cuál?

–Esa cara, la cara de madre e hija, me persigue, se me aparece una y otra vez. La veo al despertarme por la mañana, como si me esperara suspendida sobre la cama, y por las noches sueño con ella. Por el día se me presenta delante, en la calle, en mi casa, en todas partes, cuando salgo a cazar al monte, cuando menos lo espero. Está siempre ahí, me mira y me sonríe, y no puedo hacer nada por evitarlo. La dibujo, la pinto, le doy cuerpo de ángel, de diosa, de lo que sea, no importa; pero siempre está ahí, ¿entiendes?

Lorenzo asintió y le indicó que continuase si así lo deseaba.

–El día en que creí morir, allá en Cádiz, cuando de pronto ensordecí con la sensación de que los oídos me reventaban, vi esa cara inclinada sobre mí, esos ojos, esa boca. No sé qué quiere decirme, por qué me persigue, pero así es. A tal punto me he acostumbrado a esa presencia que no podría pasar sin ella, la necesito.

Lorenzo le preguntó si esa cara era la única que se le aparecía.

–No –dijo Goya–, hay otras. La de una mujer a la que tú no conociste, María Cayetana.

–¿La duquesa de Alba? –preguntó Lorenzo.

–La misma. Pero ella no sonreía tanto ni era tan bondadosa. Su mirada era más intensa y lo atravesaba a uno, era una mirada implacable pero al mismo comprensiva y alentadora; descendía sobre uno como la gracia sobre los mortales. Es una de las miradas más bellas que he conocido. Tú no sabes lo importantes que son las miradas para un pintor. Los ojos, y no sólo los de las duquesas: a veces cruzo en la calle la mirada con un mendigo y corro aprisa a casa para plasmar ese destello entrevisto en sus ojos, y sus manos enfermas, y sus dientes podridos, y su cuerpo contrahecho. Y lo mismo me pasa con los perros. Cuando pintaba al rey, al Borbón, a nada podía aferrarme, nada en él tenía carácter, su mirada era como de agua sucia, sus ojos como de carnero degollado. ¡Cuánto me costaba!

Añadió que también podía trabajar con la imaginación, inventar, y con bastante maña, rostros y personajes. Conforme envejecía, decía, miraba cada vez menos y se replegaba más en sí mismo; en su interior, en lo más recóndito de su alma, hallaba imágenes cada vez más sombrías e informes, más vagas y extravagantes, y de ahí sacaba sus modelos. Ese gigante terrorífico, por ejemplo, que acababa de pintar, al que llamaban *El coloso,* tan alto que llegaba a las nubes, que da la espalda a unas gentes que huyen despavoridas y levanta los puños como para pelear contra un adversario que no vemos, ¿de dónde salía? ¿Qué representaba? ¿Era un símbolo, una alegoría? De ningún modo, al menos no para él. Venía de esas profundidades ignotas y silenciosas en las que cada vez se aventuraba más. Cuando le preguntaban de dónde surgía esta o aquella imagen, este o aquel monstruo, todavía decía: «Lo he visto», y si insistían, añadía: «Yo no miro, veo».

Con todo, pese a su edad y experiencia, había rostros del pasado, como los de Inés Bilbatua y Cayetana, que lo ayudaban grandemente, aunque luego, metido en faena, los cambiara y aun desfigurara. Eran rostros que pervivían ocultos e invisibles en algunas de sus obras pasadas o presentes; y aunque en algún momento las olvidara o dejara de verlas, sabía que siempre estaban ahí.

Dijo también que, desde que se dedicaba al retrato (el grueso de su actividad), pintaba casi siempre como un artesano, casi por inercia. Empezaba por abocetar al carboncillo la forma del cuerpo, los hombros, el rostro. Cuando pasaba a componer y perfilar los rasgos de ese rostro, lo hacía, como todos los pintores y como le habían enseñado, trazando sucesivamente las líneas de la nariz, la boca y las cejas, procurando prestar a las formas equilibrio y propiedad, como si de un melón o una jarra se tratara. El rostro de la mayoría de los modelos nada le aportaba. Hacía su trabajo lo mejor posible, sin descuidar ningún detalle, tras lo cual cobraba y pasaba al siguiente retrato.

Pero a veces un rostro lo impresionaba nada más verlo, sin que pudiera decir por qué, y entonces dejaba de ser un objeto para convertirse en una porción de vida. Y ya no era la fidelidad de formas y proporciones ni el parecido lo que le interesaba, sino la vida misma, vida que trataba de plasmar en el lienzo, aunque fuera imposible.

–Y te diré, Lorenzo –añadió para concluir este largo discurso–, que ésa fue la impresión que tuve cuando te vi por primera vez: que estabas vivo. Y así quise reflejarlo en tu retrato, para que el lienzo palpitara con tu misma vida. Por eso fui a ver cómo lo quemaban: para saber si, cuando las llamas prendieran, tu imagen gritaría.

–¿Y oíste algo? –preguntó Lorenzo.

–No –dijo Goya–, pero ya empezaba a tener problemas de oído. –Calló un instante y añadió–: ¿Entiendes por qué me siento tan ligado a Inés?

–Sí, creo que sí –contestó Lorenzo.

–¿Por qué me obsesiona? Muy sencillo: porque le debo mucho, porque me ha acompañado buena parte de mi vida. Y por eso, si aún sientes alguna amistad por mí, alguna compasión por ella, tienes que decirme dónde está.

Lorenzo cabeceó levemente para dar a entender que lo comprendía, que se había convencido, que no hacía falta insistir, que aceptaba.

–Parecía realmente loca –dijo–. Primero la llevamos a un hospital de monjas. Gritaba, golpeaba a todo el mundo, decía que no estaba enferma, que nada tenía, y se pasaba las noches preguntando por su hija.

–¿Y luego?

–Tuvimos que internarla.

–¿En un manicomio?

–Sí.

–Lo sabía. ¿Dónde, dime? ¿En qué manicomio?

Lorenzo no se acordaba: demasiadas cosas en la cabeza. Llamó al secretario, que ni siquiera estaba al corriente; localizaron al subalterno que se encargó del caso, rebuscaron en los papeles... Era muy tarde, anochecía.

Goya volvió a casa y nada dijo a Josefa, su mujer, que, enferma, se debatía entre la vida y la muerte. ¿Para qué molestarla tontamente?

Dejó la visita para el día siguiente.

●

16

Goya ha visitado ya varias casas de locos en Zaragoza
y en Madrid; ha tomado apuntes y pintado cuadros sobre
el tema, no en la tradición alegórica (el mundo es una nave
de locos), sino de manera objetiva, realista. Como siempre, él pinta lo que ve, sea lo que sea. En uno de esos cuadros se distinguen a la derecha, en la penumbra, dos hombres desnudos acoplándose; lo ha visto, lo ha pintado.

Hoy no ha ido a pintar ni a dibujar, sino a llevarse a
Inés. Ha conseguido introducirse en el despacho del director, hombrecillo enjuto y locuaz, muy inquieto, al que
están afeitando. El barbero, hombre de despejada frente y
sonrisa amplia, es sin duda uno de los internos. El director,
con los ojos entornados, le brinda la garganta: muestra valiente de confianza.

Sin despegar los labios enjabonados, el director abre
un párpado y con un ademán pregunta a Goya qué quiere, quién es. El pintor, que como de costumbre se ha
traído a Anselmo, dice que se llama Goya, Francisco de
Goya. El director entreabre los ojos, echa un vistazo al visitante, enarca las cejas: el nombre no le suena. Creyendo
que no lo ha oído, que a lo mejor es sordo como él, Goya
repite:

–Francisco de Goya.

Nuevo arqueo de cejas, como diciendo: ¿y qué?

—Soy pintor del rey —dice Goya, sin precisar de qué rey, puesto que lo es de todos.

Al oír lo de «rey», el director se arranca la toalla, se enjuga rápidamente la cara (que no le ha quedado bien afeitada, pero ahora tiene prisa) y, mientras el barbero, navaja en mano, queda a la espera, exclama:

—¡El rey! ¡El rey! ¿Qué me cuenta usted de su rey? ¿Sabe cuántos reyes tengo aquí en este momento? ¿No se lo imagina? ¿Diez? ¿Quince? ¡Ya he perdido la cuenta, señor! Lo menos veinticinco o treinta... ¡Hasta dos Napoleones hay! ¡Y uno de ellos moro!

Anselmo trata de traducir las atropelladas palabras del director. Para indicar a Napoleón, representa un sombrero mímicamente. Es obvio que Goya no entiende nada. ¿Qué pinta Napoleón en esa conversación recién entablada?

Al ver gesticular al ayudante, el director le pregunta, señalando a Goya:

—¿Está sordo?

—Sí —dice Anselmo—, completamente.

—¡Hombre con suerte! —exclama el director frotándose las manos, que acaba de untarse con crema.

—¿Por qué? —pregunta el ayudante.

—¿Por qué? ¿Me preguntas por qué? ¡Porque podría haberse quedado ciego! ¡Pintor del rey y ciego!

Eso lo hace reír con estrépito, aunque es el único que se ríe. Se aplica también crema en mejillas y cuello y luego se perfuma, diciendo que falta le hace, entre tanto mal olor. El barbero sigue inmóvil.

—¡Deja la navaja, idiota! —le dice el director—. No, lávala primero, ¿cuántas veces he de decírtelo? ¡Y vuelve ahora mismo con los demás! ¡Hala!

El barbero se apresura a obedecer: da media vuelta, busca una toalla, vacía el bacín donde no debe, con lo que se gana una nueva bronca, busca un paño. El director se pone la chaquetilla, se mira en un espejo, observa haciendo muecas las partes mal rasuradas y finalmente se dirige a Goya y le pregunta qué quiere.

Goya ha escrito el nombre de Inés en un papel y se lo enseña:

–¿Y bien? –pregunta el director.

–Quisiera verla –dice Goya–, es una vieja conocida. Inés Bilbatua. Su padre era amigo mío. Es un poco rara, pero no está loca. Quiero que salga de aquí.

–¿Conque no está loca?

–No.

–Aquí vienen dos tipos de personas –dice el director sentándose gravemente a su mesa y enderezando el dedo índice–; unos traen a parientes cuerdos diciendo que están locos para que se los encerremos; otros quieren que soltemos a locos asegurando que están cuerdos.

Goya sólo ha comprendido la palabra «parientes» y se apresura a decir:

–No es pariente mía.

–¿Una amiga, pues?

–Alguien a quien aprecio mucho. Yo respondo de ella.

–¿Responder de ella?

–Sí.

El director mira atentamente a Goya y volviéndose al ayudante pregunta:

–¿Cuánto está dispuesto a ofrecer?

Anselmo traduce cumplidamente (hablar de dinero con gestos es más fácil) y Goya, que conoce bien el arte del regateo y sabe que nunca conviene ser el primero en decir una cifra, le pide que pregunte al director cuánto le parecería bien. Éste, que lleva prisa y atisba una buena ocasión para engrosar un poco las arcas, dice la primera cifra:

–Mil, por ejemplo.

Anselmo traduce y Goya, con expresión hosca, retruca:

–Cien.

–¿Cuánto?

–Cien.

Como si de pronto su asiento ardiera, el director se pone en pie de un brinco. ¿Cien? ¿Cómo que cien? ¿Y por qué no diez? ¿Es que aquí nadie se entera? ¿Es que nadie ve lo que pasa, ni sabe en qué tiempos vivimos? Por todas partes hay revoluciones y levantamientos, alianzas por aquí y alianzas por allá, y todos andan a la greña, el mundo entero está patas arriba, las coronas cambian de testa como si tal cosa, los ingleses se alían con los portugueses contra los franceses, en España tenemos a un rey francés, bueno, francés, ni siquiera eso, un rey corso, pero España no lo quiere, y por lo visto los rusos están ya en Polonia y en Alemania, ¿y cuánto tardarán los turcos en plantarse en París?

–Pero aquí me tienen ustedes –prosigue el nervioso hombrecillo, dando vueltas a la mesa cual insecto en torno a una lámpara–, aquí me tienen, al frente de este centro, yo lo dirijo y yo tengo que hacerlo todo, ocuparme de todo, que si dales de comer, que si cuídalos... ¿Y a mí qué me dan? ¡Nada!, ¿me oyen?, ¡nada! Cuatro meses llevo sin recibir un real, las despensas en las últimas, ¡y me sale usted con cien! ¿Qué quiere que haga yo con cien, a ver? ¡Quinientos! ¡Por lo menos quinientos!

–¡Doscientos! –dice Goya.

–Trato hecho –contesta el director.

Se dirige a un secretario y le pregunta dónde está esa mujer, esa Inés, ¿cómo era? Inés Bilbatua, dice el ayudante de Goya. El secretario nada sabe y habrá que consultar los registros, cosa que llevará un tiempo, porque en los últimos meses hay gran afluencia, falta personal y la tarea se acumula... Felizmente el barbero conoce a Inés: comparten pabellón, el número cuatro.

Antes de salir del despacho, el director pregunta a Goya, por mediación del ayudante:

–A esa tarifa, ¿no quiere llevarse a nadie más?

–No, a nadie más.

Salen Goya, Anselmo y el interno barbero, guiados por el mismísimo director, que habla descosidamente por pasillos y escaleras. Salvan cuerpos que yacen por tierra, atraviesan un patio en el que hay hombres y mujeres encadenados a las argollas de las paredes o que juegan tranquilamente a las cartas fumando y bebiendo vino; tosen, hablan sin cesar o incluso gritan, y aunque Goya nada oye, sí recuerda los ruidos propios de los manicomios: voces extrañas, sonidos repetitivos, llamadas, campanillas, gemidos persistentes, tintineo de cadenas; conoce esos lugares que a un tiempo están al margen y dentro del mundo.

Entre esos muros, tras esas puertas cerradas con candado, confinan las autoridades de turno a quienes separan del resto del mundo por considerar que no son dignos de vivir en él, que han perdido, para su desgracia, lo que los demás llaman razón, esa razón que, fuera, produce guerras y matanzas sin fin, cabezas cortadas y ensartadas en ramas, niños violados, ríos de sangre, cosas todas características del sano juicio y la cordura.

Pero como a menudo les dice a sus amigos, Goya ha visto en esas casas de orates escenas humanas que en ningún otro sitio ha vuelto a presenciar, escenas reales que siempre le han sido de gran valor. Velázquez pintaba enanos, Murillo Vírgenes, Zurbarán santos en éxtasis; él pinta a veces locos.

Llegan al pabellón número cuatro. Un loquero, que conoce a casi todos los internos, abre la puerta de una celda y llama a Inés. Dentro apenas se ve nada.

—¡Aquí estoy! —dice la voz de Inés—. ¡Ya voy!

Goya no oye, pero su ayudante le da a entender que la joven está allí y va a salir. Y, en efecto, Inés sale un instante después: a luz se la ve correctamente vestida y calzada (manicomios y hospitales recibían ropas de caridad recogidas a menudo en ciudades o pueblos destruidos).

Inés sonríe, y resulta que está embarazada de meses mayores. Goya mira a su ayudante con una expresión de ojos que raya en desesperada. Anselmo separa los brazos: no entiende nada.

El que no parece nada sorprendido es el director, que se acerca a Inés y le dice en tono severo:

—¡No, no, por favor, Inés! ¿Cuántas veces hemos de decírtelo? ¡Aquí los niños están prohibidos! ¡Prohibidos! ¿Me entiendes?

El director se inclina, le introduce resueltamente la mano por el vestido, hurga un momento y saca un gran rebujo de trapos, que entrega al loquero. A continuación dice a Inés que queda libre y puede irse cuando quiera, que todo está arreglado.

Pero no es seguro que ella desee irse; permanece de pie, indecisa, con las manos sobre el vientre plano, mientras otras dos mujeres se disputan a gritos la criatura de trapo.

Inés mira a unos y otros, sonríe incluso al barbero, al que ve allí y conoce.

Goya se le acerca y le habla despacio, pero ella no parece reconocerlo.

–Soy yo –dice–, Francisco... Viniste a mi casa, ¿no te acuerdas? Francisco, el pintor...

No, Inés nada recuerda. Mira a Goya como si fuera un extraño. Los meses que ha pasado en el manicomio, sumados a los años de cárcel, han destruido la memoria que le quedaba. Inés ha perdido el contacto con la gente y la realidad y no sabe ya quién es ni dónde está. El director le repite que está libre y puede irse cuando quiera. Un loquero le entrega un hatillo con sus pertenencias: un peine, un pañuelo, una manzana, un pedazo de jabón negro. Pero no comprende lo que el director le dice, la palabra «libre» no tiene ya ningún sentido para ella. Se sienta en una banqueta y mira alrededor.

–Es caso perdido –dice el director a Goya, señalando a Inés–. Pero como ella, ¿cuántos habrá ahí dentro? ¿Veinte? ¿Veinticinco? ¡En una sola celda! ¡Y cada vez llegan más! Ya puedo desgañitarme, que de nada me sirve. El año pasado nos trajeron a uno que no hacía más que gritar: «¡Muera Napoleón!». Yo creo que fingía, que se hacía el loco para poder desahogarse y decir lo que pensaba. Un día nuestros dos Napoleones le dieron tal tunda que hubo que mandarlo al hospital, y allí me parece que murió.

Inés sigue sin moverse. Goya tiene entonces una idea. Se le acerca y le dice:

–Inés, he encontrado a tu hija...

–¿Oyes? –pregunta el director, que está deseando que se la lleven para embolsarse el dinero–. ¡Han encontrado a tu hija! ¡Puedes irte!

–¿Mi hija? –pregunta Inés.

–Sí –dice Goya–, tu hija, ¡la he encontrado!

–¿Mi hijita? ¿Mi niña?

–Sí... Vamos... Ven conmigo, vámonos...

Inés mira al director. Parece asustada. El director la tranquiliza con palabras y gestos, y poniéndole la mano en el hombro la acompaña al pasillo. Ella se deja llevar, recoge el hatillo y toma del brazo a Goya, a cuyo paso camina.

El secretario se presenta entonces corriendo con un papel que hay que firmar. Goya lo hace sin leerlo.

Del mismo recinto, con aire atónito y deslumbrado, asoman otros internos, algunos de los cuales gritan que ellos también quieren salir. Creen que han abierto las puertas y que todo el mundo tienen permiso para irse.

Pero el director les ordena a voces que se detengan y, como ellos vacilan, reacios a obedecer, los empuja con sus propias manos; pide ayuda al loquero y llama a otro, que acude. Los dos hombres restallan sendos látigos y hacen fuerza contra la puerta. El barbero echa una mano y en el último momento se encierra él mismo con los otros.

Goya conocía de antiguo las costumbres de las prostitutas de Madrid y sabía que al atardecer, cuando se cerraban los parques y jardines, seguían trabajando a cubierto, es decir, en las tabernas.

Lo primero que hizo al salir del manicomio fue llevar a Inés a su taller para que comiera y reposara un poco. Los días siguientes, mientras Dolores, la mujer de la planta baja, atendía a la joven, que se pasaba todo el tiempo preguntando por su hija, aquella hija que le habían prometido, él buscaba a Alicia. No pudo encontrarla en los jardines del Retiro. Desde aquel encuentro con Lorenzo que tanto la había asustado, sin duda la joven temía verse envuelta en algún misterioso asunto de esos que entre compañeras se contaban a veces, en los cuales hay implicadas personalidades de alto copete cuyos nombres nadie conoce y que siempre acaban mal; así que evitaba volver al sitio donde Lorenzo la había invitado a subir en la calesa.

Goya hablaba de ella, la describía, enseñaba dibujos que había hecho de memoria. «¡Ah, la hija del cardenal!», le dijo uno riendo; él supuso que no había entendido bien.

Hasta que un día la vio en una de las tabernas que frecuentaba, en el centro popular de Madrid; no en el mesón de doña Julia, de más categoría, donde Inés celebró su cumpleaños –doña Julia murió del pecho en 1809–, sino en un tugurio más lóbrego e inhóspito llamado El Trabuco.

La divisó de lejos, desde el umbral, pero la reconoció en el acto y nuevamente quedó impresionado por su parecido con Inés. Sin llegar a entrar, dio media vuelta y voló a su taller. Serían las cinco de la tarde. Le costó un rato despertar a Inés, que, agotada, se había quedado dormida en su ausencia.

Le dijo que venía por ella, que acababa de ver a su hija y que ésta la esperaba. Avisó al cochero, pidió a Anselmo que los acompañara y los tres se pusieron en camino. Inés, agitada, no cesaba de decir que iba a ver a su hijita, su hijita. «Sí, sí...», le decía Goya, que le tenía cogida la mano.

Al llegar a las proximidades del céntrico barrio, a unos cientos de metros de la Plaza Mayor, el coche aminoró la marcha y se detuvo. Acordonaban aquella estrecha calle unos siete u ocho soldados franceses que, con la bayoneta calada, repelían enérgicamente a los curiosos.

—¿Qué pasa? —preguntó Goya asomándose por la ventanilla.

Si le contestaron, nada oyó. El coche quedó bloqueado. Pidió a Anselmo que bajara a informarse y esperó un par de minutos, al cabo de los cuales, impaciente, se apeó también. Fuera reinaba una agitación inusitada; había mujeres que pasaban corriendo, puertas que se abrían y cerraban, caballos que se encabritaban, soldados que gritaban a voz en cuello. Y, como siempre, él nada oía.

Volvió su ayudante y por señas le indicó que policías españoles y franceses recorrían el barrio preguntando a la gente y haciendo averiguaciones, aunque nadie sabía por qué. Todas las calles parecían acordonadas por hombres armados. Y para colmo empezó a llover.

—Tengo que ir al Trabuco —le dijo Goya—. Sin el coche será más fácil. Vamos, conozco el camino.

Se acercó al vehículo, le dijo al cochero que esperase allí y luego, abriendo la portezuela, aconsejó a Inés que no se moviera ni se apease.

—Voy a buscar a tu hija —le dijo—, tu hija. Está aquí cerca. Pero no te muevas del coche, vuelvo ahora mismo.

Ella lo miró sin contestar; imposible saber si había comprendido o no. Goya dijo al cochero que no la perdiera de vista ni la dejara bajar.

Hizo a su ayudante señas de seguirlo, y partió. Entró en una casa que conocía por vivir en ella uno de sus proveedores y en cuyo sótano había un pasadizo que comunicaba con los sótanos vecinos. Pensaba salir por el edificio de al lado confiando en rebasar el cordón de soldados.

No se equivocó. Diez minutos después se hallaba al otro lado del cordón y hacía señas a Anselmo para que se diera prisa.

Mientras esto ocurría, cierto parroquiano del Trabuco, corpulento especiero de unos cincuenta años, entraba en la taberna en busca de su amancebada, una tal Rosario, conocida de antiguo pero a la que no veía hacía más de un año porque la mujer había tenido un hijo. Era éste un varón de unos seis o siete meses, y la madre lo tenía en brazos cuando el especiero entró en la taberna.

Como todas las prostitutas, Rosario tenía una alcahueta, la cual, salvando la media hora o, más raramente, la noche que pasaba con los clientes, nunca se separaba de ella. La vieja, que había oído jaleo fuera, ruido de cascos herrados, y estaba alerta, fue la primera que vio al especiero. Comprendiendo que venía por Rosario –el hombre la buscaba con la vista desde la entrada–, y para no darle una mala impresión que pudiera disuadirlo, arrebató al instante el niño de manos de su madre y, con pañales y todo, se lo pasó a la muchacha que más a mano tenía.

Ésta era Alicia, que tomó al niño sin mayor sorpresa, mientras Rosario se levantaba y, cambiando una mirada con ella («ténmelo un momento que ahora vuelvo»), salía al encuentro del especiero. Éste pareció muy contento de verla, sacó del bolsillo una abultada bolsa y se la dio a Rosario, que a su vez se la entregó a la celestina.

Y acto seguido ambos salieron a la calle, primero él y luego ella.

En la puerta se cruzaron con Goya y su ayudante, que venían corriendo bajo la lluvia.

Entraron éstos. Desde el umbral, como había hecho una hora antes, buscó Goya con la mirada a Alicia, y al

272

verla se fue derecho a ella. Reconoció la celestina de Alicia al hombre que semanas antes la había abordado en los jardines (tener buena memoria fisonómica formaba parte de su oficio), y tocando en la rodilla a su pupila se lo señaló discretamente.

A esa señal, miró Alicia a aquel hombre mayor y no mal vestido que hacia ella venía y al que no conocía, y pensando sin duda que se trataba de un nuevo cliente, quiso también deshacerse de la criatura, como hiciera un minuto antes la celestina de Rosario. Pero en ese momento no había cerca joven alguna, por lo que lo puso en manos de su propia celestina, que no tuvo más remedio que aceptarlo.

–¿Es usted Alicia? –le preguntó Goya deteniéndose ante ella.

–Sí –contestó Alicia.

–¿Ve como la ha encontrado? –terció la celestina.

Tomó Goya una silla y se sentó frente a la joven; Anselmo se quedó de pie, pero cerca. Por un momento temió Alicia verse de nuevo envuelta en algún dudoso enredo, aunque la expresión de Goya, que la miraba fijamente, no era tan inquietante como la de Lorenzo en la calesa.

Goya se descubrió y se presentó, y tampoco esta vez produjo su nombre efecto alguno. Más interés despertó al decir que era pintor de cámara del rey desde hacía muchos años.

–¿Los conoció? –preguntó la alcahueta, que seguía con el niño en brazos–. Al rey y a la reina que teníamos, ¿los conoció?

–Claro –dijo Goya–, y muy bien. La reina me invitaba de vez en cuando a tomar chocolate.

–¿Y al rey José?

–También al rey José lo conozco, estoy haciéndole un retrato; lo conozco muy bien. Al menos sabe apreciar el vino español.

Miraban las dos mujeres con asombro a aquel hombre más bien fornido y sordo como una tapia que sólo comprendía lo que le decían por las señas de su acompañante (lo que descartaba de fijo que fuera policía secreta) y que hablaba de los reyes como de amigos.

–¿Y mi querida Alicia le interesa? –quiso saber la celestina.

Sin comprender la pregunta, Goya preguntó a Alicia:

–¿El pequeño es suyo?

Alicia negó vivamente con la cabeza. No, no, no era suyo, sino de una amiga que acaba de salir un momento, contestó señalando la puerta.

–He venido –explicó Goya dirigiéndose a la alcahueta– porque quisiera que Alicia conozca a alguien.

–¿Otro hombre? –preguntó la vieja.

–No, no –se apresuró a contestar Goya, que por una vez pudo leer en los casi inexistentes labios de la vieja.

Ésta se deshizo entonces en alabanzas de los talentos de Alicia, moza dócil y condescendiente sobre toda ponderación, amén de abierta a cualquier modalidad de amor (lo cual casaba mal con la imagen de principiante y aun de novicia que de su medio de vida había querido dar la primera vez en el parque), aunque, como es natural, precisó, dichos talentos o especiales prestaciones, con hombres tanto como con mujeres, tenían un precio.

Anselmo se las veía y se las deseaba para traducir todo aquello, en particular lo tocante al amor sáfico y las orgías, y salió del paso como Dios le dio a entender.

Pero Goya comprendía muy bien. Comprendía que la vieja no comprendía nada, y alzando manos y voz le mandó que callara. Enmudeció la celestina, al tiempo que el rorro, que yacía en su regazo, asustado sin duda por las voces de Goya, rompía a llorar.

–Escúchenme un momento –dijo Goya a las dos mujeres–, podrán hacerlo, ¿no? Quisiera que Alicia conozca a una persona que podría ser muy importante para ella.

–¿A quién? –preguntó la vieja.

–¿No será al del otro día? –preguntó Alicia, súbitamente alarmada.

–¿Al del otro día?

Contó entonces Alicia, y Anselmo pudo esta vez traducir, que un hombre fue a verla a los jardines del Retiro y, sin decirle por qué, le propuso que saliera cuanto antes de España; era español e iba bien vestido, y tanto insistió que acabó metiéndole miedo. Goya le preguntó sobre el aspecto y la manera de hablar de ese hombre, y fácilmente identificó a Lorenzo.

–Sí, sí –dijo–, sé quién es, lo conozco. Pero ahora no estoy hablando de él. Alicia, escúchame: tú nunca conociste a tu madre, ¿verdad?

Las dos mujeres se miraron sorprendidas.

–¿A mi madre? –preguntó Alicia.

–Sí, a tu madre.

–¿Qué pasa con mi madre?

Iba Goya a contestar, a revelar por fin el objeto de su venida, cuando sonaron voces en la calle y unos diez soldados, echando la puerta abajo, irrumpieron en el local y ordenaron que nadie se moviera. Ningún caso se les hizo. La primera reacción de la celestina fue desembarazarse del hijo de Rosario –la cual había tenido la suerte de desaparecer con su especiero–, y lo dejó en el suelo, junto a una banqueta, berreando en medio de la general algarabía.

Goya cogió a Alicia de la muñeca y quiso llevársela, pero ella se soltó y escapó entre la turbamulta. La perdió de vista, y preguntó a Anselmo si la veía.

–¡Allí! –dijo el ayudante señalando la puerta.

Goya trató de abrirse paso hacia la calle, donde todo el mundo, hombres y mujeres, trataban por igual de huir, aunque al parecer a los soldados sólo interesaban las majas, que entre gritos y hasta alaridos corrían de acá para allá buscando una salida que no encontraban.

Una vez fuera, vio Goya cómo siete u ocho muchachas, con las manos atadas a la espalda, eran conducidas a culatazos hasta unas carretas allí estacionadas. Vio también que la calle había sido acordonada por ambos lados, y cómo se cerraban las ventanas de las casas y mujeres que iban enloquecidas de un cordón de soldados a otro, lo que le recordó las batidas de caza que se daban en otoño en el campo.

Preguntó a su ayudante qué ocurría. Era una redada, contestó Anselmo abriendo mucho la boca; eso le habían dicho y eso comentaban los del barrio. Pero ¿contra quién, por qué una redada?, preguntaron. Prenden a las fulanas, les explicaron, a todas las prostitutas que pillan en las tabernas, a todas las putas. ¿A todas las putas de Madrid? Eso no lo sabían, nadie podía decirlo; pero a las del barrio, seguro.

–A todas las putas de Madrid –dijo uno que pasaba–, ¡pues no serían pocas!

–Pero ¿por qué? –preguntó Goya–. ¿Qué van a hacer con ellas?

–Para mandarlas a América –dijo una mujer.

–¿A América?

–Parece que allí andan faltos.

–¿De putas?

–No, de mujeres.

Eso de enviar mujeres al otro confín del mundo era ya práctica antigua, y no sólo en España. La operación tenía una doble ventaja: por un lado, los países europeos se deshacían a bajo coste de las mujeres de mal vivir, separando, conforme a los Evangelios, el trigo de la cizaña, con lo cual daban satisfacción a las respectivas Iglesias.

Por otro lado, eran mujeres muy esperadas por hombres, generalmente solos, para que se ocuparan de sus casas y aun para fundar hogares y familias. Dichos hombres las aguardaban de pie en los embarcaderos y se las rifaban a su llegada. Así cada uno se llevaba a casa a la mujer que el azar le hubiera deparado, y sin más desembolso que el de cierta cantidad que, pagada por anticipado, servía para costear la travesía.

En las Antillas, en México y aun en los Estados Unidos había familias de lo más honorables que habían nacido de un sorteo.

Naturalmente, los hombres podían rechazar a la que les había tocado, pero entonces perdían el derecho de participar en una segunda rifa y se iban con las manos vacías. Las mujeres que quedaban sin adjudicar o que ningún hombre había querido acababan sirviendo en algún establecimiento público, hospitalario o administrativo, o trabajando como esclavas en las plantaciones negreras de algodón o de tabaco.

Goya echó a correr de un lado para otro llamando a Alicia a gritos. De pronto creyó verla en la primera carreta, que ya se alejaba bajo la lluvia, y se lanzó a seguirla. Con sus propias manos trató de abrirse paso entre un par de jóvenes soldados, pero recibió un culatazo en la sien derecha y cayó al suelo. Acudió Anselmo y lo ayudó a levantarse justo antes de que una segunda carreta, cargada de mujeres maniatadas que gritaban y gemían, pudiera pasarle por encima y destrozarle las piernas.

–¿Dónde está? ¿La has visto? –preguntó a Anselmo, recogiendo el sombrero.

No, Anselmo no la había visto. La celestina la buscaba también, voceando su nombre. Seguramente ya se la habían llevado con el primer grupo.

Volvieron los dos hombres a la calesa, que estaba en otra calle. Goya renqueaba un poco y un hilo de sangre le corría por la mejilla. Anselmo abrió la portezuela y desplegó el estribo para que Goya subiera y descansara dentro.

El habitáculo estaba vacío. Furioso, Goya increpó al cochero, que quedó al cargo de Inés y se había guarecido de la lluvia en un zaguán.

–¡Te dije que la vigilaras!

–¡Quise detenerla! –contestó el cochero–. ¡Le dije que se estuviera quieta y les esperara! Pero se puso tan...

E hizo un gesto clarísimo, que en todos los idiomas se entiende: Inés estaba loca y fue imposible hacerle entrar en razón.

–¡Pues por eso te dije que la vigilaras! –le gritó Goya–. ¡Si no, no te habría necesitado! ¿Y ahora dónde la busco?

Se sentó en el bordillo y se llevó las manos a la cabeza.

Al dejar la calesa, Inés enderezó sus pasos hacia el alboroto. En medio de la confusión nadie reparó en ella, la detuvo ni la interpeló. Fija la mirada, torcida la comisura de la boca, rebasó las filas de soldados lentamente, como un fantasma que no infundiera miedo ni interés. El pelo, empapado por la lluvia, se adhería a sus macilentas mejillas y el agua le corría por el cuello.

Se cruzó con una de las carretas en que transportaban a las prostitutas, en la cual quizás estuviera Alicia; pero ni siquiera levantó la vista.

Pasando luego por delante del Trabuco, se detuvo a la puerta como si escuchara algo y entró. Serían las siete de la tarde de un día de junio y aún se veía bien.

La sala estaba casi vacía; dos ancianas atendían a un hombre herido que gemía, dos policías comían jamón y bebían vino tinto en la barra, de pie y en silencio, y el dueño levantaba las banquetas volcadas maldiciendo entre dientes a mil y un santos.

Inés, que llevaba consigo el hatillo del manicomio, cruzó despacio, arrastrando los pies y pisando vidrios, toda la sala, hasta que al fondo de ella, en el suelo, debajo de una banqueta, halló lo que buscaba: el hijo de Rosario, que, allí abandonado, había dejado de llorar y dormía.

Como si la criatura hubiera estado esperándola aquel día y en aquel lugar, Inés se agachó y lo cogió en brazos tiernamente, le arregló los paños en que iba envuelto, dio media vuelta y se fue por donde había venido.

Nadie le preguntó nada. Con el niño en brazos y el hatillo al hombro, Inés echó a caminar por las calles de Madrid.

17

Goya regresó a casa, donde halló a su mujer postrada en cama. Le lavaron la cara y lo vendaron. Hacia las ocho y media mandó al cochero que lo llevara al Palacio de Justicia, donde se presentó solo, sin Anselmo, y pidió ver a Lorenzo. Asunto urgente e importante, dijo a los guardias. Tuvo que esperar en la calle.

También allí había soldados que entraban y salían, oficiales que daban órdenes; Goya nada oía. En realidad, hacía años que había desistido de oír los ruidos de la vida diaria; se contentaba con un silencio poblado de visiones que quizás un simple sonido habría espantado.

Anochecía cuando vio llegar unas carretas con toldo. Funcionarios afanosos y sirvientes empezaron a sacar muebles, cuadros, objetos de plata, y a cargarlos presurosamente en las carretas.

Tras veinte minutos de espera, y aprovechando el descuido de los guardias, que también arrimaban el hombro, Goya se escurrió dentro. Subió las escaleras sin que le preguntaran qué hacía allí (o si alguien lo hizo no lo oyó) y nada le costó encontrar el despacho de Lorenzo.

Empujó la puerta, que estaba entreabierta, y entró. Lorenzo hablaba con su secretario y parecía agitado y nervioso. Goya se fue derecho a él, empuñando un grueso bastón con aire casi amenazante, y sin preámbulos le preguntó si era él, Lorenzo, quien había dado la orden. ¿Qué orden? La de prender a las prostitutas para enviarlas a América.

Lorenzo despidió con un ademán al secretario, que sin embargo no había terminado de despachar con él y salió visiblemente disgustado, y luego dijo a Goya, vocalizando lo mejor posible:

–¿Y por qué iba a dar esa orden?

–Para deshacerte de tu hija.

–¿De qué hija?

–De Alicia, sabes muy bien de quién hablo. Tú la viste, hablaste con ella, ¡y le propusiste que se fuera de España!

–Y se negó –dijo Lorenzo.

–¡Quieres que se vaya porque te molesta, porque temes que algún día se sepa todo!

–Francisco, por favor, sosiégate y escúchame.

Le tomó las manos y lo hizo sentarse en una butaca. Lo primero que dijo, hablando despacio y mirándolo a los ojos, fue que nada, absolutamente nada probaba que Alicia fuera su hija. La hija de Inés sí, eso sin duda, también a él lo impresionó lo mucho que se parecían; pero ¿por qué pretender, por qué afirmar que él era el padre? ¿Sólo porque Inés dijo que él era el único hombre al que había conocido? Pero era evidente, y Goya lo sabía muy bien, que Inés no estaba en sus cabales, que había perdido el juicio. Luego ¿quién daría crédito a la palabra de una demente?

Y otra cosa: Goya, que conocía a toda clase de gente, debía saber mejor que nadie que en las prisiones mixtas, así como en manicomios y hospitales, las relaciones sexuales son frecuentes e irregulares. Es un modo de pasar el tiempo, o de matarlo, como se quiera. Esa gente copula con quien sea, a oscuras, y se olvida pronto. ¿Quién podía asegurar que en sus primeros días de reclusión, cuando ya Lorenzo había salido de España, Inés no tuvo trato carnal con uno o varios de sus vecinos de celda?

–Fui al manicomio –dijo Goya–, pagué lo que hizo falta y la saqué de allí.

–Lo sé –contestó Lorenzo–, el director me lo dijo. Y la llevarías a tu casa, ¿no?

–Sí.

–Y habrás buscado a Alicia para juntar a madre e hija, ¿no es eso? Sigues en las mismas. Ya sabes que yo no lo apruebo, que me parece una crueldad. Y no has encontrado a Alicia.

–No, no la he encontrado. Porque tú has decidido mandarla a América.

–Francisco, mírame y dime sinceramente: ¿crees que yo haría algo así? ¿Que desterraría a todas las prostitutas de Madrid solamente por deshacerme de una chica cuyo padre nadie puede demostrar que soy yo? ¿Me crees capaz de eso?

Goya clavó en Lorenzo su incisiva mirada y contestó:

–Sí.

–¿De veras?

–Sí, envías allá a todas esas mujeres para quitarte de en medio a Alicia. Sí, eres capaz.

–Escúchame –dijo Lorenzo–. Sí, es verdad que estaba al tanto del proyecto, que se pensó hace ya varios meses. Y cuando me preguntaron mi opinión no dije que no. Y pensaba en esa Alicia, es cierto.

Goya lo agarró bruscamente por las solapas y le pidió que, si aún le quedaba una pizca de buen corazón, ordenara traer de inmediato a Alicia y se la devolviera a su madre. El convoy no habría hecho más que salir de Madrid; que un jinete con la orden pertinente le diera alcance y todo quedaría solucionado. Alicia recuperaría a su madre.

–¿Y las otras no te importan? –preguntó Lorenzo.

Goya se hizo repetir la pregunta. No, las otras también le importaban, pero era absurdo querer liberarlas a todas. Se conformaba con Alicia, él hacía lo que podía. Y añadió:

–Si lo haces, y sé que puedes, será la prueba de que decías la verdad.

–¿Y si fuera lo mejor que le podía pasar? –preguntó Lorenzo.

–¿Cómo?

Goya no había entendido la pregunta y le pidió que la repitiera. Lorenzo así lo hizo y él, furioso, se puso en pie y le dijo:

–¿Lo mejor? ¿Ser esclava en América?

–¡No necesariamente!

–¡Sí, esclava!

También Lorenzo se puso en pie. En aquella pieza amplia y casi vacía a la que sólo a ratos se asomaba el secretario entreabriendo una puerta, los dos hombres se encararon.

Lorenzo, presa a su vez de la ira, empezó a gritar, asestando golpes con el puño en el pecho de Goya:

–¡Más cuenta les trae eso que seguir viviendo como lo hacen en esta casa de putas que llamáis España! ¡Despierta, Francisco! ¡España entera es un inmenso caos! ¡El año pasado la gente se moría de hambre! ¡Los manicomios están repletos, como tú mismo has visto! ¡Y no hay nada que hacer, nada! Uno se devana los sesos, estudia una cuestión, da una orden, ¡y se la pasan por la entrepierna! ¡Uno trabaja día y noche, y todo el mundo se le echa encima! ¡Una casa de putas, sí señor!

–¿Y yo? ¿También soy una puta? ¿Es eso lo que quieres decirme?

–¿Tú? ¡La más puta de todas!

Lorenzo había estallado. Rendido de trabajo, acosado a sospechas, amargas demandas, reproches y acusaciones mil, no pudo aguantar las ganas de decirle a Goya lo que a veces pensaba de él:

–¡Tú trabajas para todo el que te paga, sea quien sea! ¡Ayer fue para ese rematado cretino de rey de España y su desdentada mujer, y para el señor Godoy, que sabe Dios dónde estará, y hoy es para un Bonaparte, o para cualquier otro francés, y mañana será para ese bastardo de Wellington! ¿Y por qué no para el bruto de Fernando, si algún día vuelve? ¡Tú te escondes tras tus lienzos y te quedas tan tranquilo! ¡Nadie puede hacerte nada! ¡Tú eres un artista, con nadie te metes, lo tuyo es hacer dinero, forrarte! ¡Conque no me des lecciones, por favor! Yo al menos trato de hacer algo... Yo al menos creo en lo que hago, sí, creo ciegamente... He luchado con todas mis fuerzas por mejorar las cosas, por cambiar siquiera un poco este espantoso mundo... ¡A eso he consagrado mi vida entera! ¡Tú en cambio te has limitado a mirarlo y a sacar el máximo partido! ¡Conque calla la boca, no quiero oírte!... ¿Que embarcan a las putas para América? ¿Y qué? Allí al menos tendrán una oportunidad, mientras que aquí sólo les esperan miserias, penalidades y oprobio... ¿Lo entiendes? ¿No? ¿No lo entiendes? ¿O eres como todos los sordos, que sólo oyen lo que quieren?

Goya sólo comprendió a medias la parrafada, pero estaba impresionado: nunca había visto a Lorenzo tan fuera de sí, tan descompuesto. Sin duda semejante estallido se explicaba por el miedo a un vuelco súbito y fatal, el presentimiento del fin de una época, de un ideal, de una vida de trabajo, la alarma ante los malos vientos que soplaban del oeste.

Se abrió una puerta y entraron en el despacho dos oficiales franceses. Lorenzo fue a su encuentro y les preguntó algo. Los hombres le contestaron en actitud respetuosa. Al parecer le traían noticias.

Como siempre, Goya no podía entender lo que decían.

Los tres hombres conferenciaron dos o tres minutos, luego los oficiales se retiraron. Lorenzo permaneció inmóvil largo rato. Goya se acercó y le preguntó:

–¿Qué han dicho?

Lorenzo se volvió hacia él y lo miró sin contestarle, sin verlo. Goya no había de olvidar aquellos ojos más negros y brillantes que nunca, aquella mirada ciega en que se leía la derrota, la decepción y la cólera. Acababan de comunicarle que las tropas angloportuguesas al mando de Wellington se adentraban en territorio español más fácilmente de lo previsto; que en algunos lugares las milicias españolas, que teóricamente obedecían al rey José, se unían a ellas para combatir a los franceses; que la guerrilla se generalizaba, cada vez más hostigadora, como ocurre siempre que un ejército antes poderoso se bate en retirada.

En unos instantes veía Lorenzo consumarse el fin que llevaba meses temiendo, el fin que allí estaba ya. Todo acababa en aquel Madrid sobre el que caía una suave lluvia de verano. Y esta vez no se perfilaba en el horizonte milagro alguno. El gran Napoleón, embarcado en sus campañas europeas, nada podía hacer por su hermano, que, como los dos oficiales acababan de comunicarle, había salido de España unas horas antes.

Sin decir una sola palabra ni hacer caso de las preguntas de Goya, Lorenzo bajó los ojos y salió precipitadamente del despacho, sin volverse ni cerrar la puerta.

Goya se quedó solo, sin saber qué hacer. Sintió desvanecerse en su alma toda esperanza de recuperar y salvar a Alicia. ¿A qué había salido Lorenzo? ¿A impartir órdenes urgentes? ¿Accedería? ¿Volvería? Imposible decirlo. Pero aun sordo, Goya percibía claramente el miedo que flotaba en el casi desierto Palacio de Justicia.

Esperó quince o veinte minutos, solo. Lamentó no haber traído a Anselmo, que podría haberse informado de lo que ocurría o se decía.

Se asomó a uno de los balcones. Fuera seguía lloviendo y caía la noche. Vio su calesa y a su cochero, que aguardaban aparte, bajo los árboles. La mayoría de las carretas que cargaran de objetos y legajos habían partido ya. Lorenzo ayudaba a instalarse a su nerviosa mujer, a sus tres hijos y a un criado francés en dos calesas repletas de bultos. Su secretario corría de aquí para allá entre las carretas, tratando (pensó Goya) de echar una mano o buscando sitio. Los dos oficiales franceses y unos cuantos jinetes más se dispusieron en formación alrededor de las carretas, sin duda para escoltarlas.

Lorenzo montó en su cabalgadura, la única que quedaba libre, en el último momento, cuando ya las dos calesas partían a duras penas, y se arropó con una manta. Los cascos de las caballerías resbalaban en los adoquines mojados y una de las portezuelas, mal cerrada, golpeteaba.

El secretario echó a correr tras ellos, agitando los brazos y gritando.

A los pocos minutos no quedaba allí nadie, a excepción de un guardia que, resguardada la cabeza con un saco de arpillera, recogía del suelo vidrios rotos y papeles.

Goya permaneció aún más de media hora en el abandonado edificio, ya para su deleite. Seducido por aquella atmósfera singular, recorrió las estancias, descifró sin trabajo las simbólicas decoraciones de los revestimientos de madera, observó de hito en hito los blancos bustos de varios juristas eximios, nacidos en los tiempos modernos y cuyos nombres desconocía. Vio también esculturas de Cicerón y Demóstenes, y se preguntó hasta qué punto aquellas imágenes, renovadas de siglo en siglo, se parecían a los seres reales. «Poco, seguro que poco», se dijo. «El original se ha perdido; el paso del tiempo ha borrado las genuinas formas humanas, como es natural, y esas imágenes son arbitrarias e ideales. ¿Y por qué no había de ser así? ¿Por qué me esfuerzo yo en retratar fielmente a mis modelos? Dentro de veinte o treinta años, ¿a quién le importará eso? Yo podría pintar tranquilamente en casa a todos los reyes y reinas del mundo con el aspecto que me viniera en gana: ¿quién me pediría luego cuentas? Y lo mismo podría hacer con los papas.

»Sólo que, entonces, ¿quién me pagaría?» Esto sí que no lo sabía.

A oscuras y tropezando, cruzó la sala del tribunal en la que vio a Lorenzo constituirse en fiscal de sus antiguos congéneres, y pensó cuán mudable había sido la vida de aquel hombre. Ahora le pesaba haberse separado de él con una violenta disputa. Después de todo, se decía, quizás había sido injusto con él. No es fácil para un sordo entenderlo todo, saberlo todo. Pero también podría haber salvado a esa joven, su hija. ¡Misteriosos móviles los de la acción y la conducta humanas!

Se detuvo en lo alto de la escalera principal, solo en medio de tanto mármol. Las velas de los apliques se consumían sin que nadie las reemplazara; la oscuridad se extendía y adensaba poco a poco; los bustos, que las sombras iban envolviendo, semejaban fantasmas solemnes aunque impotentes frente a las sombras.

Empezó a descender la escalera pero, tras bajar los tres o cuatro primeros escalones, se detuvo: subiendo hacia él como en un sueño hecho realidad, empapada y radiante, con el hatillo al hombro y el niño arrebujado en los brazos, vio a Inés.

Siguió bajando; ella lo reconoció, se detuvo al llegar junto a él y lo miró con una amplia y dulce sonrisa, como si ya nada la turbara y se sintiera por fin feliz. Goya fue a tocarla, a decirle algo, pero no encontró palabras.

–Es mi niña, mi hijita –dijo ella con orgullo, sin darse cuenta de que era un varón lo que llevaba en brazos. Y siguió subiendo, mientras decía a Goya, que nada comprendía–: Chist... Mi niña duerme... Su padre aún no la conoce... No quiero que gruña cuando él la vea... No la hagamos llorar...

Llegó arriba y, vacilante, se detuvo un momento, pensando qué camino tomar. Goya comprendió que buscaba el despacho de Lorenzo, donde había visto y reconocido a éste; la llevaba allí el mismo sentido de la orientación que al salir de presidio la condujo primero a casa y luego al taller del pintor.

Goya subió de nuevo la escalera y la siguió; recorrieron un pasillo y llegaron al despacho, cuya puerta había quedado abierta. Inés entró, se detuvo en mitad de la pieza vacía y en penumbra y llamó a Lorenzo por su nombre. El hatillo se le deslizó del hombro y cayó a sus piés.

Llamó una segunda, una tercera vez.

Goya la observaba desde el quicio de la puerta, dispuesto de nuevo a tenderle la mano.

La caravana de mujeres salió de Madrid al día siguiente, según las órdenes, con rumbo al oeste. El itinerario contemplaba pasar primero por Toledo para dirigirse luego a Sevilla o Cádiz, posibles puertos de embarque.

El sol, en el caluroso sol estival, lucía de nuevo, y las mujeres, de pie en las carretas, atadas, zaheridas, extenuadas tras una noche en vela, se protegían de él como podían, con mantillas y pañuelos. Unas rezaban desgranando un rosario, otras dormían de pie, unas terceras, sin poder tenerse derechas, descansaban aovilladas sobre la plataforma, con los ojos cerrados, gimiendo sin cesar; otras, en fin, como Alicia, irritadas por aquel gimoteo, las mandaban callar con insultos y aun algún que otro puntapié. ¿Encima de desgraciadas lloronas?, las increpaban.

Las escoltaban unos quince soldados, entre franceses y españoles, al mando de un sargento, tres o cuatro a caballo, los demás a pie, y todos al parecer tan cansados como ellas.

Avanzaba la caravana por las peladas llanuras de Castilla cuando, hacia mediodía, aconteció algo que tanto unos como otras consideraron punto menos que milagroso.

Se acercaba el convoy hacia un árido monte cuando en lo alto de éste apareció un jinete vestido de rojo; deteniendo la cabalgadura, se puso a otear el horizonte con una mano a guisa de visera y alargó la otra hacia un segundo jinete que, acudido al punto, le entregó un catalejo.

El primer jinete, que parecía persona de mando, tomó el instrumento, observó con él la caravana y picó luego espuelas haciendo un ademán de significado claro: ¡a la carga!

Casi en el acto la cima del monte se erizó de varios centenares de hombres que, con uniforme también rojo y arma en ristre, se precipitaban hacia la caravana. Tratábase de un nutrido destacamento del ejército inglés al mando del mismísimo general Wellington, el hombre del catalejo.

Por varias razones consideraron milagroso el hecho ambas partes: los escoltas de la caravana, por un lado, poco numerosos e incapaces de defenderse, se desbandaron sin dudarlo al ver tanto uniforme rojo correr ladera abajo cual campo de furibundas amapolas, y hasta varios de los militares españoles rindieron las armas y levantaron las manos, contentos de acabar de una vez una guerra perdida.

Las mujeres quedaban así libres.

Por otro lado, un millar largo de soldados británicos, que llevaban meses sin holgar con hembra, veían ante sí tres carretadas de inofensivas y maniatadas mozas, como don dispensado por alguna divinidad benévola.

Lo que allí, a campo raso, ocurrió en las dos horas subsiguientes al milagro no puede atribuirse a la santísima Virgen ni a ningún santo localmente conocido, y todos prefirieron dar las gracias a la mismísima divina providencia.

Los primeros jinetes que llegaron a la caravana cortaron las ligaduras de las mujeres y les ofrecieron agua. Saltaron ellas a tierra, a punto de ver llegar al resto de los hombres, que agitaban los brazos y gritaban en inglés palabras a todas luces gentiles y tranquilizadoras: después de tan fácil victoria, y no sin inteligencia, Wellington acababa de decretar una hora de descanso.

Dejaron los soldados las armas, en buen orden, como ingleses que eran, y tomando por talle o mano a las mozas que se les presentaban, y sobre cuya profesión no les cabía duda, les ofrecieron de beber y comer y se las llevaron entre risas a la sombra de los pocos árboles que salpicaban los contornos.

Entre los primeros jinetes que alcanzaron el convoy se contaba un coronel de cuarenta a cincuenta años, Samuel Eddington de nombre, hijo menor de una familia noble inglesa que había seguido la carrera de las armas. A este hombre de patillas ya grises y ojos azules llamó la atención una morena que permanecía, sola y de pie, en la tercera carreta, y que, con expresión indiferente y casi desdeñosa, no parecía mostrar interés alguno por lo que acontecía a su alrededor, como si aquello no fuera con ella.

Sin desmontar, el coronel Eddington saludó a Alicia descubriéndose. Ella le echó una mirada de soslayo, mirada eficacísima, como bien sabía, y correspondió al saludo con un breve movimiento de cabeza.

Él le ofreció una cantimplora con agua fresca. Ella vaciló en tomarla, mas al fin aceptó, dio las gracias con una breve sonrisa y bebió un trago, con la punta de los labios y sin dejar de mirar al oficial.

Wellington entró en Madrid el 12 de agosto de 1812, sólo unos días después de la huida del rey José y de Lorenzo. Fue recibido en jubiloso triunfo. Sin embargo, la guerra de la Independencia distaba de haber terminado. Antes bien, en los meses siguientes el odio y el horror se recrudecieron. La capital fue tomada y perdida por los franceses varias veces más. Cada día aportaba invenciones atroces. Los contendientes se empalaban, se quemaban vivos y con hachas y sierras se mutilaban mutuamente. De los árboles colgaban cadáveres desnudos cuya identidad se ignoraba. Jefes de guerrilla inaprensibles, que desaparecían entre los habitantes de los pueblos, se hacían famosos en cuestión de semanas. El antiguo rey Carlos IV y su mujer vivían en el exilio gracias a la pensión que Napoleón les concedió, desplazándose de Compiègne a Aix-en-Provence, de Marsella a Roma, jugando tranquilamente a las cartas, componiendo música y cazando. Un grupo de próceres españoles, más o menos liberales y en todo caso ilustrados, formaban Cortes en Cádiz y se aprestaban a redactar una Constitución, la primera en la historia del país, fundada, como los modelos norteamericano y francés, en la legítima soberanía del pueblo.

En esas Cortes figuraban no pocos representantes de los territorios antillanos, americanos y aun de las lejanas Filipinas, que no vacilaban en alzar la voz para decir que sus países eran ya más vastos y ricos que España, a la cual seguían injustificablemente sometidos. Anunciaban independencias inminentes y aspiraban no a la muerte de una nación, sino al nacimiento de otras nuevas.

Goya, poco antes de la entrada de Wellington, perdió a la que fue su mujer durante treinta y nueve años, y hubo de ocuparse de intrincados problemas de herencia. Como

Lorenzo le pronosticó, recibió el encargo de pintar al vanidosísimo general inglés, el cual, nunca satisfecho con el retrato, aun en plena campaña en el norte se lo devolvió varias veces para que lo retocara o le añadiera nuevas medallas y distinciones.

Retrató asimismo a uno de los más temibles cabecillas de los insurrectos, el Empecinado, que entró en Madrid con Wellington: cejas pobladas y facha de pirata. Y, por las noches sobre todo, seguía burilando planchas de metal en las que estampaba para la eternidad los desastres de la violencia humana, si bien a nadie, o a casi nadie, las mostraba.

Inés continuó buscando por toda la ciudad a Lorenzo, siempre con el niño en brazos. Liberadas por Wellington, las mozas de fortuna volvieron rápidamente a Madrid, aunque por motivos de orden público, y pese a la presencia de soldados extranjeros, las autoridades inglesas habían cerrado la mayoría de las tabernas, entre ellas El Trabuco. Rosario, la madre del niño, buscó a éste en vano el día de la redada y los siguientes, hasta que acabó dándolo por perdido.

Goya había habilitado para Inés un cuartito encima de su taller, y Dolores, por poco dinero, se ocupaba de ella. Para evitar recordarle los días de cárcel, Goya resolvió no cerrar nunca con llave la puerta de ese cuarto, de modo que Inés pudiera salir cuando quisiera. Ella conocía el camino, e iba y venía sin dificultad.

Pues, en efecto, Inés salía a menudo, algunos días hasta varias veces, con o sin el pequeño. Solía ir al Palacio de Justicia, donde había nuevos magistrados en espera de ejercer cuando la situación del país se despejara; pero como los guardias no la dejaban pasar, aguardaba un rato a la puerta y luego se iba. Visitaba también casi a diario la que fue la casa de su infancia, requisada por el ejército inglés y que ahora ocupaban oficiales británicos, los de mayor graduación instalados en las estancias interiores, prontamente limpias y repintadas, los demás acampados en el patio.

Pero aquellos militares la tomaban por una pordiosera y también de allí la echaban. Callejeaba entonces durante horas por aquella ciudad en tregua, y de cuando en cuando algún transeúnte o vendedor ambulante le daba una manzana, un vaso de leche. La gente conocía ya a esa mujer flaca y de andar despacioso que buscaba al azar al padre de su hijo, y algunos la saludaban familiarmente por su nombre. También la chiquillería la reconocía, y se burlaba diciéndole: «¡Tu hija es un crío! ¡Tu hija es un crío!». Pero ella misma apenas miraba o respondía a nadie. Sus ojos se posaban un instante en las cosas sin verlas. No vivía en el mundo. Su vida se había detenido cierto día del pasado. El correr del tiempo la había dejado definitivamente atrás. Algunos ancianos la veían pasar y sacudían la cabeza: para ellos era como la imagen de la España en que vivían, extraviada, pobre y no menos loca que aquella mujer.

Lorenzo y su familia, que se dirigían a Francia, cayeron en una emboscada al poco de pasar Calatayud. Les dispararon desde los matorrales de ambos lados del camino y uno de los escoltas cayó. Lorenzo gritó al cochero que conducía a su mujer y a sus hijos que huyera a galope, y él se quedó atrás con el resto de los soldados.

Vieron aproximarse por entre las rocas del terreno a un grupo de campesinos; evitaban el campo abierto y los sembrados y se escondían detrás de los árboles; iban armados con viejas escopetas, sables, navajas, horcas, hondas y palos afilados, y dos o tres de ellos, que parecían niños, apretaban piedras en sus manos. Conocían el terreno como la palma de la mano y avanzaban con presteza y agilidad, sin intercambiar una sola palabra, resueltos a acabar con aquellos franceses.

Lorenzo levantó la pistola y gritó en español que eran amigos, que no tenían por qué atacarlos, que no abriría fuego, que les permitieran atender al herido, que se desangraba en el suelo.

Los salteadores no contestaron; siguieron avanzando a campo traviesa sigilosamente. Cuando los tuvo a tiro, y sin duda de mal grado, Lorenzo hizo fuego contra sus compatriotas.

Pero no sabía disparar, su montura se movía, erró el blanco.

Como vio temerosos a sus compañeros, les ordenó que escaparan y él mismo se lanzó al galope tras las calesas que se alejaban. Tendida de parte a parte del camino y disimulada entre el polvo había una cuerda, que al pasar tensaron de golpe; tropezó el caballo, salió él despedido y al caer se golpeó la cabeza, aunque pudo levantarse; oyó unos disparos –sus hombres lo defendían–, sintió en el hombro un fortísimo golpe de horca y se desplomó.

Los campesinos lo rodearon al momento, dispuestos a rematarlo, pero él, en español, pidió clemencia e invocó a varios santos muy populares, lo que los hizo recapacitar. No trataba de huir de España, les dijo, sino de poner en salvo a su mujer y a sus hijos, que no tenían culpa de nada; luego volvería a su tierra y cumpliría con su deber, como todo el mundo.

En la partida había un cura, y dirigiéndose a él rezó Lorenzo una oración en latín, lo que dejó muy sorprendido al ministro de Dios. Eso le salvó la vida. Por contra, no consiguió que le permitieran seguir su camino y auxiliar a su familia. Lo condujeron a un pueblo cercano y lo encerraron en un cobertizo junto con otros prisioneros de guerra, militares todos, españoles y franceses, en su mayoría heridos.

Allí los tuvieron una semana, atados y sin recibir cuidado alguno, en espera de que se tomara una decisión. Se tomara, ¿dónde? Nunca se supo. En aquellos momentos nadie sabía quién decidía sobre el destino y aun la existencia de España.

Por todo alimento les suministraron un aguachirle en la que flotaban cogollos de col y trozos de tocino rancio. Los lugareños no disponían de medios para custodiar prisioneros ni para alimentarlos. Varios heridos fueron llevados a un robledal próximo y probablemente rematados.

Un domingo por la mañana, después de misa, unos campesinos hicieron una cuerda con ellos y a pie los pusieron en camino hacia Madrid. Dos de los cautivos murieron de agotamiento al mediodía. Los hombres que los conducían cortaron la soga que los unía a los vivos y dejaron sus cuerpos a la vera del camino.

Al cabo de dos días de marcha, durante los cuales no les dieron más que un mendrugo de pan y agua de los charcos, llegaron a las puertas de la capital. Allí los descalzaron, les ataron al cuello unos cencerros e hicieron así una sonante entrada en la ciudad, entre los insultos de los ciudadanos.

Fueron confinados en el patio de una prisión, donde permanecieron varios meses, sin saber si serían juzgados ni por quién, sin tener noticias del mundo e ignorando quién ocupaba el poder en Madrid y en el resto de España, mal alimentados y bajo prohibición de hablarse entre sí. La mitad pereció. Lorenzo resistió. «Suerte tienes de estar vivo. Todos los demás han muerto», le decía a veces el guardián.

¿Quiénes eran los demás? Lorenzo nunca lo supo. La mayoría debían de ser españoles como él que habían abrazado la causa francesa.

En 1813 Wellington obtuvo varias victorias aplastantes. La de Vitoria, en junio, fue considerada decisiva. José Bonaparte escapó de milagro. Como buen amante del arte, ya había enviado a Francia todo un cargamento de obras, cuadros sobre todo, de Tiziano, de Velázquez, de Correggio, aunque no habían de permanecer mucho tiempo en su poder. Con la derrota de Napoleón en 1814, fue expulsado de Francia, adonde regresó al año siguiente, cuando su hermano hizo lo propio procedente de la isla de Elba, y volvió a exiliarse, ya definitivamente, tras la batalla de Waterloo en 1815, mientras el derrotado Napoleón se embarcaba en un navío británico rumbo a una isla remota, Santa Elena, donde dio fin su legendaria vida.

José I, que no había dejado España con las manos vacías, emigró a Filadelfia, Estados Unidos, donde sus allegados lo llamaban a veces «majestad», llevó una vida placentera y ociosa, dando recepciones y rodeado de mujeres, y murió en Italia en 1844, veintitrés años después que Napoleón. En el curso de sus viajes por Suiza, Italia y Estados Unidos, no dejó de adquirir cuadros, esta vez legalmente. Fue sepultado junto con los restos de su hermano en Les Invalides de París, donde todavía reposan.

En España, nadie deseaba el retorno de la vieja pareja real, que tampoco manifestaba deseo alguno de abandonar su exilio. Así, la corona recayó sobre Fernando, que tras la desventurada entrevista de Bayona vivía en Valençay, en Francia, en un palacio propiedad de Talleyrand, rezando a todas horas con su joven hermano y su tío, y quemando cuanto libro de Rousseau y de Voltaire encontraba en la biblioteca.

Este personaje mediocre, neurótico, necio, malvado y vengativo, de feroz mentalidad retrógrada, fue sin duda el peor rey que tuvo España, lo que no impidió que fuera acogido con entusiasmo en las primeras ciudades en las que recaló, Zaragoza principalmente. Cuando en 1814 entró en Madrid, donde podía temer un recibimiento más tibio, fue acogido al grito de «¡Muera la libertad! ¡Viva Fernando VII! ¡Vivan las cadenas! ¡Viva la opresión!», palabras que habían de resonar largo tiempo en la memoria de los españoles. Y es que el pueblo, como suele ocurrir, y siempre para asombro de los hombres lúcidos, harto ya de tantos años de inexplicable desgobierno, invasiones, expolios y miseria, veía la vuelta al orden como un alivio, con independencia de la máscara con la que ese orden se presentara.

El orden, en efecto, fue restablecido. La Constitución de Cádiz quedó inmediatamente derogada, muchos liberales notorios fueron encarcelados la noche del 10 al 11 de mayo, así como actores, periodistas, abogados y hasta aristócratas, todos los ilustrados fueron hallados en sus domicilios. El 12 de mayo, cuando Fernando aún no había llegado a Madrid, se promulgó un edicto advirtiendo que todos los que se manifestaran a favor de la Constitución serían ejecutados sin dilación.

Fernando cerró universidades y teatros. Y en cuanto pudo restableció la Inquisición, a la que dio públicamente gracias por haber preservado al país del error y la depravación que habían campado a sus anchas en otras naciones. Lo esencial era garantizar la seguridad nacional y la salud moral. Las luces se apagaron. El rector de la universidad de Cervera, al recibir al nuevo rey, dio en pronunciar una célebre frase que al punto lo hizo entrar en la historia de España: «Lejos de nosotros la funesta manía de pensar». Y para dejar bien claro que el país seguía siendo un reino ajeno a toda ideología revolucionaria, se gritaba también: «¡Muera la nación!».

Goya había titulado uno de los grabados de sus *Desastres de la guerra*: «Murió la verdad». No era cierto para todos. Oficialmente, y al menos en España, la verdad había revivido, y para confirmarlo el rey anunció que a los herejes se les quemaría la lengua con hierro al rojo vivo.

Lorenzo, encerrado, nada o casi nada sabía de este retorno masivo de lo oscuro. Un guardián bien dispuesto dejaba caer de cuando en cuando alguna noticia, que los franceses habían claudicado o que el rey estaba de vuelta. ¿Qué rey? Lorenzo no lo sabía, como nada sabía de su esposa y sus hijos. Quizá Goya se habría aventurado a visitarlo, pero seguramente ignoraba su paradero.

Por momentos tenía la casi confortante sensación de haber sido olvidado, y se preguntaba por qué pasaban semanas y meses sin que lo juzgaran. Por fin, el 17 de junio de 1814, el alcaide fue a verlo personalmente, le dio navaja y jabón de afeitar y mandó traer una palangana con agua para que pudiera asearse. No aclaró el motivo de tan repentinas atenciones, que quizá ni él mismo conocía.

Al día siguiente fue a buscarlo un coche, a él solo. Subió, en tal estado de entumecimiento que apenas si podía levantar las piernas, y el coche partió de Madrid. Con gran sorpresa vio que se detenían a las puertas del antiguo edificio del Santo Oficio, que llevaba mucho tiempo sin ver.

Le mandaron apearse; dos frailes salieron a recibirlo y, ayudándolo a caminar, lo condujeron a una celda donde halló comida, agua y hasta un vaso de vino. Un viejo dominico, al que no reconoció, se presentó también para ayudarlo a lavarse. Le preguntó si aún le dolía la herida del hombro, demostrando así que estaba informado. Las heridas de horca son malas, añadió, porque los utensilios han estado en contacto con el estiércol y a veces aquéllas se infectan.

Contestó Lorenzo que, aunque la herida ya había cicatrizado, el hombro seguía doliéndole, y preguntó por qué después de tantos meses de prisión lo llevaban allí. La pregunta pareció sorprender al anciano, que respondió:

–Pues para el juicio.

No preguntó Lorenzo a qué juicio se refería. Lo supo cuatro días después. Una mañana temprano entraron en la celda cuatro frailes, le pidieron que se desnudara por completo y, cuando él lo hubo hecho, bañaron tres veces su cuerpo con agua fría, murmurando oraciones, y lo vistieron con un largo hábito de tejido áspero; mandándole, por último, que se sentara, le pusieron una coroza como la que en otro tiempo solían llevar los reos juzgados por la Inquisición.

Lorenzo reconocía aquellos preparativos minuciosos, aquel ceremonial de antaño que él mismo rehabilitara, y nada decía. Le bastaba con saber que el tribunal del Santo Oficio había sido restablecido con sus antiguas funciones y que iba a comparecer ante él.

Cuando estuvo listo, los frailes se dispusieron a su izquierda y a su derecha. Tras indicarle que debía ir descalzo, cosa que él ya sabía, lo acompañaron por varios pasillos hasta la sala capitular, donde otrora se celebraban las juntas en las que participaba con ardor y se tomaban las grandes decisiones.

Allí, como suponía, encontró al padre Gregorio. Éste no sólo no había muerto, sino que parecía haber recobrado algunas fuerzas, y sus ojos, tan azules como siempre, se posaron con gravedad sobre él cuando tomó asiento enfrente, sobre una banqueta baja, doblando las piernas.

Hizo el inquisidor la señal de la cruz y pronunció las consabidas palabras latinas, a las que Lorenzo no respondió «Amén». A continuación le comunicó que, por un favor especial concedido por muy altas instancias, Lorenzo Casamares quedaba fuera de las jurisdicciones ordinarias, las cuales tendían a ser expeditivas en aquellos tiempos agitados, y sería juzgado únicamente por la Inquisición. Trasladado luego el veredicto a las autoridades civiles, éstas procederían como estimaran conveniente, si bien lo más probable es que el fallo de los jueces seglares coincidiera con el del santo tribunal.

No dudada de ello Lorenzo. Aunque durante su cautiverio había desmejorado mucho, la natural penetración y agilidad de su mente no habían sufrido menoscabo alguno.

Prosiguió el padre Gregorio diciendo, con voz apenas audible, que el tribunal del Santo Oficio había examinado en los últimos diez días los hechos y dichos de Lorenzo con la mayor atención. No se trataba, añadió, de juzgar sus acciones pasadas, por ejemplo el haber confesado ciertas cosas bajo tormento, ni los probables abusos cometidos en la persona de una de las reas, todo lo cual estaba olvidado y no constituía elemento de cargo; lo que se juzgaba eran sus recientes actividades, desde su regreso a España, bajo las órdenes del rey José.

–Debe comprender –le dijo el padre Gregorio– que ningún motivo personal interviene en la causa que aquí instruimos contra usted. No juzgamos solamente al hombre que es, sino lo que a nuestros ojos, y a los de Dios, a quien nada se le oculta, usted personifica: los errores nefandos y por todos conceptos condenables de los espantosos tiempos que acabamos de pasar. Su odio a la fe, las persecuciones a las que ha sometido a las tradiciones cristianas y a aquellos que las encarnan, el diabólico celo mostrado en la defensa de las ideas y prácticas de una Revolución sanguinaria y sacrílega, sus afirmaciones repetidas de la preeminencia natural del hombre sobre Dios, es decir, su ateísmo obstinado e implacable, que hace de usted un apóstata, todo, en fin, nos lleva a la misma conclusión.

Lorenzo lo miraba y escuchaba con enorme interés, aunque ya conociera el tenor del discurso. En las consideraciones, en el vocabulario del padre Gregorio reconocía expresiones que él mismo había utilizado en otro tiempo, y no sólo cuando era inquisidor, y que le sonaban como ecos del pasado. Tan transparente le resultaba la fraseología del inquisidor que casi habría podido hablar en su lugar. Conocía la seducción y la capciosidad de ese lenguaje que parecía bastarse a sí mismo y no necesitar hechos, actos ni pruebas, que se reducía a afirmaciones categóricas y, por así decirlo, trascendentales, y era en la forma de una armonía tan persuasiva como arbitraria.

Frases hechas, se decía, que podían revolverse como una piel y ser aplicadas tanto a uno como a otro, indistintamente. Y pese a su abatimiento físico y su dolorido hombro, no le faltaba lucidez para preguntarse si las ideas mismas no nacerían tan sólo de las meras palabras, en lugar de emanar de la vida real, del sufrimiento y de la muerte de los hombres. Y se preguntaba asimismo si, en su doble existencia, y al igual que el padre Gregorio, no se habría conformado él también con palabras, si las ideas que había defendido y proclamado, y que sin duda iba a pagar con la vida, no eran otra cosa que simples quimeras, banderas enarboladas en el vacío.

Sin sorpresa ninguna, oyó al anciano decirle:

–Su obstinación en el mal es tal que nuestra primera provisión será impedirle repetir sus crímenes, y para eso solamente conocemos un medio seguro: la muerte. Recomendaremos, pues, que sea condenado a la pena capital. Que Dios, en su grandísima misericordia, se apiade de su alma.

Hubo un silencio. Lorenzo esperaba recibir una última bendición, como era costumbre, pero no fue así. Con un breve ademán el padre Gregorio indicó a los demás miembros del tribunal que se retiraran, lo que al punto hicieron éstos en silencio, y luego cerró los ojos en actitud de momentáneo recogimiento.

Cuando se quedó a solas con Lorenzo, aquel hombre al que había escuchado, admirado y quizás amado, el padre Gregorio abrió sus pesados párpados, esperó unos segundos y dijo:

–No olvido que si hoy me encuentro aquí es por usted. Sé, hijo mío, que me salvó usted la vida, tal como me prometió en prisión. En las presentes circunstancias, no está en mi mano salvar la suya, como sin duda sabe. En los borrascosos tiempos que corren, el afán de venganza ahoga cualquier otro sentimiento, y una vez más nos vemos arrastrados por la ira. Sin embargo, quiero recordarle un artículo de nuestras instrucciones, un artículo concreto por el cual he retrasado más de un año su proceso.

Lorenzo quedó sorprendido. No se esperaba esta revelación. Con atención redoblada, y quizás incluso con cierta esperanza, siguió escuchando al anciano, que dijo así:

–Si cuando lo capturaron lo hubieran entregado a las autoridades de entonces, a uno de esos supuestos tribunales populares que no tenían más mira que la de matar a ciegas, haría tiempo que estaría usted muerto, y muerto de manera ignominiosa. Por eso me las compuse para que se olvidaran de usted todo el tiempo que ha permanecido en prisión. Yo confiaba en que, Dios mediante, nuestra santa institución fuera reinstaurada con todas sus atribuciones, como así ha sido.

Ahora Lorenzo se sentía confuso: ¿se habría tomado el padre Gregorio todo aquel trabajo sólo para tener la satisfacción de condenarlo a muerte él mismo, y decírselo en la cara? ¿Qué ocultaba el anciano, a qué «artículo concreto» se refería? A punto estuvo de preguntárselo; pero el padre Gregorio se le adelantó:

–He pedido y finalmente obtenido que se lo juzgue aquí, ante nosotros. Ese artículo de nuestras instrucciones dice, en efecto, como no habrá usted olvidado, que la Iglesia puede salvar la vida de un reo si éste se arrepiente pública y sinceramente de sus pecados. Lo recuerda usted, ¿verdad?

Lorenzo agachó la cabeza. Sí, lo recordaba, y ahora comprendía por qué el anciano se había tomado tantas molestias por él durante más de un año, por qué exhumaba ahora aquel concreto artículo de las instrucciones del tribunal. Y se sintió como penetrado de una cálida ternura.

–Y bien, hijo mío, ahora se lo pregunto –continuó el padre Gregorio–: ¿está dispuesto a arrepentirse de sus crímenes pública y sinceramente?

Lorenzo lo miró a los ojos y nada contestó; no bajó los párpados, ni sacudió la cabeza, ni dijo nada.

El anciano entonces, inclinándose hacia delante, con voz muy baja, casi empañada, creyérase que de emoción, le dijo:

–Arrepiéntase, hijo mío, yo se lo pido... Arrepiéntase... Me ha comprendido, ¿verdad? ¿O desea que se lo repita? Salve su cuerpo, Dios proveerá por su alma...

Pero Lorenzo siguió callado, decidido a no abrir la boca, decidido a morir antes que renegar de sus ideas, de sus actos, de todo cuanto –ahora que su vida daba fin– pudiera no ser más que un espejismo.

Por última vez le pidió el padre Gregorio que se arrepintiera, suplicándole casi, como si su vida le fuera preciosa y quisiera salvarla a todo trance. Pero Lorenzo permaneció mudo e inmóvil. Siguió un largo y triste silencio, tras el cual el anciano le pidió que lo ayudara a levantarse, pues no se fiaba de sus piernas. Lorenzo lo asió por el brazo, le puso el bastón entre las manos y, lentamente, salieron juntos.

18

Es el último día de la vida de Lorenzo. Así se lo anunciaron al alba. Él se limitó a asentir, dando a entender que lo comprendía. El viejo fraile que lo ayudó a lavarse y a cortarse el pelo –que hasta entonces había llevado largo– le preguntó si deseaba confesarse antes de partir.

Lorenzo negó con la cabeza; de ningún modo.

Bebió un vaso de agua.

Descalzo, con el sambenito y la coroza puestos –que pregonaban su condición de pecador impenitente–, atravesó por última vez aquellos pasillos, y en la calle, sin oponer resistencia, subió a una carreta negra enganchada a dos mulas y se sentó en un travesaño.

A ambos lados de dicha carreta se situaron unos cuantos frailes, algunos soldados españoles con armas y dos tambores, y delante, a la cabeza, el más joven de los frailes, que portaba una larga cruz de hierro a la que iba clavado un Cristo de marfil. Así dispuesta, la procesión se puso en marcha hacia Madrid.

Observaba Lorenzo aquella ciudad a la que iba acercándose más y más y en cuya Plaza Mayor lo esperaba la muerte; dominando el Manzanares, distinguía nítidamente las columnas del Palacio Real, al que tantas veces había ido. El día era claro y bonancible, y el cielo no parecía ni alegre ni colérico. Para su propia sorpresa, Lorenzo se sentía sereno; ninguna inquietud, ni siquiera el temor a la muerte, lo turbaba. Había llegado a donde iba: eso era todo. ¿Para qué recordar las muchas vicisitudes de su vida, sus estudios, sus luchas, sus esperanzas y decepciones? ¿De qué servía preguntarse si se había equivocado o no, si de su persona perduraría algo? En menos de una hora todo sería barrido por la muerte, pero incluso esto se le antoja baladí. Un instante de dolor, cierto, y luego ¿qué? Nada, nada quedaría, ni pesar ni vergüenza. No había ganado ni perdido, no se acordaría de nada, pasaría sosegadamente de una nada a otra nada.

¿Y qué imagen dejaría de sí mismo? Poco le importaba.

¿Por qué hacer de la muerte algo terrible, se preguntaba, si es tan sencilla y trivial? Varias veces alzó el rostro para sentir la caricia del sol matutino. Lo cautivaban los tumbos que daba la carreta y agudizaban el dolor de su hombro, las miradas atónitas de la gente, la grupa parda de las mulas del tiro, los pájaros que revoloteaban alrededor, uno de los soldados que tosía: todo aquello iba a desaparecer con él. Y veía su sombra y la de la carreta proyectarse en la fachada de las casas cuando pasaban por delante; sí, sombras, nada más que sombras; iba hacia el viejo reino de las sombras, el único que no conoce revoluciones ni leyes nuevas, el único que nadie aspira a conquistar ni a someter.

Así pues, ¿para qué tantos afanes, para qué emprender nada, trabajar duro, luchar, darse de cabeza contra mil obstáculos, si hagamos lo que hagamos nos espera la muerte, segura y fácil?

Pensó también en su familia, de la que nada sabía. En un sentido estaba tranquilo: si hubieran capturado a su mujer y a sus hijos, no habrían dejado de decírselo. Y, sin embargo, ¿qué importaba también eso? Su mujer encontraría sin duda a otro hombre, sus hijos se abrirían camino en el mundo que les tocara vivir; pero fuera cual fuese el futuro y la existencia que les esperaba, él no los conocería ya. ¿Para qué preocuparse entonces?

Iba a cumplir cincuenta y cuatro años.

Cuando la procesión entró en Madrid, el suboficial que mandaba el destacamento dio una orden. Los tambores empezaron a sonar a ritmo lento y los frailes entonaron los salmos penitenciales. Lorenzo ni se inmutó. La ceremonia que daba comienzo le parecía inútilmente teatral. No hallaba en sí mismo nada ejemplar, ni heroico, ni inolvidable, nada que mereciera pasar a la posteridad. Por fin, y quizá por primera vez, su alma se revestía de esa ecuanimidad, ese equilibrio, ese desapego, esa indulgencia escéptica de la que siempre había carecido.

Su última satisfacción, con la que moriría, era no haberse arrepentido. Esto le hacía sentir una especie de orgullo vago y aquietaba aún más su corazón; de eso al menos había sido capaz. Pero por lo demás no experimentaba ningún sentimiento ni emoción. Su muerte sería tan vana y tan rápidamente olvidada como su vida.

En las calles el número de curiosos iba en aumento. Algunos se santiguaban y se descubrían al ver el crucifijo, las mujeres rezaban apresuradamente una oración. Eran muy pocos los que aplaudían al paso del cortejo o increpaban al condenado. Todos miraban con curiosidad aquel espectáculo que, según les habían dicho, pertenecía al pasado, aquel ritual extraño por cuyos fueros volvía el buen rey Fernando, «el Deseado», para regocijo de todos.

Inés no está lejos. Junto con tres o cuatro mujeres, cuenco en mano, hace cola ante un hombre que ha venido del campo con cuatro cabras y vende leche en la calle. El pequeño tiene ya dieciocho meses y empieza a balbucir las primeras palabras, a dar algunos pasos. Se porta muy bien. Inés sigue llamándolo Alicia.

Lleva en la mano derecha una moneda que Dolores le da todas las mañanas de parte de Goya. Sabe adónde ir, qué hacer para comprar leche. En el bolsillo lleva otra moneda con la que comprará pan y jamón. Hecho esto, suele deambular por calles y jardines y al anochecer vuelve juiciosamente al cuartito donde vive. Dolores dice que es muy aseada y piadosa. Todas las noches se arrodilla Inés ante una pared desnuda y se queda mirándola largamente, hasta que le entra sueño y se acuesta.

Es su turno. Entrega la moneda al cabrero y éste se pone a ordeñar una de las cabras. En ese momento se oyen los tambores de la procesión que se acerca. Todos vuelven la cabeza. Una muchedumbre sigue a la carreta, que continúa su marcha hacia la Plaza Mayor.

De pronto Inés deja el cuenco y al niño y corre hacia allá. Al llegar ve a Lorenzo, que es el centro de atención, y al instante lo reconoce. ¿De dónde viene, adónde lo llevan? No lo sabe. Lo llama, pero él no la oye. Vuelve a toda prisa donde está el cabrero, toma al niño en brazos y corre de nuevo hacia el cortejo. La carreta se ha alejado ya unos treinta metros e Inés no ve más que la coroza y la nuca de Lorenzo.

Se une a la multitud y trata de abrirse paso hasta la carreta, pero es imposible; la sigue dejándose casi arrastrar. Es la única que grita llamando por su nombre a Lorenzo.

El auto de fe de la Plaza Mayor ha atraído a mucha gente, al menos dos mil almas. Ya ha llegado otra carreta con un segundo reo, al que Lorenzo no conoce; no lleva coroza, luego es un simple asesino y no ha sido juzgado por un tribunal eclesiástico.

A un lado de la plaza han erigido un cadalso y, frente a éste, otro de mayor altura. Sobre el primero, hecho de madera sin pulir, se elevan dos postes y hay tres hombres: el verdugo y dos ayudantes. En el segundo, decorado con escudos y colgaduras rojas y gualdas, hay unas sillas de madera dorada en torno a una butaca tapizada, reservadas para invitados.

La carreta en que va Lorenzo se detiene. Lorenzo cruza la mirada con el condenado que ha llegado antes: semblante torvo y cansado.

De pronto Lorenzo pierde su indiferencia y se siente irresistiblemente atraído por el espectáculo. Las dos carretas permanecen inmóviles largos minutos y él aprovecha para mirar a su alrededor. Todas las ventanas rebosan de hombres y mujeres que lo observan, algunos incluso con prismáticos. Al pie del patíbulo, contenida por un tendido de sogas y al menos cien soldados con la bayoneta calada, la multitud se agolpa. «Aprovecha la ocasión», se dice Lorenzo, «es un espectáculo que no volverás a presenciar.» Pero la realidad de su situación se impone muy pronto: él no es un espectador como los demás. Han venido a verlo morir a él. ¿Por qué fijarse en formas y colores que dejará de ver en unos minutos?

En este punto, una banda militar ataca una marcha en la que resuenan cobres gloriosos y la muchedumbre enmudece. Todas las miradas se dirigen a la engalanada tribuna, en la que el rey Fernando, séptimo de nombre, hace su aparición: ha decidido presenciar el auto de fe acompañado de invitados. Contrahecho, paticorto, barrigudo, ojos negros bajo pobladas cejas, alza la mano y saluda a la multitud, que lo aclama y vocea: «¡Viva el rey!». Tras él, acompañados de sus elegantes esposas, aparecen algunos cortesanos, que esperan a que el monarca tome asiento para hacerlo ellos.

Invitado de honor es el general Wellington, que se acomoda no lejos del rey. No viene por gusto, sino porque no ha tenido más remedio: diplomacia fúnebre; confía en que la cosa no se prolongue. Como todos los soldados, está familiarizado con el espectáculo de la muerte humana, pero las ejecuciones públicas –como dice en privado– no son más que una pérdida de tiempo. Lo acompañan varios de sus oficiales. Uno de ellos es el coronel Eddington, que ha venido con una mujer de aspecto fino, muy bien vestida, que parece encontrarse en su salsa a unos metros del rey de España y no es otra que Alicia.

Se abanica ésta, al igual que el resto de las damas, y mira desde lo alto al gentío, que sigue saludando al rey y aplaudiéndolo. Desde allí no puede reconocer a Lorenzo, que se halla a más de sesenta metros de distancia. Sólo lo vio una vez, tres años antes, en el interior de una calesa y durante apenas diez minutos; ahora él lleva el pelo corto, barba entrecana de varios días, y su rostro está demacrado y rugoso.

El rey Fernando sabe quién es Lorenzo y oficialmente se ha congratulado de su ejecución. Cuando, recién restablecida la Inquisición, le fue imposible oponerse a la premiosa intercesión del padre Gregorio Altatorre, que confiaba en el arrepentimiento público del reo, hasta el último momento temió que Lorenzo accediera a humillarse para salvar su vida. Personalmente, prefería que muriera. Lo conoció en Bayona durante las negociaciones entre su padre y Napoleón: lo detesta, lo ha considerado siempre un traidor y un perjuro y se prometió castigarlo algún día. Ahora lo ve allí, sentado en la carreta, y sabe que ese día ha llegado, y siente un íntimo gozo.

Aquello es además un solaz para él, abrumado de preocupaciones como está. Tras años de guerra y guerrilla, el país está arruinado, las arcas públicas se hallan vacías, las prisiones llenas, buena parte de las personas principales han huido o conspiran contra él; para colmo, los territorios del Nuevo Mundo se sublevan, un tal Simón Bolívar solivianta Venezuela y la declara independiente, el oro ya no llega y hasta es preciso enviar tropas... Ver morir a un enemigo lo relajará y le sentará bien.

El último invitado de honor que aún no ha ocupado su lugar en la tribuna oficial, en la segunda fila, tras el rey, es el padre Gregorio. También él, como Wellington, habría preferido no asistir al auto. En su fuero interno, el espectáculo de la muerte lo horroriza. Suele buscar excusas para zafarse de administrar la extremaunción a los moribundos o de asperjar agua bendita sobre los cadáveres, incluidos los de frailes, sus cofrades.

Lo traen dos soldados sentado en una butaca de madera, a la que está sujeto con correas, y lo depositan en su sitio, tras retirar una silla. El rey se vuelve y lo saluda con un movimiento de cabeza. El longevo anciano, con los ojos casi cerrados, corresponde al saludo en la misma forma. Cielo y tierra se han reconciliado.

Como al rey, Lorenzo también reconoce al padre Gregorio. El viejo fraile, pues, pese a su debilidad física, ha querido estar presente. ¿O lo habrán obligado? ¿Considera aquello una victoria personal? No se sabe.

La banda concluye la marcha triunfal y pasa a interpretar otra música, más lenta y grave, con sordo fondo de tambor. El rey hace un gesto, cesan las aclamaciones. Invitan a Lorenzo y al otro condenado a bajar de las carretas, los ayudantes del verdugo les atan las manos a la espalda y los conducen al patíbulo; suben todos, uno tras otro, por una escalera de madera, mientras los dominicos se sitúan al pie, por delante, de cara al público y al rey, con una expresión sombría acorde con las circunstancias.

Una vez arriba, los verdugos llevan a los reos uno a cada poste. Ni siquiera a Lorenzo, apóstata y hereje, se le aplicará el antiguo suplicio del rogo, que se considera demasiado largo y bárbaro: en lugar de ser quemado vivo, será agarrotado, como todo español condenado a muerte.

Consiste el garrote en lo siguiente: se ata al reo por el cuello a un poste con una correa de cuero; una barra de hierro terminada en punta atraviesa el poste; el extremo afilado toca la nuca del reo, el otro está unido a una especie de manivela. Asiendo con ambas manos esta manivela, y girándola de manera brusca y rápida, el verdugo hunde la punta en la primera vértebra cervical del reo, provocando, si todo va bien, una muerte súbita. Es un procedimiento autóctono, como dicen los españoles, tan rápido y eficaz como la guillotina, pero con una ventaja: produce poco o ningún derramamiento de sangre.

Los dos reos están sentados en sendas banquetas y con las manos atadas. A Lorenzo le han quitado la coroza. Mira a la multitud y en las primeras filas ve a Goya. El pintor lleva puesto un ancho sombrero negro, quizá para que no le reconozca el rey. Se ha traído un cuaderno de dibujo y varios lápices. Sus ojos están fijos en Lorenzo, y su mano corre por el papel. Lorenzo se da cuenta de que lo que Goya está dibujando es su último retrato.

En ese momento oye a Inés, que lo llama a gritos, la

busca con la mirada y la reconoce. Está tratando de acercarse al patíbulo entre el apretado gentío, pero es muy difícil; agita en alto al niño que, sin su ración de leche, llora. Protestan los espectadores, le ordenan rudamente que se calle, que se vaya. Ella no hace caso. «¡Lorenzo! ¡Lorenzo!», resuena su voz cascada entre el batir de los tambores.

Los verdugos han terminado de preparar al primer condenado. Un sacerdote se acerca a él con un crucifijo y le dice unas palabras. El hombre posa sus gruesos labios en la pequeña cruz y la besa con unción. El sacerdote lo bendice rápidamente y bajando la cabeza se retira unos pasos. La música cesa, y sólo se oye un tambor, que bate acompasadamente, como un corazón.

El verdugo se acerca al poste por detrás, ase la manivela del garrote y alza la vista. El reo frunce el ceño, contiene la respiración, se demuda. El rey hace una breve seña al verdugo, hombre alto y fornido, y éste da el giro fatal. El tambor enmudece.

Desde donde está oye crujir Lorenzo las vértebras de su vecino. La gente aplaude, el verdugo ha hecho un buen trabajo. El hombre ha muerto a la primera. No ha sufrido, dicen algunos espectadores. «No lo bastante», replica una mujer.

El padre Gregorio no ha mirado. Tiene los ojos clavados en el suelo.

Los verdugos se acercan entonces a Lorenzo, que oye sus pasos por detrás. Le colocan el garrote, siente en la nuca el contacto del hierro afilado, nota cómo busca el verdugo el punto letal. Mira por última vez a los hombres y mujeres que tiene delante. Ve a Goya, que dibuja con rapidez y lo mira a cada rato. Ve y oye a Inés, que sigue

314

llamándolo, y a la que unas manos apartan a empujones. Ve al rey, que sonríe.

El sacerdote se le acerca hablando en latín y le presenta el crucifijo. Lorenzo, pese a la correa que le sujeta la cabeza, retira la cara. No, se niega.

El sacerdote insiste, sin éxito, y se retira. El público reacciona: merecido se lo tiene, así escarmentará.

Ahora hay que morir. El tambor vuelve a sonar a ritmo lento. Detrás, casi pegado al poste, el verdugo ase el manubrio y aguarda la señal del rey.

La señal tarda en producirse. Lorenzo, que tiene los ojos abiertos, ve entonces a Alicia en la tribuna y la reconoce: sí, es ella, Alicia. ¿Qué hace allí con el nuevo rey? Y sólo entonces siente que algo cede en su interior, nota que se le saltan las lágrimas y quiere reprimirlas, pero no puede, la vista se le nubla. También Alicia, su hija, ha venido a verlo morir. ¿Cómo? ¿Por qué? Morirá sin saberlo.

Morirá también sin ver que, desde la tribuna en que está sentado, el padre Gregorio, de manera casi furtiva, saca la mano del hábito y traza en el aire la señal de la cruz.

El rey da entonces la orden con un ademán. «¡Lorenzo!», grita Inés una última vez. Alicia y otras mujeres desvían un instante la mirada y se tapan la cara con el abanico. El verdugo gira la manivela con un movimiento brusco. Sujeta por la correa, la cabeza del reo cae un poco hacia delante. Lorenzo ya no puede oír las aclamaciones del público. Ha muerto.

Los invitados de Fernando también aplauden. De nuevo todo ha salido a la perfección y el espectáculo ha estado muy bien; un poco corto, quizá. El rey se pone en pie y se dispone a retirarse, pues negocios de Estado lo reclaman. En total, ha estado allí quince minutos. En la plaza lo espera una carroza, pero antes de desaparecer en ella hace una seña que la gente comprende y agradece: el rey acaba de dar permiso a la banda para quedarse una o dos horas más tocando música popular y la gente podrá bailar. Es día de fiesta.

Los verdugos han desatado ya los cadáveres de los postes y desmontado los garrotes, que guardan en una caja de mimbre. Goya pasa la página y sigue dibujando. Se llevan, o más bien retiran a rastras, los cuerpos de los ajusticiados y los cargan en las mismas carretas que los trajeron. Los dominicos se retiran con discreción y en silencio; ese día volverán a pie al monasterio. Sobre el cadalso ya hay mozos y mozas bailando y divirtiéndose.

Alicia deja la tribuna de honor del brazo del coronel Eddington. No es descabellado pensar que tal vez se convierta en la *lady* de alguna casa solariega inglesa.

Los dos hombres que trajeron al padre Gregorio en la butaca con correas lo alzan de nuevo y se lo llevan. El anciano tiene los ojos cerrados y nada mira.

El cuerpo de Lorenzo yace boca arriba en la carreta. Su cabeza cuelga por detrás, abiertos ojos y labios. Un mulero ha de conducir su cuerpo al cementerio donde entierran a los condenados a muerte, en las afueras. Con el niño en brazos y de pie, Inés está junto al cadáver.

Cuando la carreta se pone en marcha se acercan unos jóvenes desharrapados y, rodeando a Inés, empiezan a bailar y a cantar. La canción infantil que entonan, cosa frecuente en España, trata más de la muerte que de la vida.

La carreta avanza despacio. Nadie o casi nadie, ni en la plaza ni luego en las calles, presta atención al cadáver que pasa. Inés toma con su diestra la mano de Lorenzo y la aprieta. En el brazo izquierdo lleva al niño. La familia se ha reunido por fin.

Goya ha reparado en Inés y corre hacia ella, la llama varias veces, le grita que vuelva, que va a llevarla a casa, que él se ocupará de ella. ¿Adónde va con ese muerto y ese hijo que no es suyo? Inés ni siquiera se vuelve.

La carreta emboca una calle estrecha y casi desierta que lleva al sur de la ciudad. Los jóvenes siguen bailando y cantando a su alrededor. Seguirán así hasta el cementerio. Inés sostiene la mano del hombre al que lleva más de veinte años buscando, el único al que ha conocido, y también canturrea a media voz; una sonrisa le retoza en los labios.

Goya la sigue un momento por la calleja sin dejar de llamarla. Luego desiste y se detiene. No puede saber si Inés le ha contestado algo. En fin, se dice, desde el día que llamó a su puerta ha hecho por ella cuanto ha podido. Está ya viejo y debe pensar en sí mismo. Algunos de sus amigos y conocidos dicen que la Inquisición va a procesarlo por colaboración con los franceses y por haber pintado a una mujer desnuda. No se preocupa demasiado, sigue teniendo amigos influyentes y no hay un solo artista español que no esté bajo sospecha en esos momentos; por lo pronto, el nuevo rey sigue pasándole su pensión, luego ya verá. Con todo, es cierto que de un tiempo a esta parte, sobre todo desde la muerte de su esposa, piensa seriamente en salir del país, que se ha vuelto inhóspito e implacable, peligroso como la virtud, para irse a vivir al extranjero, a Francia, por ejemplo.

Observa la carreta alejarse por la callejuela. Inés y Lorenzo salen a un tiempo de su vida. Rememora fugazmente imágenes de los momentos compartidos con ellos,

imágenes que pronto, y como tantas otras, van a borrarse
definitivamente de su memoria. Recuerda que, hace ya
mucho tiempo, llamó a Inés fantasma, y se representa con
viveza, por última vez, el rostro de esa otra presencia fan-
tasmal, que lo ha obsesionado y quizá seguirá obsesio-
nándolo.

Y sigue quieto en medio de la calle. Nada oye. Ve cómo
la carreta, a lo lejos, dobla la esquina y desaparece. Y en la
calle desierta se queda solo.